D0308731

LA FORCE DE VIVRE

DU MÊME AUTEUR

Saga LA FORCE DE VIVRE

Tome I, *Les rêves d'Edmond et Émilie*, roman, Montréal, Hurtubise, 2009, format compact, 2012

Tome II, *Les combats de Nicolas et Bernadette*, roman, Montréal, Hurtubise, 2010, format compact, 2012

Tome III, *Le défi de Manuel*, roman, Montréal, Hurtubise, 2010, format compact, 2012

Tome IV, *Le courage d'Élisabeth*, roman, Montréal, Hurtubise, 2011, format compact, 2012

Saga CE PAYS DE RÊVE

Tome I, *Les surprises du destin*, roman, Montréal, Hurtubise, 2011

Tome II, *La déchirure*, roman, Montréal, Hurtubise, 2012

Tome III, *Le retour*, roman, Montréal, Hurtubise, 2012

Tome IV, *Le mouton noir*, roman, Montréal, Hurtubise, 2013

Saga LES GARDIENS DE LA LUMIÈRE

Tome I, *Maîtres chez soi*, roman, Montréal, Hurtubise, 2013

Tome II, *Entre des mains étrangères*, roman, Montréal, Hurtubise, 2014

Tome III, *Au fil des jours*, roman, Montréal, Hurtubise, 2014

Tome IV, *Le paradis sur terre*, roman, Montréal, Hurtubise, 2015

Saga IL ÉTAIT UNE FOIS À MONTRÉAL

Tome I, *Notre union*, roman, Montréal, Hurtubise, 2015

Tome II, *Nos combats*, roman, Montréal, Hurtubise, 2016

Saga IL ÉTAIT UNE FOIS À QUÉBEC

Tome I, *D'un siècle à l'autre*, roman, Montréal, Hurtubise, 2016

Tome II, *Au gré du temps*, roman, Montréal, Hurtubise, 2016

Un p'tit gars d'autrefois – L'apprentissage, roman, Montréal, Hurtubise, 2011

Un p'tit gars d'autrefois – Le pensionnat, roman, Montréal, Hurtubise, 2012

MICHEL LANGLOIS

LA FORCE
DE VIVRE

TOME 3 : LE DÉFI DE MANUEL

Hurtubise

Catalogage avant publication de Bibliothèque et Archives nationales du Québec et Bibliothèque et Archives Canada

Langlois, Michel, 1938-

La force de vivre
Édition originale : 2010-2011.

Sommaire : t. 1. Les rêves d'Edmond et Émilie -- t. 2. Les combats de Nicolas et Bernadette -- t. 3. Le défi de Manuel -- t. 4. Le courage d'Élisabeth.

ISBN 978-2-89723-989-3 (vol. 1)
ISBN 978-2-89723-990-9 (vol. 2)
ISBN 978-2-89723-991-6 (vol. 3)
ISBN 978-2-89723-992-3 (vol. 4)

I. Langlois, Michel, 1938-   . Les rêves d'Edmond et Émilie. II. Langlois, Michel, 1938-   . Les combats de Nicolas et Bernadette. III. Langlois, Michel, 1938-   . Le défi de Manuel. IV. Langlois, Michel, 1938-   . Le courage d'Élisabeth. V. Titre.

PS8573.A581F67.2017   C843'.6   C2017
PS9573.A518F67.2017

Les Éditions Hurtubise bénéficient du soutien financier du gouvernement du Québec par l'entremise du programme de crédit d'impôt pour l'édition de livres et de la Société de développement des entreprises culturelles du Québec (SODEC). L'éditeur remercie également le Conseil des arts du Canada de l'aide accordée à son programme de publication

Financé par le gouvernement du Canada | Canadä

Conception graphique : René St-Amand
Illustration de la couverture : c., Shutterstock.com
Maquette intérieure et mise en pages : Folio Infographie

Copyright © 2010, 2012 Éditions Hurtubise inc.

ISBN 978-2-89723-991-6 (version imprimée)
ISBN 978-2-89647-484-4 (version numérique PDF)
ISBN 978-2-89647-677-0 (version numérique ePub)

Dépôt légal : 3e trimestre 2017
Bibliothèque et Archives nationales du Québec
Bibliothèque et Archives Canada

Diffusion-distribution au Canada :
Distribution HMH
1815, avenue De Lorimier
Montréal (Québec) H2K 3W6
www.distributionhmh.com

Diffusion-distribution en France :
Librairie du Québec / DNM
30, rue Gay-Lussac
75005 Paris
www.librairieduquebec.fr

 DANGER LE PHOTOCOPILLAGE TUE LE LIVRE

La *Loi sur le droit d'auteur* interdit la reproduction des œuvres sans autorisation des titulaires de droits. Or, la photocopie non autorisée — le « photocopillage » — s'est généralisée, provoquant une baisse des achats de livres, au point que la possibilité même pour les auteurs de créer des œuvres nouvelles et de les faire éditer par des professionnels est menacée. Nous rappelons donc que toute reproduction, partielle ou totale, par quelque procédé que ce soit, du présent ouvrage est interdite sans l'autorisation écrite de l'Éditeur.

Imprimé au Canada
www.editionshurtubise.com

Personnages principaux

Benoche, le quêteux : mendiant.

Boily, Délina : servante au Poste de la Métabetchouan.

Dufour, Georges-Aimé : postier.

Forrest, John : commis du Poste de la Métabetchouan.

Forrest, madame : épouse de John Forrest.

Gariépy, Charles : visiteur.

Gaudreault, Bellone : ami de Manuel ; époux d'Armande, père de Céline et d'Obéline.

Gaudreault, Armande : épouse de Bellone, mère de Céline et d'Obéline.

Grenon, Manuel : époux de Fabienne Laflamme, père d'Omer, d'Élisabeth, de Geneviève, de Léopold et d'Arsène.

Grenon, Arsène : fils de Manuel Grenon et de Fabienne Laflamme.

Grenon, Élisabeth : fille de Manuel Grenon et de Fabienne Laflamme.

Grenon, Geneviève : fille de Manuel Grenon et de Fabienne Laflamme.

Grenon, Léopold : fils de Manuel Grenon et de Fabienne Laflamme.

Grenon, Omer : fils de Manuel Grenon et de Fabienne Laflamme.

Hatkins, monsieur : gardien du Poste.

Laflamme, Fabienne : épouse de Manuel Grenon.

Laflamme, Wilhelmine : sœur de Fabienne.

Lavoie, le père : curé à Pointe-Bleue.

Métis, le : aide de John Forrest.

Peabody, William : contremaître des constructeurs du vapeur.

Rioux, François : engagé de Manuel.

Simard, Charlabin : engagé de Manuel et du Poste.

Tremblay, l'abbé : curé de Baie-Saint-Paul.

—*On pourra aller à la lune; ça ne changera rien.*

—*Tu trouves, dit mon père, et pourquoi?*

—*Parce que tout le bonheur de l'homme est dans de petites vallées.*

Jean GIONO

Prologue

Le royaume du Saguenay et le lac Saint-Jean sont au cœur d'un vaste pays, fendu par la profonde cicatrice de la plus majestueuse des rivières. Tout au nord, rond comme une perle, le lac Saint-Jean, immense, s'étale sur plus de trente milles, large déversoir de rivières aux noms curieux et chantants : Pikouabi, Ashuapmushuan, Mistassini, Péribonka, Ouiatchouan, Coushpaganish, Métabetchouan. Par-delà, vers l'ouest et le nord, des forêts à perte de vue s'étendent jusqu'aux rives de la baie d'Hudson, ou vont mourir aux portes des déserts glacés du Labrador. Vers le sud, d'autres tranches de forêts alvéolées de lacs abritent de fougueuses rivières qui drainent sur leur parcours le sang de terres riches et les sillonnent de toutes parts.

Le lac Saint-Jean, Manuel le connaissait pour y avoir bûché durant de longs hivers sous les averses de neige mouillée, et y avoir gelé sur les glaces hostiles. Il aimait ce pays comme on aime une femme, il lui parlait de lendemains qui chantent, il lui confiait ses rêves. Il l'avait dans le sang, ce pays. Il coulait dans ses veines. Ce serait facile de s'y établir et d'y vivre. Entre l'homme et la terre serait scellé un pacte de fidélité jusqu'à la mort. C'était du moins ce que croyait Manuel, plein d'espoir et d'énergie...

PREMIÈRE PARTIE

VERS L'INCONNU

Chapitre 1

Baie-Saint-Paul, décembre 1844

En passant au bureau de poste ce matin-là, Manuel Grenon fut tout heureux d'apprendre qu'une lettre était arrivée de Drummond. Il hésita longtemps pourtant avant de la confier à son voisin Onésime Bouchard pour se la faire lire : malgré la joie d'entendre la parole des siens, il appréhendait de mauvaises nouvelles. Aussi fut-il soulagé de constater qu'au contraire tout le monde se portait bien et que sa tante Dorothée, auteure de cette lettre, le priait de venir leur rendre visite, précisant que sa venue rendrait son père fort heureux. Tout le monde attendait de ses nouvelles et surtout espérait une visite. Il demanda à son ami Onésime de bien vouloir répondre qu'il regrettait de ne pouvoir se rendre bientôt à Drummond, parce que son épouse Fabienne était en famille. Toutefois, il promettait d'y aller au cours de l'été afin que tous puissent connaître leur premier-né, garçon ou fille. Il avait grand hâte de revoir tout le monde et il songeait même à retourner y vivre, puisque sa terre ne s'avérait pas très fertile.

Mais voilà que moins de trois mois plus tard, Manuel reçut de Drummond une nouvelle lettre. «C'est sans doute une réponse à celle que j'ai expédiée à ma tante», se dit-il. Cette fois, c'est sans appréhension qu'il se rendit chez son ami Onésime. Son enthousiasme tomba cependant rapidement à mesure que son ami lui faisait lecture.

Drummond, dimanche 9 février 1845

Cher neveu,

Tu seras sans doute étonné de recevoir une nouvelle lettre de ma part si peu de temps après celle que je t'ai expédiée en décembre, où nous t'invitions à venir avec ton épouse afin de faire une surprise à ton père. Nous espérions ta visite et celle de Fabienne au temps des fêtes.

Vous vous promettiez de nous rendre visite cet été avec l'enfant nouveau-né et nous en aurions été fort heureux, surtout pour ton cher père. Mais voilà qu'aujourd'hui, je dois de nouveau me faire celle qui annonce les malheurs. J'ai la douleur de t'apprendre le décès de ton père, survenu hier, deux ans, jour pour jour, après celui de ta mère. Je sais quelle admiration tu lui vouais. Tout comme ta mère, il sera enterré en ton absence. Sache bien que nous le déplorons tous.

Tu seras sans doute anxieux de connaître la fin de ton cher père. Je me dois d'abord de te dire qu'il ne semble pas avoir souffert avant de rendre l'âme. Je lui ai rendu visite, il y a deux jours, sachant fort bien que cette période de l'année lui était pénible. Je l'ai trouvé mort au pied de son lit, tenant serré dans sa main un objet que j'ai réussi, de peine et de misère, à retirer. Il s'agissait d'un écrin que je me suis empressée d'ouvrir. À l'intérieur, noir sur blanc, m'est apparu le portrait en silhouette de ta chère mère. Sa disparition lui aura, je le crois, enlevé le goût et la force de vivre.

Ton père était un homme droit. Il ne tolérait ni la violence, ni l'injustice. Ce sont ces deux maux de notre société qui l'ont tué. Te voilà orphelin de père et de mère, mais n'oublie pas que tu as encore deux oncles et deux tantes à Drummond, de même que des sœurs et des frères, des cousins et des cousines qui t'accueilleront toujours avec plaisir, toi, ton épouse et les enfants que la Providence vous donnera.

Nous aimerions que tu puisses quand même nous rendre une visite au cours de l'été, vous seriez reçus à bras ouverts. Mais je me dois tout de même de te prévenir que le jour de l'enterrement de ton père, certains ont vu rôder un homme armé autour du cimetière. Nous les avons interrogés pour en savoir plus long sur cet individu. On nous a répondu qu'il s'agissait de Jimmy Sanders.

Même si nous aimerions tellement te voir, nous sommes conscients que tu ne peux venir ici au péril de ta vie. Compte sur nous pour te prévenir quand ce danger sera écarté. Entre-temps, nous ferons tout en notre possible pour aller te visiter à Baie-Saint-Paul.

Ta tante et marraine Dorothée, au nom de tous ceux et celles de ta famille

ℐ

Cette lettre de sa marraine, Manuel se la fit relire à plusieurs reprises. Longtemps, il caressa le projet de retourner malgré tout à Drummond. Finalement, jugeant que le risque s'avérait trop grand, il décida de s'établir et de faire sa vie à Baie-Saint-Paul, avec femme et enfants. Cela, jusqu'au jour où, vingt ans plus tard, il se rendit au lac Saint-Jean.

Chapitre 2

Métabetchouan, été 1865

Manuel écarta les fougères qui se dressaient devant lui. Entre les mousses, dans une cuvette au creux d'une moraine, la source apparut. L'eau bouillonnait, claire et froide. Il s'arrêta un instant pour le plaisir de l'entendre gargouiller, puis il s'accroupit. Il plaça ses mains en coupe et il recueillit un peu de cette eau si précieuse, qu'il but d'un seul trait.

— Goûte ça, Bellone! dit-il joyeusement à son compagnon. Tu m'en donneras des nouvelles, elle est tout juste assez fraîche.

L'autre ne se fit pas prier.

— C'est vrai, Manuel, pour être bonne, est bonne en baptême! Elle a un goût de noisette.

Le temps de se désaltérer, Manuel avait déposé son sac sur le sol. D'un geste vif, il le ramassa. Après en avoir glissé les sangles sur ses épaules, d'un coup de rein, sans effort apparent malgré le poids de la charge, il l'ajusta sur son dos.

—Bellone, mon vieux, j'sais de quoi je parle : j'ai pour mon dire qu'un pays qui cache une pareille source nous réserve des surprises encore plus agréables. Tu vas voir, on n'a pas fini de les découvrir. Arrive !

Son compagnon le suivit en silence. Au tournant du sentier, ils débouchèrent sur la berge d'un large cours d'eau dont les flots couraient se perdre dans ceux du plus majestueux des lacs.

—Je te présente la Métabetchouan ! dit fièrement Manuel. Regarde-moi la belle rivière !

Son ami siffla d'admiration.

—T'avais saprément raison, c'est une rivière dépareillée !

Manuel sourit, satisfait.

—J'te contais pas d'blagues, mais attends, t'as encore rien vu.

En longeant la rive, ils trouvèrent une chaloupe et y embarquèrent pour se rendre sur l'autre berge. Manuel laissa dériver un peu l'embarcation, avant de l'échouer habilement entre deux saules. Muni de son fusil, il gagna la rive pendant que Bellone récupérait les sacs à dos. Ici, le cours d'eau formait un étang. Il charroyait une eau limoneuse et brunâtre qui sentait à la fois la terre et le foin.

Manuel, pointant au loin, informa son ami :

—Par là, c'est la chute.

On entendait le grondement sourd des trombes d'eau. Mais Manuel semblait préoccupé, et ses yeux gris fouillaient le rivage.

— Si tu vois une grande pierre rose sous les pins, c'est là !

Bellone pointa l'index.

— Drette-là, devant nous, à cent pas !

— Batêche ! T'as raison, je cherchais trop loin.

Manuel se dirigea d'un pas assuré vers la pierre. Derrière une rangée de pins embaumant l'air de leur résine odorante, se dessinait une clairière jaune or.

— C'est mon blé ! dit Manuel. Il me paraît encore plus beau que tout ce que j'avais pu imaginer de mieux.

Il courut, saisit les premiers épis à sa portée, les examina un instant avant d'en faire glisser les grains entre ses doigts. Il les défit, les porta à sa bouche, puis se mit à sautiller comme un enfant au comble du bonheur.

— La Terre promise, Bellone, la Terre promise ! As-tu déjà vu des grains pareils ?

À son tour, Bellone arracha un épi, l'égrena dans sa main et y goûta. Manuel l'observait. Hochant la tête, Bellone dit :

— T'as raison, Manuel, pour être du bon blé, c'est du bon blé en baptême !

Manuel jubilait. Il attrapa son ami par le bras.

— Viens icite, à présent, que je te montre le plus beau...

Vivement, il l'entraîna sur un escarpement. À leurs pieds, avant de se perdre dans le lac comme une corne d'abondance, la rivière découvrait ses trésors dorés. Sur la rive opposée s'élevaient quelques maisons dont les façades se miraient dans le vaste miroir du lac Saint-Jean, le Pekuagamy des Montagnais. Appuyé sur un bouleau, Manuel reprenait son souffle tout en se remplissant les yeux de ce paysage qu'il aimait tant. Bellone, lui, s'était assis sur une pierre. Il demanda :

— Ça doit être les maisons du Poste ?

— En plein ça ! C'est le Poste de traite de la baie d'Hudson. Paraît qu'y a toujours eu du monde là depuis l'arrivée des Français.

Les deux hommes demeurèrent un bon moment sans parler. Tout en se reposant, ils fumaient leur pipe pendant que leurs pensées filaient comme des oies sauvages au-delà de la ligne d'horizon, vers des contrées où coulent le lait et le miel.

Les deux compagnons étaient de solides gaillards, mais très différents de taille et de tempérament. Bâti tout d'une pièce, Manuel mesurait près de six pieds et dépassait Bellone d'une tête. Sa tignasse noire et fournie lui donnait l'allure d'un homme jeune, mais sa barbe déjà grisonnante le vieillissait. Il frisait la quarantaine, et son visage hâlé était celui d'un cultivateur passant le plus clair de son temps au grand air. Son large cou, ses épaules carrées, ses bras musclés, ses jambes arquées, tout en lui respirait force et puissance. Aucun travail ne le rebutait, rien ne paraissait le troubler.

Plus mince mais tout en muscles, Bellone avait un tempérament nerveux, ses gestes étaient saccadés comme ceux d'un oiseau. Il était incapable de se décider et semblait toujours d'accord avec ce que les autres disaient, que ce soit blanc ou noir.

— Tu sais à quoi je songe? demanda Manuel.

— À quoi?

— Au village que nous allons bâtir ensemble.

Bellone fronça les sourcils:

— Tu penses ben trop loin! Faut commencer par s'habituer icite avant d'parler de s'installer. C'est loin d'être encore fait.

— C'est permis de rêver. Il me semble que je vois déjà ma maison avec l'écurie, la grange, le hangar à bois. Mes champs vont partir de la rivière pour grimper jusqu'à nos pieds.

— Tu vas bûcher en pas pour rire!

— C'est pas pour demain, je le sais, mais je te jure que si c'est rien que de moi, il va y avoir ici, plus tôt que tu le penses, des animaux qui vont brouter tout leur saoul. Les enfants s'amuseront au bord de la rivière, ils pêcheront des ouananiches tant qu'y voudront. J'ensemencerai mes champs de blé, d'orge, de seigle et de lin et je viendrai drette-là rien que pour les voir pousser.

— Tu vois grand en pas pour rire!

— Ben mieux que ça! Je te gage même que plus tard, y aura au bord de la rivière des dizaines de maisons, une école, une église, un vrai village avec un docteur, un boulanger, un forgeron, un curé et un meunier. On dira de Métabetchouan: «C'est la meilleure place pour vivre heureux et en paix.»

Il avait parlé, les yeux brillants, la voix pleine d'émotion. Il ajouta :

— Vas-tu déménager en même temps que nous autres ?

Bellone retira sa pipe de ses lèvres et, avant de répondre, cracha par terre :

— P't'être ben qu'oui, p't'être ben qu'non ! Ça dépendra d'Armande.

— T'as pas besoin de sa permission, batêche ! C'est toi qui mènes.

— Armande, c'est pas ta Fabienne, elle fait ben peu de ce que j'veux.

— Je compte ben gros sur toi pour la décider. Penses-y un peu : nos deux familles ensemble, on serait tellement ben pour commencer Métabetchouan.

— J'y pense, Manuel, crains pas, pour y penser, j'y pense en baptême !

Les deux hommes redescendirent vers la berge. Manuel s'arrêta, parcourut du regard les environs, puis il se dirigea vers un point bien précis situé sur un promontoire derrière un massif d'épinettes.

— Icite, décréta-t-il, je bâtirai le campe ; là-bas, la maison. Toé, Bellone, où te construiras-tu ?

— Pas très loin, du côté du soleil.

— Comme ça, c'est décidé, tu viens ?

— J'ai pas dit ça ! On verra ben… Dans le temps comme dans le temps !

Manuel poussa un soupir et, sans plus insister, se remit en marche. Ils regagnèrent tranquillement le bord de la rivière. En passant, ils remplirent chacun un plein sac de blé. Manuel déclara :

— Ils voudront des preuves, ils en auront.

Ils retrouvèrent leur barque. Sans plus tarder, ils se laissèrent dériver vers le Poste de la baie d'Hudson, traversant la Métabetchouan. Parvenus sur l'autre rive, ils empruntèrent un sentier qui menait vers les maisons, pendant que le soleil éclairait les lieux de ses rayons les plus ardents.

Chapitre 3

Au Poste de la Métabetchouan

Aussi loin qu'on se souvenait, il y avait toujours eu des bâtiments à cet endroit. Il aurait été difficile de trouver lieu plus propice à la halte. À l'embouchure de la rivière, une pointe de terre en forme de serre d'épervier griffait le lac sur près de deux arpents et y formait une presqu'île. Tout autour et devant, aussi loin que le regard portait, vaste comme une mer, le Pekuagamy étendait sa nappe bleue. À l'horizon, immense troupeau de chevaux sauvages, les montagnes se donnaient des coups d'épaule, courbaient et redressaient l'échine dans une course effrénée vers le nord. Du sol s'élevaient les vifs effluves des mousses fraîches accrochées au pied des pins séculaires. Il y avait dans l'air un parfum enivrant qui faisait tourner la tête.

— C'est seulement la deuxième fois que tu viens ? questionna Bellone.

— Seulement ma deuxième ! Mais à la première, j'ai su que j'allais revenir. Avant de repartir, j'ai planté ma tente drette-là. J'avais pas de charrue mais une hache

et j'ai emprunté une bêche au Poste. J'ai bûché quelques arbres, j'ai bêché autour, j'ai défriché juste assez
pour semer du blé rien que pour voir ce que ça
donnerait.

— Le blé de tantôt ?

— Ce blé-là ! Et t'as vu comme moi ce qu'il a donné.

Tout en parlant, ils étaient parvenus au sommet de
l'écore. Ils arrivèrent nez à nez avec John Forrest, le
gardien du Poste. C'était un homme de taille moyenne
à cheveux roux, qui ne regardait jamais son interlocu-
teur en face lorsqu'il parlait. Ses yeux bruns bou-
geaient sans cesse dans leurs orbites, en quête d'un
point où se fixer. Son nez d'aigle surmontait une cicatrice qui tranchait son menton en deux, lui donnant
un air méchant. Il avait à peine quarante ans, pourtant,
son visage ridé le faisait paraître beaucoup plus âgé.

Manuel avait fait sa connaissance trois mois auparavant, lorsqu'il était venu semer son blé. Le commis
s'était montré affable, trop peut-être, ce qui avait
rendu Manuel méfiant. Aussi avait-il préféré dormir
sous la tente, même si Forrest lui avait offert l'hospitalité du Poste.

L'apparition soudaine des deux hommes fit sursauter le commis qui, reconnaissant Manuel, s'écria :

— Tu es revenu !

— Comme tu vois et pas tout seul à part ça, avec
mon ami Bellone Gaudreault.

— T'es venu voir pour ton blé ?

— C'est ça !

— C'est bon ou c'est pas bon ?

— Mieux que je pensais !

— Vous allez rester ?

— Pour le moment, on retourne à Baie-Saint-Paul, mais tu auras des voisins au printemps.

— Vous revenez ?

— Nous revenons !

Il désigna Bellone :

— Lui aussi ?

— C'est pas encore décidé, dit ce dernier, mais pour y penser, j'y pense ben gros.

— Tu viens avec ta famille ?

Manuel acquiesça d'un signe de tête. Si l'on en jugeait au cri de joie que poussa le commis, la nouvelle s'avérait fort excitante.

— Ça vaut un verre ! s'exclama-t-il. Une pareille nouvelle, *Goddam*, ça se fête ! Vous en prendrez ben un ? Ça fait d'tort à personne, ajouta-t-il, en guettant la réaction de Manuel.

Bellone ne refusait jamais un petit verre. Il déclara :

— Ça nous donnera du courage pour la route !

Tout en causant, les trois hommes étaient parvenus à la maison du Poste. Forrest allait ouvrir quand la porte s'entrebâilla. Manuel entendit le plancher craquer, mais en entrant, il ne vit personne.

— Il y avait pourtant quelqu'un ! dit-il. Je l'aurais juré.

Forrest ricana puis le rassura :

— C'est pas un fantôme, c'est mon aide, le Métis.

— Où est-il passé ?

Le commis haussa les épaules :

— Qui sait ? Il apparaît et disparaît à sa guise, c'est le roi de l'ombre.

Un cri hystérique les fit sursauter. Le commis serra les dents :

— *Goddam* ! Vous faites connaissance avec toute la maisonnée d'un seul coup. Ma *crazy* de femme vous souhaite la bienvenue à sa façon. Tu la connaissais ? demanda-t-il à Manuel.

— Non ! J'avais seulement rencontré Délina, la servante. Je me rappelle encore la bonne omelette au fromage qu'elle m'avait préparée.

— Madame Forrest, revenez par ici ! s'écria une voix féminine.

La porte de la chambre s'ouvrit brusquement. Sans se soucier le moins du monde des trois hommes, une femme complètement nue traversa la salle. La servante qui la pourchassait s'arrêta net à leur vue, hésita, puis continua jusqu'à la cuisine. Il y eut quelques secondes de silence. Soudain, un hurlement fit frémir Manuel et Bellone.

— Donnez-moi ça ! ordonnait la servante d'une voix où perçait l'angoisse. C'est dangereux !

Forrest se précipita. Manuel et Bellone demeuraient figés sur place. Ils entendirent un bruit de lutte, qui se termina par un cri du commis suivi d'une paire de gifles et d'un gémissement.

— *That's enough* ! rugit Forrest. Touche plus à ce couteau, *Goddam*, ou je t'étripe avec !

Les deux femmes traversèrent de nouveau la pièce en direction de la chambre. Le nez en sang, toujours aussi nue, madame Forrest marchait devant. Tête basse, Délina lui emboîtait le pas, suivie du commis qui, en guise d'excuses, expliqua :

— *Goddam* de femelle ! Depuis cinq ans, elle est complètement *crazy*.

— Ce n'était pas nécessaire de la frapper, lui reprocha la servante.

— C'est mon affaire, pas la tienne ! hurla-t-il, le poing brandi.

Il reprit son souffle avant d'ajouter :

— O.K., c'est assez pour les émotions à matin, un bon gin nous remettra sur le piton. *Where is the bottle* ?

Le Métis apparut aussitôt, apportant verres et boisson.

— Celui-là, ricana Forrest, il est muet mais pas sourd ni aveugle.

Manuel en profita pour l'examiner. C'était un costaud au cou de taureau, une force de la nature. Il avait les yeux bouffis et le regard fuyant. Retenus sur le front par un lacet en cuir, ses longs cheveux noirs et huileux lui retombaient sur la nuque. Il déposa verres et bouteille au bout de la table, se réfugia sur un banc fixé au mur où il s'assit, le regard rivé droit devant lui, puis il ne broncha plus, comme un chasseur à l'affût.

Forrest remplit les verres et, d'un ton joyeux, lança :

— *Skin* à votre retour !

— Santé ! firent ensemble Manuel et Bellone en levant leur verre.

Les trois hommes firent cul sec. Le commis s'empara aussitôt de la bouteille pour remplir de nouveau les verres.

— Non, monsieur ! Un, c'est déjà trop, vous le savez !

C'était Délina, la servante, qui lui lançait cette interdiction. Le commis jura, son regard s'enflamma, et il versa l'alcool en esquissant une grimace :

— Scram, *Goddam* ! J'boirai comme je veux. C'est pas parce que tu couches avec moé que tu vas m'donner des ordres.

Il cracha par terre.

— Vous voyez, reprit la servante d'une voix douce, un seul verre et vous devenez méchant. Vous dites des choses que vous imaginez. D'abord, je n'ai jamais couché avec vous, et puis je ne le ferai jamais, ensuite je ne vous donne pas d'ordres, je ne fais que vous rappeler le bon sens. Le deuxième verre, vous le savez, sera de trop. Vous aviez promis.

— *So what* ! Une nouvelle de même, ça s'arrose !

— Quelle nouvelle ?

Ce fut Manuel qui lui répondit.

— Bellone et moi, nous revenons au printemps avec notre famille.

Le visage de la servante s'illumina.

— Enfin, exulta-t-elle, nous aurons des voisins ! J'en suis bien heureuse !

Forrest en profita pour boire son deuxième verre en catimini puis il remplit celui que Manuel avait déposé sur la table.

—Non, merci, John! Un verre c'est bien assez, puis, de toute façon, nous partons, s'excusa-t-il.

Joignant le geste à la parole, il se pencha pour reprendre son sac. Mais le Métis avait mis son pied dessus. De la tête, il désignait le commis.

—Qu'est-ce qu'il lui prend? s'indigna Manuel.

—Il est insulté parce que tu refuses mon verre. *Goddam!* Y a raison! On crache pas sur d'la bonne boisson de même.

—Vous devriez être aussi raisonnable qu'eux autres, lui conseilla Délina, sur un ton de reproche.

Irrité, le commis la poussa sans ménagement vers la cuisine en hurlant:

—À tes chaudrons, *Goddam!* J'ai pas besoin de toé pour savoir *what's good for me.*

Délina obéit, mais non sans prévenir Manuel et Bellone:

—Après un verre ou deux, il perd la tête. Faut l'excuser, il ne supporte ni la boisson ni la contradiction. Fiez-vous pas sur lui ni sur le Métis quand ils sont en boisson.

Le silence qui suivit était lourd. Mal à l'aise, les deux hommes saluèrent leurs hôtes et se dépêchèrent de quitter les lieux. Ils empruntèrent un sentier sous les pins en direction du sud et accélérèrent aussitôt le pas. Dans cette forêt houleuse comme une mer, ils se sentaient vraiment chez eux.

—Le commis et son Métis ont l'air de vrais Sauvages, fit remarquer Bellone. Je n'aimerais pas les rencontrer tout seul à la noirceur.

— À force de vivre dans les bois loin du monde, reprit Manuel, c'est pas étonnant.

— T'as pas peur de venir t'installer près d'eux autres ?

— Pourquoi ? Je resterai de l'autre bord de la rivière, on sera pas dans leurs jambes !

— Moi, à ta place, avant de venir me bâtir icite, j'y penserais à deux fois en baptême.

— C'est toute pensé, c'est même décidé.

Le sentier serpentait le long du lac jusqu'à la Belle-Rivière. De leur pas d'hommes des bois, ils le parcoururent sans se presser. Près de cent vingt milles les séparaient de Baie-Saint-Paul, et ils devaient auparavant passer par Chicoutimi afin de prendre possession des lots où ils avaient l'intention de s'établir.

Chapitre 4

Chez les Grenon

Assise dans une chaise à bascule, Fabienne raccommodait des bas, pendant que sa fille Élisabeth s'occupait à récurer les chaudrons. Les deux femmes s'affairaient à maintenir vivante la maison des Grenon. Femme corpulente, la mère montrait des chairs débordantes entre les barreaux de la berçante et son front laissait paraître des plis d'inquiétude. De son côté, sa fille affichait un visage serein qu'aucun tracas n'avait encore buriné.

— M'man, demanda Élisabeth, si on cessait de travailler dans la maison, qu'est-ce que vous pensez qui arriverait ?

— Dans trois jours, on serait embourbé jusqu'au cou. M'est idée que ton père gronderait comme un ours.

— Pourquoi c'est nous et pas les hommes qui font ces ouvrages-là ?

— Parce que faut crère que c'est mieux de même ! Te verrais-tu, ma fille, derrière la charrue ou encore à

35

bûcher durant tout l'hiver ? Les hommes triment dur, ils nous laissent les tâches moins forçantes.

— Mais tout aussi éreintantes, enchaîna Élisabeth.

Pour appuyer ses dires, elle se redressa en posant les mains sur ses hanches afin de soulager son dos.

— Quand chacun fait bien son métier, fit remarquer sa mère, tout le monde s'en porte mieux. Les vieux disaient : « Même s'il a du feu, faut pas demander au forgeron de cuire le pain. » M'est idée qu'ils avaient raison.

Élisabeth avait chaud. Elle s'essuya le front du revers de la main puis fit remarquer :

— P'pa devrait revenir dans une couple de jours, si l'beau temps dure.

— T'as raison, ma fille ! Je l'attends demain ou après-demain.

Fabienne fit une pause. Elle respirait avec difficulté à la manière de quelqu'un qui court après son souffle.

— C'est encore vos bronches ? questionna Élisabeth.

— Y a des jours que c'est pire que d'autres, surtout quand je pense que ton père va revenir pour repartir aussi vite. Il tient plus en place depuis qu'il va au Saguenay et surtout au lac Saint-Jean. Il ira encore aux chantiers avant les neiges.

— Il va repartir bûcher ?

— Ben sûr ! As-tu déjà vu ton père arrêter une minute ?

— Pour ça, non ! Il est comme une queue de veau.

— C'est pas drôle, ma fille, de passer des mois à se morfondre sans son homme. Quand tu te marieras,

Élisabeth, écoute ben ta mère, prends-en un qu'a les deux pieds à terre ben solide. M'est idée qu'y a seulement ceux-là qui peuvent rendre une femme heureuse. Faut jamais choisir un homme comme ton père, toujours sur la trotte.

Elle avait parlé tout d'un trait et elle mit du temps à reprendre son souffle. Tout en écoutant sa mère, Élisabeth frottait le fond des chaudrons avec du sable, avant de les faire tremper dans une cuve remplie jusqu'au bord d'eau savonneuse. Elle posa le pain de savon jaune sur le bord de l'armoire, respira un bon coup, puis reprit le chaudron qu'elle venait de laver pour aller le suspendre à la crémaillère de l'âtre.

—J'aime cent fois mieux le poêle de fonte que l'âtre, dit-elle, ça salit moins les chaudrons.

—C'est le progrès, déclara Fabienne solennellement. N'empêche que je préfère cuire dans l'âtre que sur le poêle !

—Vous avez appris d'même, dit Élisabeth. Pourtant, mémère Laflamme se servait plus souvent du poêle.

—Les derniers temps seulement. Avant mon mariage, quand j'étais encore fille, y avait que l'âtre à la maison, pas de poêle de fonte. On y faisait tout cuire, c'est une manière de faire qui nous vient des anciens. M'est idée que s'ils revenaient aujourd'hui, ils choisiraient encore l'âtre.

Les deux femmes se turent. La mère suait à grosses gouttes sans parvenir à retrouver sa respiration normale. Elle soupira. Dehors, les pinsons faisaient entendre leurs cris d'appel. Elle s'extirpa avec peine de sa chaise, puis dit d'une voix lasse :

— Les pinsons s'appellent, on va souper ben vite. Ma fille, va donc quérir les petits, ils sont du côté de la rivière. En même temps, tu ramèneras les vaches.

— Ça tombe à pic ! J'viens d'finir de laver les chaudrons. Après souper, Geneviève pourra faire la vaisselle !

— Faut pas lui en demander trop, protesta sa mère. Avec son asthme, elle en mène pas large. Pauvre petite ! Elle tient ça des Laflamme, tu sais. On en souffre beaucoup dans la famille.

— Vous la plaignez ben trop, m'man. Elle en profite, de même, c'est toujours moi qui fait toute.

— C'est vrai, ma fille, que t'es vaillante, mais t'es ben chanceuse aussi d'avoir une bonne santé, c'est pas notre lot, ta sœur et moi. Depuis notre naissance, on en arrache.

— N'empêche qu'elle pourrait en faire plus, soutint Élisabeth.

— Allons ! s'impatienta sa mère. Ne tarde plus, va quérir les petits !

Élisabeth abandonna ses chaudrons et, sans plus tarder, partit en clopinant. À quinze ans, la fille aînée des Grenon était devenue le bras droit de sa mère. Elle ne se faisait jamais prier pour rendre service et ne rechignait pas à l'ouvrage. Fabienne la regarda s'en aller, hocha la tête en se disant : « Heureusement que je l'ai ! »

Un petit sentier traversait les bosquets d'aulnes qui, regroupés comme des commères à l'affût des dernières nouvelles, cachaient le bord de la rivière. Élisabeth l'emprunta d'un pas vif, une chanson au bord des lèvres. Dès qu'elle eut débouché sur la grève, elle aperçut Geneviève et Léopold s'amusant à attraper des ménés.

—V'nez souper! cria-t-elle.

Captivés par leur jeu, les enfants ne répondirent pas.

—J'vous ai dit de v'nir souper! gronda-t-elle.

Geneviève tourna la tête:

—On s'en vient!

Élisabeth qui ne voyait pas leur petit frère, demanda:

—Où est Arsène?

—Il n'est pas avec nous, répondit Léopold en esquissant un geste vague.

—Il n'est pas avec vous? reprit Élisabeth d'une voix inquiète. Il était pourtant bien parti avec vous autres.

—On l'a pas vu, juré, craché, fit Geneviève, joignant le geste à la parole. On a attrapé des ménés! Regarde, Élisabeth, on en a beaucoup.

La petite lui tendait un pot en terre cuite où grouillaient une vingtaine de petits poissons. Élisabeth y jeta un coup d'œil distrait.

—Vite à la maison! dit-elle d'une voix pressante. Et allez à l'étable dire à Omer que le souper est prêt.

Geneviève et Léopold partirent au pas de course en direction de la maison. Inquiète, Élisabeth se mit à arpenter la grève en y cherchant des traces d'Arsène.

« Il n'est pas venu par icite », finit-elle par se convaincre. Elle fit un détour pour ramener les vaches qui paissaient le long de la rivière. Le troupeau docile la précéda vers l'étable. Tout en marchant, elle scrutait les environs dans l'espoir d'y apercevoir Arsène. « Où peut-il être passé, celui-là ? », murmurait-elle, impatiente et inquiète. Arrivée à la maison, elle n'avait pas franchi le seuil qu'aussitôt elle demanda :

— Arsène est-y icite ?

Sa question fit sursauter sa mère.

— Dis-moi pas qu'il est pas revenu avec toi ? lança-t-elle, étonnée. Où peut-il être passé ? Vite, tout le monde, on part à sa recherche !

Toute la famille se mit de la partie. En quelques minutes, on fut assuré qu'il ne se trouvait pas dans la maison. La grange, l'étable, la porcherie furent visitées sans plus de résultat. De plus en plus énervée, Fabienne se mit à crier d'une voix angoissée :

— Arsène ! Arsène !

Bientôt, tous l'imitèrent en ratissant les champs en direction de la forêt. Omer courut chez les Simard chercher de l'aide.

Tout au long de la route qui les conduisait chez les Grenon, Marie et Benjamin Simard, venus en renfort, unirent leurs voix à celle d'Omer pour appeler Arsène. La battue se poursuivit jusqu'à ce que le soleil se soit couché. Fabienne montrait des signes de fatigue : elle soufflait sans arrêt, sa respiration se faisait de plus en plus courte et la sueur lui inondait le visage. Marie Simard s'en avisa.

—Il commence à faire trop noir, déclara-t-elle d'une voix peinée. Faudrait penser à rentrer si on ne veut pas se perdre à notre tour. Regarde-toi, Fabienne, tu es à boute.

Elle s'indigna :

—Je ne suis pas à boute pantoute ! Il faut… continuer à chercher… Rentrez si vous voulez… j'vas poursuivre toute seule.

—Sois raisonnable ! reprit Marie. Dans ton état, avec ton asthme, vaut mieux que tu t'arrêtes.

Omer renchérit :

—C'est plus prudent de nous en retourner à la maison, m'man. Madame Simard a raison, on voit plus rien.

Omer parvint à entraîner sa mère qui, cherchant son souffle à chaque pas, ne parvenait plus à retenir ses larmes.

—S'il passe la nuit dehors, gémit-elle, il en mourra.

—Rien ne dit qu'il est dehors, madame Grenon, peut-être qu'il s'est réfugié chez les Gauthier, suggéra Benjamin Simard. Allons quérir nos fanals, nous chercherons de ce côté-là.

Fabienne gémissait :

—C'est notre bébé. En plus, c'est le préféré de Manuel… Qu'allons-nous devenir, mon Dieu, qu'allons-nous devenir ?

Marie Simard l'encouragea :

—Nous le retrouverons, tu verras, Fabienne. À son âge, il peut pas être allé bien loin. C'est pas le premier à qui ça arrive : une fois, Charlabin était disparu. On l'a trouvé endormi près de la maison.

❧

Pendant ce temps, Élisabeth avait continué avec les petits qui s'époumonaient à appeler Arsène. Juste au moment où elle allait entrer, elle entendit des pleurs du côté du hangar à bois. Elle s'y précipita et tenta d'ouvrir, mais la porte était coincée. Arsène y était demeuré prisonnier. Pour rassurer l'enfant, elle cria :

— Ne bouge pas, je reviens tout de suite.

Elle s'empara d'une hache qui traînait dehors.

— Écarte-toi de la porte !

D'un bon coup sec du dos de la hache, elle l'enfonça. L'enfant sanglotait dans un coin.

— Tu n'as pas de mal ?

Elle prit Arsène dans ses bras et le serra contre elle.

— Tout doux ! Tout doux ! fit-elle, c'est fini ! C'est fini !

Les petits, sur les entrefaites, s'étaient précipités en hurlant :

— Arsène est là ! Arsène est là !

Fabienne se sentit défaillir. Omer la soutint. Apercevant l'enfant, qu'Élisabeth ramenait dans ses bras, elle éclata en sanglots.

— Il n'est pas mort ? Il n'est pas mort ? bredouilla-t-elle.

— Ben non, voyons ! Il était resté embarré dans le hangar.

Marie Simard s'approcha. D'une voix douce, elle dit :

— Prends sur toi, Fabienne! T'as ben assez d'cher-cher ton souffle, s'il faut que tu te mettes à brailler en plus! Calme-toi, c'est fini à présent.

— J'sais, Marie, bégaya-t-elle à travers ses larmes, mais c'est plus fort que moi.

Elle prit à son tour Arsène dans ses bras. Aussitôt dans la maison, elle se laissa choir dans sa berçante. Tout étonné de l'attention qu'on lui portait, l'enfant ne pleurait plus.

— Dire qu'il était dans le hangar, dit Benjamin Simard.

Élisabeth renchérit:

— Pas plus loin que le hangar! C'est pas possible!

— Le hangar, soupira Fabienne, la seule place où on n'avait pas regardé. Dire que je le croyais noyé ou égaré en forêt. Comment se fait-il qu'il n'a pas répondu quand on l'a appelé?

— Faut croire qu'y aura pas entendu. Il devait dormir et vous savez, m'man, celui-là quand il dort, y a rien pour le réveiller.

Marie Simard lui reprocha gentiment:

— Tu vois, tu te faisais des idées noires. Voilà que tout est bien qui finit bien.

Se tournant vers son mari, elle ajouta:

— Bon! Il nous reste plus qu'à nous en retourner chez nous.

— Partez pas tout suite, intervint Élisabeth, vous prendrez ben une tasse de thé avec nous autres.

Marie Simard sourit et acquiesça:

— C'est jamais d'refus, quand c'est si ben offert!

— Avec ça, on n'a pas soupé, se plaignit Omer. J'mangerais un bœuf tellement j'ai faim !

Élisabeth fit mine de se désoler :

— Ça s'ra pour une autre fois, pour à soir, tu devras te contenter d'une omelette. Mais j'y pense, ajouta-t-elle à l'intention des Simard, vous n'avez peut-être pas soupé, vous autres non plus ? J'en prépare pour vous aussi, dit-elle en allant chercher des œufs.

— Donne-toi pas cette peine-là, Élisabeth, on avait déjà soupé, intervint Benjamin Simard.

— En tous les cas, votre thé s'en vient, promit-elle. Dans deux minutes, l'eau va bouillir.

— Y a pas de presse, ma fille. D'abord qu'on est tous revenus de nos émotions, on peut ben attendre encore un peu.

Encore sous le choc de ce qu'elle venait de vivre, Fabienne était restée assise, prostrée dans sa berçante. Pendant ce temps, indifférent à tout l'émoi qu'il venait de causer, le jeune Arsène galopait déjà dans la maison.

— S'il avait fallu... commença Fabienne.

— Chut ! fit Marie. Toi et tes idées noires, tu vas finir par attirer le malheur. C'est terminé, faut pas revenir sur le passé surtout quand il est mauvais, y a assez des fois que ça tourne mal, pour une fois que ç'a bien tourné, pense donc à autre chose.

Voulant changer de conversation, elle demanda :

— Vous êtes toujours décidés à partir pour le lac Saint-Jean ?

Sa question posée, elle se rendit aussitôt compte de sa gaffe.

44

Fabienne lâcha un gros soupir :

— Si Manuel ne change pas d'idée, il faudra ben en passer par là.

Elle se remit à sangloter. Marie fit de son mieux pour la consoler :

— Si j'étais toi, j'en parlerais à monsieur le curé. Il pourra peut-être raisonner Manuel.

Fabienne se contenta de hausser les épaules en continuant à pleurer doucement.

Un ange passa… Marie profita de ce moment d'accalmie pour dire :

— Vous connaissez la dernière nouvelle ?

— Quoi donc ? questionna Omer.

— Charles s'est trouvé de l'ouvrage à Québec. C'est pour ça qu'il était pas avec nous autres pour chercher.

— Ah ben !

— Il travaille au chantier maritime, mais il reste chez un cordonnier, un dénommé Sirois.

Omer s'exclama :

— Y est ben chanceux ! C'est pas à moi qu'ça arriverait.

— Le souper est prêt, le thé aussi. Qui a faim s'en vient ! interrompit Élisabeth.

Tous s'attablèrent sans se faire prier. Omer avait déjà attaqué son omelette quand Fabienne se signa, avant de dire un bénédicité plein de remerciements pour la nourriture et, surtout, de reconnaissance pour l'enfant retrouvé. Les Simard burent leur thé et prirent congé. Ils avaient à peine franchi le seuil que Benjamin dit à Marie :

— Quelle drôle de créature, cette Fabienne, une vraie fontaine !

— Tu ne la changeras pas, le cœur lui vient gros à la moindre épreuve et Dieu sait qu'elle en a pas manqué par les temps qui courent.

— Si elle était pas tout le temps à jongler à ses malheurs, aussi... Peut-être ben qu'elle aurait plus de chance.

Chapitre 5

Le retour à la maison

Au bout de dix jours de voyage, Manuel et Bellone parvinrent à la Rivière-de-la-Marre. Quand il aperçut sa terre déjà saupoudrée des premiers frimas, Manuel ne put réprimer un cri :

— Bellone, mon vieux, j'ai hérité de la terre de Caïn !

— C'est ton héritage ? s'étonna l'autre. J'aurais jamais pensé ça ! Tu méritais mieux.

— Comme tu dis ! Mais on était six à la maison : Élise, la plus vieille, Éloi, qui est devenu notaire, ensuite Édouard, Éphrem, moi et Éphigénie, l'infirme. Une fantaisie de ma mère, on a tous eu des noms qui commençaient par la lettre « E ».

— Comment ça, par « E » ? Tu t'appelles pas Manuel ?

— Emmanuel. Tout le monde m'appelle Manuel ou même Manu, mais mon vrai nom c'est Emmanuel.

— Y a quelque chose que je ne comprends pas. Tu sais ni lire ni écrire, pourtant tu parles comme un grand livre.

— C'est le malheur de ma vie. Mes frères et mes sœurs ont tous été à l'école, comme moi, à Drummond. Le seul qui a eu des problèmes, tu l'as devant toi. J'étais pas capable de reconnaître les lettres, elles se mêlaient toutes devant mes yeux. Elles dansaient comme des folles pis les mots changeaient de place comme des fourmis quand on lève une pierre. J'ai jamais pu écrire et encore ben moins lire.

— À cause de ça?

— À cause de ça.

— Où est-ce que t'as appris à si bien parler, d'abord?

— C'est ma sœur Élise, le bras droit de ma mère. Elle m'a pas lâché. Elle me forçait à apprendre des mots et me reprenait chaque fois que je me trompais. Elle avait pour son dire : « Il n'est pas capable de lire et d'écrire, au moins il va savoir parler. »

— Ça explique pas pourquoi t'es devenu habitant sur une terre de roche.

— Là, tu m'en demandes un p'tit brin de trop. Je l'ai jamais raconté à personne depuis que je suis dans les parages. Ça vient de loin.

— C'est-y le mystère de ta vie pour que tu veuilles jamais en parler?

— Quelque chose de même.

Il s'arrêta un moment pour se moucher, réfléchit puis expliqua :

— D'abord, j'ai travaillé sur la terre de mon oncle au canton de Wickham. C'est de même que j'ai appris à retourner la terre, à bûcher, à chasser de temps à autre, c'est tout ce que je pouvais faire de mieux. Puis il est arrivé un… événement qui m'a forcé à partir de là.

— T'en as jamais parlé. On se demandait toujours ce qui t'avait amené par icite. On se disait : ça doit être une affaire pas trop catholique.

D'une voix indignée, Manuel intervint :

— Apprends, Bellone, que je n'ai rien à cacher !

— Te fâche pas, je disais ça comme ça. C'est-y trop te d'mander que de me le dire ?

Manuel sembla peser le pour et le contre, médita un instant puis finit par dire :

— Bon ! Le danger est passé. Je pense que je peux en parler. Avec mes frères, on a eu bien des fois à se défendre contre les Anglais. On n'est pas des Grenon pour rien. Il nous reste encore de la force de notre aïeul. On les battait à tout coup. Je faisais bien ma part, même si j'étais le plus jeune. Une bonne journée, alors que je m'en allais de chez mon oncle jusqu'en ville, un de ces maudits protestants-là, à qui j'avais sapré une volée, est apparu droit devant moi avec un fusil. Il a tiré, mais, demande-moi pas comment ça se fait, il m'a manqué. J'ai eu juste le temps de l'attraper par le chignon du cou pour l'empêcher de tirer une autre fois. Je lui ai cassé son fusil sur le dos, puis, j'étais si furieux que je l'ai attrapé par le collet et que je l'ai suspendu comme ça par le col de son manteau à la branche basse d'un érable. T'aurais dû le voir se débattre !

— Il devait être en beau maudit !

— En maudit ? Non ! Ben pire. Enragé comme un diable ! Un mois après, comme je prenais le chemin de la rivière pas loin de chez nous, il est sorti de derrière un paquet d'aulnes et a tiré sur moi une fois encore. Cette fois, il m'a touché un peu à l'épaule. J'ai fait un bond de côté, c'est comme ça que son deuxième coup m'a manqué. Je lui ai lancé une pierre qu'il a reçue dans l'estomac. Il a tourné de bord comme un chien qui court après sa queue et il a filé sans demander son reste. Mon père a dit : « Emmanuel, si tu tiens à la vie, va falloir que tu te fasses oublier pour un temps par ici, et que t'ailles t'établir ailleurs. » « J'ai pas de place où aller. » Il avait reçu en héritage une terre que mon grand-père détenait, dans le temps, ici à Baie-Saint-Paul. C'est celle où nous sommes à présent.

— Qui l'entretenait ?

— Elle était restée en friche. Des foins hauts comme des arbustes, des lierres, des aubépines accrochées à des roches, toutes sortes d'arbres tordus, un fouillis sans fin. C'est comme ça que je suis arrivé icite. Mon père m'a dit : « Ça sera ton héritage ! » Il a été trouver le vieux notaire Jacob de Drummond qui a arrangé ça avec le notaire Bolduc de Baie-Saint-Paul. C'est de même que j'ai hérité. Mon père en a profité pour faire son testament. Dedans c'était écrit : « J'ai légué à mon fils Emmanuel ma terre à bois de la Rivière-de-la-Marre à Baie-Saint-Paul. » J'avais proche vingt ans ! Je me suis marié par après. J'ai eu mes enfants. Ça fait depuis ce temps-là que j'essouche, que je laboure, que je m'échine à empiler les roches le long des clôtures. C'est pas une terre à blé, c'est une terre à cailloux.

—Pour une terre ingrate, c'est une terre ingrate en baptême! Pas différente de la mienne, acquiesça Bellone.

Il souleva son chapeau pour se gratter le front, la pensée noyée dans un songe. Manuel, qui l'observait, lui dit en hochant la tête:

—Malgré tout, tu hésites encore à me suivre à Métabetchouan.

—J'ai trop d'attaches par icite. En as-tu encore d'où tu viens?

—À Drummond? J'ai mes frères et mes sœurs. Mais j'y suis jamais retourné depuis que je suis parti. J'ai revu un peu toute la famille, une fois, quand je me suis marié. Ils sont venus à mes noces à Sainte-Claire-de-Dorchester. C'est là d'où vient Fabienne.

—Tiens, justement! Ta Fabienne, comment tu l'as rencontrée?

—Ici, à Baie-Saint-Paul. Elle était venue rendre visite à son oncle.

—Si t'es pas retourné à Drummond, as-tu revu tes frères et tes sœurs depuis?

—Tu t'en souviens pas? Éphrem et Édouard sont venus me voir, ça doit bien faire cinq ans. À part ça, j'ai deux tantes du bord des Grenon, ma marraine, la tante Dorothée et aussi ma tante Marie-Josephte. Elles sont vieilles et veuves toutes les deux. Mon oncle Bernardin est mort y a cinq ou six ans, et mon oncle Ludovic vient de mourir l'année passée. C'est la dernière nouvelle que j'ai reçue d'eux autres. Quand arrive une lettre, c'est pour me dire la mort de l'un ou de l'autre. Tu vois, à force de rester loin des siens, on finit presque par les oublier. Mais pour en revenir à ce qu'on disait, Métabetchouan, ça te tente pas ?

— Si c'était que de moé, j'irais tout de suite drette-là, mais j'suis pas tout seul à décider, dit-il, d'un ton résigné.

— Cinq enfants et une femme à nourrir sur un pareil tas de cailloux, c'est impossible, Bellone, c'est pour ça que j'm'en vas à Métabetchouan. Toi aussi, t'as cinq enfants. Décide donc Armande !

Appuyés à une clôture, leur pipe entre les dents, les deux hommes continuaient de causer. Les enfants de Manuel les avaient aperçus et s'étaient approchés à pas de loup. Surgissant derrière eux, ils poussèrent ensemble un « bouh ! » retentissant. Les deux hommes sursautèrent. Enchantés de leur avoir joué ce bon tour, les enfants criaient tous en même temps en sautant de joie. « Papa ! Papa ! » Ému, Manuel fit ce qu'il ne faisait pratiquement jamais. Il les entoura de ses bras en prononçant leurs noms : Élisabeth, Geneviève, Léopold, Arsène.

— Où est Omer ?

— Y fait l'train.

— J'ai quelque chose de grave à vous dire, allez vite le chercher.

Il se dirigea d'un pas décidé vers la maison, suivi de son ami.

— Bellone, viens boire un coup au moins ! Tu pourras te reposer un brin.

Quand ils furent tous autour de la table, il dit à Fabienne :

— Sors la boisson des grandes occasions !

Elle rapporta une bouteille avec deux verres, un pour Bellone, l'autre pour Manuel.

— Et moi ? s'indigna Omer.

— T'es encore trop jeune, tu l'sais, dit Fabienne.

Manuel déboucha la bouteille, remplit jusqu'au bord le verre de son ami avant de se servir. Tout autour de la table, les enfants sentaient que l'heure était grave, ils se taisaient. Solennellement, Manuel tira de son paqueton un sac de toile rempli de blé et, de sa large main, il y puisa.

— Fabienne, commença-t-il en faisant rouler les grains d'une main à l'autre, voilà un échantillon de ce que m'a rapporté la poignée de blé que j'ai semé sur les bords de la Métabetchouan. J'ai acheté la terre, on s'en va vivre là au printemps.

Fabienne resta bouche bée. Tout était dit. Quoique habituée aux grandes déclarations de son mari, cette fois, elle le sentait, elle le savait, c'était vrai. Elle connaissait trop bien son homme pour tenter de le dissuader. Pendant qu'il faisait glisser les grains de blé dans ses mains, déjà défilait dans son esprit résigné le cortège des corvées à réaliser avant le grand départ. Manuel bourra sa pipe avant d'ajouter :

— Nous ferons comme les oies sauvages pour y bâtir notre nid. Tôt ce printemps, nous monterons vers le nord. Mais quand les oies repartiront, l'automne ne nous verra pas revenir.

Satisfait de l'effet que ses paroles venaient de produire, il s'assit dans sa berçante, enfila une gorgée de gin, se mit à le siroter avec grand plaisir. Omer se montra curieux d'en connaître davantage sur Métabetchouan.

— C'est un sapré beau pays, commenta Bellone, pas pareil comme icite, mais pour être beau, c'est beau en démon, avec la rivière et le grand lac. En plus, la terre est bonne. Je vous trouve ben chanceux de pouvoir y aller.

— Tu vois, reprit Manuel en haussant le ton à l'intention de Fabienne. Bellone l'a vu et l'a aimé.

Omer s'inquiéta :

— Vous venez pas à Métabetchouan avec nous autres, monsieur Gaudreault ?

— J'voudrais ben, pour sûr que j'voudrais, mais Armande est pas du même avis.

— Vous viendrez vous installer un de ces jours, j'en suis certain, assura Manuel, c'est juste une question de temps.

Comme pour se persuader, il ajouta :

— Je gagerais même que ça sera ce printemps, en même temps que nous autres.

— T'as probablement raison, quand Armande va voir le beau blé que cette terre-là rapporte, je pense que ça va la décider.

Omer poussa un soupir de soulagement, il fit remarquer :

— Comme ça, y a plus de chance que vous veniez que non.

— J'ai un bon ambassadeur ! s'exclama Manuel. Fais attention à tes filles, Bellone, y en a un qui a les yeux ben ouverts.

Voyant Omer rougir jusqu'au bout des oreilles, les deux hommes s'esclaffèrent. Ils rallumèrent leur pipe ensemble et se mirent à fumer calmement pendant que Fabienne et Élisabeth s'affairaient à préparer le souper.

— Tu vas souper avec nous autres ? demanda Manuel à Bellone.

— Ça serait pas de refus, mais je dois y aller. Armande et les enfants m'espèrent.

Manuel insista :

— Oublie pas ce que tu as vu à Métabetchouan, on doit partir ensemble au printemps.

— Crains pas, pour pas oublier, j'oublierai pas, mais on verra ben c'qu'on verra.

Omer et Manuel l'accompagnèrent jusqu'à la limite des champs. Profitant du temps qu'il leur restait avant le souper, ils allèrent terminer le train. Quand ils revinrent à la maison, ça sentait bon la soupe aux gourganes, ce qui fit dire à Manuel :

— Il faudra apporter des gourganes pour en semer à Métabetchouan.

Sa remarque déclencha les larmes de Fabienne. Il s'indigna :

— Tu pleures encore ! Attends donc de voir Métabetchouan avant de verser toutes les larmes de ton corps. Ça fait longtemps que je te le dis, tu vas aimer ça mieux qu'icite, tu verras. On sera pas tout seul longtemps, tu vas voir. Le lac Saint-Jean, c'est la terre et le pays de demain, je te le garantis.

Les enfants accouraient à table. Manuel se signa, Fabienne surmonta sa peine pour demander à Dieu de bénir le repas. Le soleil basculait déjà derrière les Laurentides, le ciel rougeoyait comme braises, un train de nuages mauve et or filait vers le nord. La pensée de Manuel s'y glissa jusqu'aux rives de la Métabetchouan.

Chapitre 6

De la visite

Au-dessus des champs, un voilier d'outardes coulait vers le sud. Dans les ornières, sur la route, des corneilles se disputaient les restes d'un rat musqué. Le vent d'ouest soufflait son haleine chaude vers la baie, où quelques nuages s'attardaient au-dessus du clocher. On n'aurait pas pu souhaiter plus beau soir d'automne. Pipe au bec, Manuel avait tiré sa berçante sur le perron pour profiter de ce redoux et refaire son plein de paix. Au-dessus de la rivière s'élevait un rideau de brume qui se refermait et dérobait un à un au regard les dos ronds des Laurentides.

Tout à coup, plusieurs silhouettes se dessinèrent au bout du chemin, du côté de la baie. Il devina que ces gens venaient chez lui. Il s'inquiéta aussitôt:

— Fabienne, viens voir!

Elle se montra le nez par la porte entrouverte.

— Ma foi du bon Dieu! s'écria-t-elle. C'est m'sieur l'curé! Pis les plats qui traînent encore sur la table!

Elle disparut aussitôt dans la maison. On entendit le choc des assiettes qu'elle ramassait en vitesse pendant que Tout-Fou, étendu au pied de son maître, avait relevé la tête, les oreilles dressées, avant de laisser échapper un jappement peu convaincant.

— Chut! fit Manuel.

Le chien baissa les oreilles, mais au moment où la troupe s'engageait dans la cour, il gronda de nouveau.

Manuel ordonna d'un ton sec :

— Tais-toi, Tout-Fou! Tais-toi!

L'animal se recoucha docilement dans son coin.

— Bonsoir, m'sieur l'curé, c'est un grand honneur, prenez l'temps d'entrer.

Le curé ne se fit pas prier, et les autres lui emboîtèrent le pas. Quand tout le monde eut trouvé place, Manuel lança :

— Quel bon vent vous amène?

Il se fit un silence que le curé rompit en se raclant la gorge comme avant un sermon. Il déclara :

— J'ai entendu dire que tu t'apprêtes à nous quitter pour Métabetchouan?

— Je vois que Fabienne vous a bien renseigné, m'sieur l'curé.

Le prêtre ignora la remarque.

— N'as-tu jamais songé d'aller t'y établir avec d'autres familles?

— Justement, monsieur l'curé, je pars avec Bellone.

— C'est pas ce qu'Armande m'a dit tout à l'heure.

Un peu décontenancé, Manuel fronça les sourcils. Il murmura :

— Armande a gagné son point, ça ne me surprend pas de Bellone, mais ça ne m'empêchera pas de partir.

— Pourquoi t'en vas-tu à Métabetchouan ? Il y a la Grande-Baie et Chicoutimi qui sont déjà des paroisses respectables.

— Pour être franc avec vous, monsieur le curé, je préfère les petites places aux grandes. Métabetchouan fera mon bonheur, pis j'empêche personne d'y venir avec moi.

— Fais pas ton faraud, Manuel Grenon, tu sais parfaitement bien que tu y seras tout seul.

— D'autres finiront ben par m'y rejoindre. Il y a un commencement à tout.

— Ta femme est-elle du même avis que toi ?

— Sauf votre respect, monsieur le curé, c'est vous qui nous avez dit à notre mariage que c'était pour le meilleur et pour le pire. Disons que là, pour elle, c'est peut-être pas le meilleur, mais elle n'a encore rien vu de Métabetchouan et quand elle y sera, elle verra bien que c'est pas le pire.

Le prêtre se tut, les autres ne bronchèrent pas. On sentait de la tension dans l'air. Toujours aussi maître de lui, Manuel profita de ce répit pour leur offrir un verre :

— Vous prendrez bien un p'tit r'montant ? Profitez-en ! C'est peut-être bien le dernier que je peux vous offrir avant longtemps.

Après avoir jeté un coup d'œil furtif dans la direction du curé, le notaire, qui faisait partie du groupe, hasarda un timide :

— Ce n'est pas de refus…

Les autres, guère plus assurés, l'imitèrent.

— Un doigt seulement !

Le curé déclina l'offre puis enchaîna d'un ton bourru :

— As-tu bien réfléchi à ce que tu vas faire ?

— C'est tout réfléchi, monsieur l'curé, depuis longtemps.

— Tu sais ce qui t'attend : la forêt, les mouches, l'éloignement, le froid, les privations, la solitude… Et n'oublie pas, Manuel Grenon, que là-bas il n'y aura pas de messe, pas de communion, pas de confession, pas de sacrements ! C'est ça, Métabetchouan !

— Sauf votre respect, je le sais mieux que vous, monsieur l'curé, j'en arrive. Mais Métabetchouan, c'est aussi du bon blé, du gibier à profusion, une rivière dépareillée, du bois de chauffage à portée de la main, de la bonne eau de source, un horizon à perte de vue et la grande paix du bon Dieu, qui n'a pas de prix.

— Tu n'es pas près de revoir des beaux champs cultivés comme ici, des belles terres grasses, des bons chemins, des fêtes pleines de carillons ! Tu vas t'ennuyer durant le temps des fêtes, tout seul à l'autre bout du monde. Faut bien être un peu fou pour s'éloigner des vieilles paroisses quand rien ne nous y oblige…

— Chacun sa folie, monsieur l'curé. J'ai trouvé une terre pas mal meilleure que celle que j'ai icite. Mais vous me surprenez, monsieur le curé. Qui vous dit que vous serez éternellement à Baie-Saint-Paul ?

La remarque de Manuel fit sursauter le prêtre. Courroucé, il haussa le ton :

— D'abord, tu parles pour ne rien dire. Jamais je n'irai ailleurs et en tous les cas, pas au lac Saint-Jean.

— On ne connaît pas l'avenir, coupa Manuel en hochant la tête.

Le curé continua :

— Si je t'en parle, c'est pour ton bien comme pour celui de ta famille. Pour t'éviter une grave bêtise. Plusieurs de mes paroissiens ont tenté l'aventure. Tu les connais ! La déception en a ramené un grand nombre sur leur bonne terre de Charlevoix.

— Leur bonne terre de Charlevoix, c'est vous qui le dites monsieur le curé, c'est pas vous qui labourez.

Le curé s'emporta :

— Toi, tu t'en vas encore plus loin qu'eux, et pis tout seul à part ça. Le lac Saint-Jean, c'est un beau pays à ce qu'on dit, mais c'est certainement pas aussi agréable qu'ici. Crois-tu vraiment que ce sera mieux ?

— Si j'en étais pas sûr, pourquoi j'irais ?

Il fit une pause.

— Attendez !

Il se dirigea vers son paqueton, accroché au mur, y plongea la main, en tira une poignée de blé qu'il fit examiner aux autres.

— Je n'ai jamais récolté du si beau blé par ici.

— Faut admettre que ta terre est bien mauvaise, dit le notaire.

Les hommes examinaient le blé en connaisseurs. Manuel ajouta :

— Si je vous comprends bien, monsieur le curé, vous souhaiteriez que je remette mon projet à plus tard ?

— C'est en plein ça, mon garçon. Il sera toujours temps de partir.

— Faut pas trop y compter, monsieur le curé, je suis pas de ceux qui changent d'idée comme de chique.

Devant pareille détermination, le curé, à bout d'arguments, ajouta tout de même d'un ton peu convaincant :

— Tu as tout l'hiver pour y penser. Promets-moi de venir au village avant de décider quoi que ce soit. Promets-moi de venir me voir.

— J'irai, promit Manuel.

Le curé se leva, les autres l'imitèrent en soulevant légèrement leur chapeau pour saluer. Quand ils eurent quitté la maison, Fabienne éclata en sanglots.

Habitué à ses débordements, Manuel dit calmement :

— Le curé n'a pas fait le miracle que tu espérais, mais tu te fais de la peine pour rien. Attends au moins d'avoir vu Métabetchouan !

Chapitre 7

Les adieux de Manuel

Manuel n'attendit pas au printemps pour tenir sa promesse. Le village commençait tout juste à se barricader contre l'hiver. Novembre avait à peine étendu ses premiers draps de neige quand Manuel alla faire sa tournée d'adieu. Il s'arrêta un moment au bord de la rivière pour humer avec plaisir l'air vif du matin. Dans les cours, derrière les maisons, on commençait déjà à grignoter les cordes de bois toutes neuves, les cheminées crachaient leur fumée blanche dans le ciel clair : tout respirait la sérénité. La baie se faisait belle, comme pour le retenir. « C'est mon pays. Par mes aïeux, je l'ai dans les tripes ! Je l'aime. Il n'y a pas plus beau pays. Mais ce n'est pas tout de montrer beau visage, encore faut-il être avenant pour ceux qui nous aiment. Il ne l'est pas pour moi, c'est pour ça que je pars. Personne ne peut trouver à redire, j'ai bel et bien raison de m'en aller. »

Ces pensées le réconfortèrent et, sans se laisser émouvoir, il continua sa tournée. Ses pas le menèrent en premier au moulin de la Rémy. Tous les mois, il s'y rendait pour y faire moudre son grain et, chaque fois, il en profitait pour piquer une bonne jasette avec son ami le meunier.

En le voyant entrer, l'autre lui cria par-dessus le bruit de la meule et de la grande roue :

— Espère-moé un moment, j'arrive !

Manuel s'assit sur une pile de sacs et il ferma les yeux, désireux de s'habituer au demi-jour régnant dans la pièce. Machinalement, il tira sa pipe de sa poche, puis se ravisa en se souvenant qu'il était interdit de fumer à cet endroit. « Ça prendra des années avant d'avoir un pareil moulin à Métabetchouan, songea-t-il. Pas de moulin, pas de bonne farine, pas de bonne farine, pas de bon pain. Faudra s'y faire. Monsieur le curé avait pas tout à fait tort, quand on quitte une vieille paroisse, on laisse ben manque de commodités derrière soi, mais c'est pas le pire : le pire, c'est qu'on perd de bons amis comme Joseph. »

Il ouvrit les yeux et sursauta. Le meunier se tenait devant lui, esquissant un sourire qui découvrait des dents jaunies par le tabac.

— Batêche ! Je t'avais pas entendu venir.

— T'es donc ben su' les narfs ! T'as pas la conscience tranquille ? Qu'est-ce que je peux faire pour toé ?

— Je pars !

— C'est pas nouveau, t'es toujours en train de partir. Si on était tous comme toé, y aurait pus un chrétien dans la paroisse. Tu t'en vas aux chantiers ?

— Pour tout de suite, je m'en vas aux chantiers, mais au printemps, je pars pour de bon.

— Ton idée de fou d'aller t'enterrer à Métabetchouan ? C'est pas créyable ! À quoi tu penses ? T'as décidé de nous planter là pour aller rester dans un trou pareil ? J'te reconnais pus, c'est pas de toé de quitter un beau pays comme icite pour la forêt, les mouches pis la famine.

— C'est décidé, Joseph, je changerai pas d'idée : au printemps, je serai à Métabetchouan, je suis venu te faire mes adieux.

— T'es de bonne heure en pas pour rire, t'aurais pu attendre au printemps.

— Pour partir ?

— Ben non, simonac ! Pour tes adieux.

— Fallait que ça se fasse tout de suite, batêche, au printemps, j'aurai trop de besogne pour entreprendre une tournée.

Ne sachant trop quoi dire, le meunier restait là, mal à l'aise, les bras ballants comme quelqu'un qui vient de tomber en bas de sa chaise. Manuel porta la main à sa casquette.

— À la r'voyure, mon bon Joseph. Merci pour tes farines dépareillées, Dieu te garde.

Décontenancé, le meunier resta planté là à le regarder disparaître dans le grand puits de lumière qui s'ouvrit, au moment où il poussa la porte.

« Ils ne comprendront jamais, grogna Manuel. Ils manquent s'évanouir dès que je leur dis que je pars. J'aurais été mieux de rester bien tranquille à la maison. Cette tournée-là aussi, c'était pas mon idée mais celle du curé. »

Avant de poursuivre son chemin, d'un geste hésitant, pour se réconforter, il alluma sa pipe. Il marcha ensuite vers le village. La rue descendait légèrement vers le fleuve, contournait l'auberge, l'école et le magasin général avant de venir buter sur l'église. Il s'arrêta dans le bric-à-brac du magasin général, pour le simple plaisir de sentir. En entrant, il respira profondément, sans pouvoir démêler les agréables odeurs qui lui chatouillaient les narines.

Dès qu'elle le vit entrer, une femme réfugiée derrière un comptoir vitré s'exclama :

— Manuel ! Quelle bonne surprise !

— Bonjour, Mariette ! fit-il. Donat serait-y là ?

— Y est parti hier à Malbaie.

— Dommage, je vas le manquer. Tu lui diras que j'étais venu lui faire mes adieux.

— Tes adieux ?

— T'as bien compris, Mariette, mes adieux !

— Grand Dieu, Manuel ! Ça serait-y que t'es tombé sur la tête ?

— Pas en toute ! J'ai toute ma tête, mais j'ai trouvé mieux là-bas que par icite. Pour le moment, il faut que j'aille voir les autres. N'oublie pas de dire à Donat que je suis passé.

— J'lui dirai ! Crains pas.

Il n'avait pas le goût de discuter davantage et il continua sa route en maugréant. Cette tournée lui pesait sur le cœur, d'autant plus que son prochain arrêt était chez Bellone, qu'il n'avait pas revu depuis leur retour de Métabetchouan. Il savait que son ami se sentirait coupable de l'avoir abandonné et ça lui coûtait d'aller le saluer. Comme il approchait de chez Bellone, il vit venir Armande, presque au trot, une bouteille à la main. Elle soufflait dru. Ses pas soulevaient un nuage de poussière qui retombait en tourbillons dans ses jupes. Manuel l'avait toujours admirée pour sa détermination, c'était une maîtresse femme qui menait son monde sans hausser le ton, à grands gestes accompagnés d'ordres précis. Exactement le contraire de Fabienne qui ne cessait pas de se plaindre, ne trouvant jamais le moyen de se faire obéir.

Armande passa devant Manuel sans le voir et se précipita chez elle sans refermer la porte. «Il se passe quelque chose de pas normal», se dit-il. S'arrêtant devant l'entrée, il hésita, puis à sa façon coutumière lorsqu'il passait voir des amis, entra sans frapper en s'annonçant d'une voix forte :

— C'est Manuel ! Bellone est-y icite ?

Il n'eut pas de réponse. Seul le chien, en quête de caresses, vint rôder autour de lui. Manuel entra dans la cuisine où flottait une forte odeur de camphre.

— Bellone ! appela-t-il de nouveau.

La porte d'une des chambres s'entrouvrit. Céline, l'aînée, sortit en portant l'index de la main droite à ses lèvres. Elle s'approcha et chuchota d'une voix pleine de larmes :

— René a les fièvres, il se meurt. Mon père est parti quérir monsieur le curé et le docteur.

Il n'eut pas le temps de questionner davantage, le prêtre entrait déjà, suivi du docteur et de Bellone. Les trois hommes filèrent droit à la chambre. Quand Manuel osa s'approcher, il vit le médecin qui secouait la tête avec une moue de dépit. L'enfant ne respirait plus. La chambre, soudain, se remplit des sanglots d'Armande : une longue plainte de bête blessée qui saisit Manuel jusqu'au cœur. Il se remémorait la joie d'Armande et la fierté de Bellone à la naissance de René. Maintenant, Armande hurlait sa peine tandis que Bellone restait effondré dans son coin. Seul le curé continuait à marmonner ses prières.

Ce fut Céline qui ramena Manuel à la réalité en le poussant vers la cuisine comme le curé s'apprêtait à quitter les lieux. En sortant de la chambre, il aperçut Manuel et l'apostropha aussitôt :

— Manuel ! La Providence a voulu que tu sois là, au moment de cette épreuve pour ton ami Bellone. Tu vois ce qui t'attend à Métabetchouan si un de tes enfants tombe malade : pas de docteur ! pas de curé ! La mort assurée dans le péché et sans confession. Ça devrait te servir de leçon et t'inciter à rester parmi nous.

— En quel honneur ? répliqua Manuel. Pourquoi je partirais pas ? Parce que le fils de Bellone est mort ? La mort a toujours le dernier mot, monsieur le curé, qu'on soit n'importe où.

— Je vois que ta folle idée ne te quitte pas l'esprit et te fait perdre ton bon jugement.

— On a les idées qui nous viennent. J'ai pensé à fonder un village, quel mal y a-t-il à ça ?

— Si t'étais tout seul dans la vie, je n'y verrais pas d'inconvénients. Aurais-tu oublié que tu as une femme et des enfants?

Manuel haussa le ton:

— Coudon, monsieur l'curé! Êtes-vous en train de me dire que je dois faire la volonté de tout un chacun avant la mienne? Je fais vivre honnêtement ma femme et mes enfants, j'ai bien droit de choisir l'endroit qui me convient pour ça.

Le curé fulminait, ses lèvres tremblaient. Il bredouilla d'un ton courroucé:

— Tu n'es qu'un égoïste, Manuel Grenon! En amenant ta femme et tes enfants à Métabetchouan, tu ne penses qu'à toi. Un bon père de famille se soucie avant tout du bien-être des siens.

— C'est en plein ça que je fais, gronda Manuel. Je vas leur donner non seulement une terre et une maison, mais aussi un pays.

S'avisant du ton que prenait la discussion, il ajouta:

— Vous pensez pas, monsieur l'curé, qu'on pourrait jaser de ça ailleurs qu'icite?

— Tu veux te défiler, eh bien, vas-y dans ton Métabetchouan de misère, tu y crèveras tous seul comme un païen.

Manuel s'exclama:

— Dommage pour vous, monsieur l'curé, je préfère la vie à tous vos sermons de mort.

Il sortit sans se retourner, pendant que le curé demeurait cramoisi, étouffé dans ses reproches.

Quelques jours plus tard, en partance pour les chantiers, accroupi près de la porte, son havresac déposé par terre, Manuel s'affairait à attacher une paire de raquettes. Élisabeth l'observait du coin de l'œil. Sa mère la poussa du coude. Élisabeth posa la question qui les préoccupait toutes les deux.

— Est-ce qu'on peut vous espérer pour les fêtes ?

Manuel fit d'abord celui qui n'avait rien entendu. Élisabeth reposa la question.

— J'en sais rien, répondit-il, je ferai mon gros possible pour venir au jour de l'An.

— Les petits seraient tellement heureux, p'pa, si vous veniez.

Il porta sa pipe à sa bouche.

— On verra ben. Bon, assez discuté, faut que je parte, j'ai long de route à faire.

Il glissa sa pipe dans sa poche, sortit d'un pas décidé sans se retourner.

À Noël, il fit écrire une lettre à Fabienne par un de ses compagnons. En deux mots, il lui disait que le boss ne leur accorderait pas de congé.

Chapitre 8

Préparatifs du départ

Au printemps 1866, à son retour des chantiers, Manuel eut droit à une vive surprise : Fabienne était enceinte de six mois. Il dit :

— Ça ne nous empêchera pas de partir, tu n'auras pas beaucoup à marcher.

Sans plus se préoccuper, il dressa l'inventaire des objets à apporter. Le plus lourd et le plus encombrant, le poêle de fonte, souvenir des grands-parents Laflamme, lui causa bien du souci. Après l'avoir soulevé à l'aide d'un palan, il n'eut pas d'autre choix que de le laisser doucement descendre au centre du long traîneau.

Les voisins tentèrent, vainement, de le convaincre de ne partir qu'après la fonte des neiges. Benjamin Simard vint le voir, accompagné de sa Marie.

— As-tu pensé à ce que tu fais, Manuel ? Traîner un poêle de fonte aussi loin que Métabetchouan ?

— C'est tout pensé. C'est la meilleure façon de faire. Tu me vois, en été, en canot sur le lac Saint-Jean, avec un poêle à transporter ?

—Y a sûrement d'autres moyens de faire.

—S'il y en a un, je le connais pas. Les habitués disent que le meilleur moyen d'apporter un poêle par là, c'est de la manière que je le fais.

Son expérience du Haut-Saguenay lui avait appris que par les grands froids de janvier, la survie ne tenait souvent qu'à un bon feu. À Métabetchouan, le poêle deviendrait vite aussi indispensable que le pain qu'on y ferait cuire.

Benjamin Simard l'avait à peine quitté qu'à son tour se pointait Bellone.

—J'suis venu te faire mes adieux, commença Bellone.

—C'est bien de ta part, mais ça serait pas mal mieux si tu te décidais à venir avec nous autres.

—Je le sais ben, mais c'est pas l'idée d'Armande, en tous les cas, pas pour tout suite. Mais à ta place j'attendrais l'été pour partir.

—Comment voudrais-tu que je trouve le temps de semer pour que nous ayons à manger l'hiver prochain?

—Pour ça, baptême, t'as ben raison, mais n'empêche...

Manuel lui coupa la parole:

—N'essaie pas de me faire changer d'idée, c'est de même que ça va se passer! Batêche! Je ne sais pas ce que vous avez tous à vouloir m'empêcher de partir.

—C'est peut-être ben parce qu'on tient à toé, grommela Bellone.

Sans insister davantage et sans un mot de plus il serra la main de Manuel et tourna le dos pour ne pas montrer qu'il avait la gorge serrée.

Morceau par morceau, comme un fruit qu'on tranche, Manuel découpa en parts égales les journées du long trajet : d'abord de Baie-Saint-Paul au premier relais. De là, en empruntant la route du postillon, on atteindrait la Grande-Baie trois jours plus tard. C'était la plus belle partie du périple. Des campes en bois rond, comme des sentinelles postées aux endroits névralgiques, jalonnaient le parcours, servant de relais en même temps que d'abris pour la nuit. Après, en passant par le Grand-Brûlé de Laterrière, les lacs Kénogami et Kénogamichiche, la Belle-Rivière et le lac Saint-Jean, il faudrait compter sur le bon vouloir de Dieu et de la nature.

Après avoir déposé dans le traîneau les quelques objets qu'il emportait avec lui, Manuel n'eut plus qu'une chose à faire : vider la maison pour vendre aux enchères le reste des effets et les meubles.

Son voisin Benjamin Simard avait promis de venir lui donner un coup de main avec ses fils. Au moment où il se préparait à se rendre chez les Grenon, il se rendit compte que Charles manquait à l'appel.

— Allons, Ludger, il faut le trouver ! Les Grenon comptent sur nous autres à matin. Où peut-il être ?

— Vous connaissez Charlabin, il flâne en quelque part comme d'habitude, p'pa. On peut jamais compter sur lui quand c'est l'temps.

— Appelle-le pas Charlabin, c'est un surnom que je n'aime pas.

— On n'y peut rien, reprit Ludger, y a trop de Charles Simard dans la paroisse, tout le monde l'appelle de même, c'est plus court que de dire Charles à Benjamin.

Benjamin Simard soupira.

— Qu'est-ce que j'ai fait au bon Dieu pour avoir un garçon pareil ? C'est pas un vrai Simard, celui-là, à crère que ta mère l'a eu d'un autre que de moé. C'est pas lui qui a inventé la vitesse.

— Ni la vaillance, renchérit Ludger. Y a pas duré longtemps au chantier naval à Québec.

De dépit, son père cracha tout en marmottant :

— À part la chasse et la pêche, j'ai jamais pu l'inté-resser à rien. Il fera jamais un bon habitant. Charles ! hurla-t-il, où te caches-tu ?

— J'arrive ! fit une voix enrouée venant du côté de l'étable.

Un jeune homme aux cheveux ébouriffés apparut. Il rapportait des lièvres attachés en grappe au bout d'un filin qu'il avait passé par-dessus ses épaules.

— C'est ma meilleure de l'année, se réjouit-il.

— Lâche tes maudits lièvres ! ordonna son père d'une voix impatiente. Les Grenon nous attendent pour sortir les meubles.

— Y a pas l'feu…

—J'vas t'apprendre, moué! gronda son père en brandissant le poing. Grouille-toé, simonac! Une promesse est une promesse, on revient pas dessus.

Ils partirent en direction de la ferme des Grenon. Flanqué d'Omer, Manuel les attendait. Sans perdre une minute, ils se mirent à l'ouvrage. À cinq, le travail se fit en un tournemain. Ils empilèrent les meubles près de la route. Fabienne regardait tristement les objets de son bonheur s'échouer l'un après l'autre dans la neige. L'encanteur venait d'arriver, rien ne pouvait plus changer le cours des choses. Depuis la veille, Fabienne en avait fait son deuil.

La veille, au sortir de l'église après la grand-messe, le bedeau avait annoncé : « Demain matin, huit heures, encan chez les Grenon. Tout est à vendre au plus haut et dernier enchérisseur. » Les gens se massaient déjà autour de la maison et, comme d'habitude, ceux qui venaient de plus loin étaient arrivés les premiers. Les voisins s'amenaient à leur tour. L'encanteur exécuta sa besogne rondement :

—Allons, mesdames, messieurs, amenez-vous si nous voulons commencer!

—Y en manque encore, faut attendre! cria un homme accoudé sur le bord de la galerie.

—On avait dit huit heures, reprit l'encanteur. À et cinq, je commence.

Les gens se rapprochèrent, attentifs à la criée. Sans plus d'avertissement, l'encanteur se mit aussitôt à débiter les enchères.

— Une belle armoire de coin, en érable, à pointes de diamant, cinq piastres pièce. Qui dit mieux ? Sept ! Sept une fois ! Huit ! Huit une fois, huit deux fois ! Dix ! Voilà qui est plus raisonnable. Onze ! Onze une fois, onze deux fois ! Qui dit mieux ? Onze trois fois ! Adjugée à Charles à Nil Otis. Onze piastres. Un bahut hors du commun !

Fabienne n'entendait plus. Elle pensait à la fois où on avait trouvé Omer endormi dedans. Elle se rappelait aussi de l'armoire qui sentait le pichou quand Élisabeth y avait caché un vieux bout de fromage.

— Le buffet, criait l'encanteur, le buffet à sept piastres, c'est donné !

— Non ! Pas le buffet, pleurait Fabienne.

De son côté, Manuel n'écoutait plus. Il revoyait le bel érable abattu pour construire ces meubles. Il rêvait, sans apercevoir les larmes sur les joues de sa femme.

Un homme s'approcha de Manuel.

— Monsieur Grenon ! Ça vous fait pas trop de peine de voir partir vos beaux meubles l'un après l'autre ?

— Batêche ! Si j'avais pu les emporter, je les aurais emportés !

Il dit ça sur un ton qui dénotait à quel point il était troublé.

— Ça va vous prendre du temps d'en avoir des aussi beaux !

Manuel prit un ton désinvolte :

— Bah ! juste le temps de les faire !

Il savait que le temps, c'est ce qui allait lui manquer le plus, et que les meubles, c'est ce qui se ferait après tout le reste. L'encanteur en avait fini avec les meubles qui avaient maintenant tous disparu comme par enchantement. La dernière charrette venait également d'être allouée. Il ne restait plus que les animaux. Manuel se dirigea vers l'écurie, mais tourna aussitôt le dos quand il entendit l'encanteur crier :

— Un beau vieux cheval, nommé Ti-Gris. On commence à vingt-cinq piastres.

S'il avait pu se boucher les oreilles sans perdre la face, Manuel l'aurait fait. Les poules, ça peut toujours aller, les cochons, passe encore, les vaches laitières, sauf les trois qu'il comptait amener à Métabetchouan, c'était déjà beaucoup plus difficile, mais le vieux cheval Ti-Gris, l'ami fidèle de tant d'années de labeur, ce n'était pas endurable.

Il fit celui qui était très affairé et s'approcha du grand traîneau où trônait le poêle au beau milieu. Soudain, il se rendit compte que presque tout le monde était parti avec son butin, les uns en saluant, les autres sans même un bonjour. Tout était vendu. L'encanteur se trouvait maintenant tout seul devant la maison vide.

— C'est fait et bien fait ! dit-il. Ça rapporte proche trois cent cinquante piastres, de quoi payer votre nouvelle terre et quelques bêtes.

Manuel s'approcha.

— C'est ben moins que je m'attendais !

— Faut pas vous en faire, monsieur Grenon, à toutes les fois, c'est de même. Celui qui vend est forcément perdant.

Chapitre 9

Le déménagement, première journée

De blanche et poudreuse, la neige avait d'abord tourné au gris, puis au noir. On eût dit un large châle de deuil oublié là par quelque géante pleureuse. La maison sonnait creux, comme le fond d'un vieux chaudron, et ce seraient d'autres qui la rempliraient de leurs rires, de leurs pleurs et de leurs paroles. L'encanteur remit à Manuel l'argent de la vente. Après quoi, il sauta dans sa carriole, se tourna vers la famille réunie autour du traîneau et dit :

— Bonne chance, faites attention à vous !

Il fit claquer son fouet dans l'air, et bientôt, sa carriole ne fut plus qu'une tache rouge au bout de la route en direction de la baie.

— Est-ce qu'on part tout de suite ? questionna Omer.

— On part dès que tout sera prêt.

— Ça l'est déjà !

—Attends un peu, faut que je voie, marmonna Manuel.

Il s'approcha lentement du traîneau près de l'écurie. Les enfants attendaient tout autour. Couvert de givre, le poêle ressemblait à une épave échouée sur ce fragile esquif. Manuel disposa tout autour des hardes et quelques objets divers. Il laissa des espaces où prendraient place les enfants et le chien. Au moment de partir, il s'assura une dernière fois du chemin à suivre. Son doigt rude courut sur la carte le long des lacs et des rivières jusqu'à Métabetchouan. Dans sa tête, il gravait le chemin à parcourir. Il replia sa carte et la glissa dans sa poche. Tout était prêt, il ne restait plus qu'à déterminer la place de chacun dans le traîneau. Il ordonna :

—Léopold, en avant derrière moi, Geneviève à côté.

Les deux montèrent d'un seul élan dans le traîneau.

—Élisabeth, ma grande, tu montes au milieu.

—Où ça ?

—Juste là, devant le poêle.

Élisabeth s'assit doucement, sans se précipiter. On sentait qu'elle avait le cœur gros de quitter Baie-Saint-Paul.

—Arsène ! mon malcommode, continua Manuel, tu t'en vas en face de l'autre côté, et Omer, en arrière.

Tout-Fou, qui tournait depuis un bon moment autour du traîneau, sauta à bord d'un bond et se roula en boule aux pieds d'Omer.

Les enfants s'étaient exécutés sans discussion, sauf Arsène qui voulait prendre la place d'Omer, qui la lui

céda bien volontiers. Pendant ce temps, Manuel
déposa sous le banc avant ce qu'il considérait comme
les biens les plus précieux : l'horloge, un grand crucifix
en bois et les vivres.

Les enfants s'impatientaient, ils avaient hâte de
partir.

— On est prêt, quand est-ce qu'on part ?

Manuel ne montra aucun signe d'agacement.

— Dès que votre mère sera montée, le temps que
je l'installe au chaud.

— Envoyez m'man, s'impatienta Omer, c'est à
votre tour, montez !

— Le feu est pas pris, je monterai ben quand ça
m'ira.

— Il faut que tu te décides, Fabienne, dit Manuel,
les enfants sont tous là. Il manque que toi.

Bien emmitouflés dans leurs couvertures en laine,
les pieds au chaud sur le foin qui, tout en assurant une
réserve de nourriture pour le cheval, couvrait comme
un tapis le fond du traîneau, les enfants espéraient avec
anxiété l'instant du départ. En attendant que leur
mère se décide à s'asseoir, Manuel les passa en revue,
leur fit les dernières recommandations et tendit la
main à Fabienne. Elle jeta un dernier coup d'œil furtif
vers la maison. Quand enfin elle fut assise tout contre
lui sur le banc du conducteur, il lui couvrit les genoux
d'une peau de mouton.

— Tout le monde est paré ? lança-t-il d'une voix
enjouée. On y va !

— On y va ! crièrent les enfants en chœur.

Manuel enfila ses moufles, fit claquer le fouet dans l'air sec en lançant un « hue ! » sonore. Le cheval banda ses muscles, donna un vigoureux coup de rein, et le traîneau se mit en marche au son des grelots.

Comme une lampe qu'on souffle, le dernier espoir venait de s'éteindre dans le cœur de Fabienne. Tobie le cheval tirait allègrement. Sa lourde charge glissait doucement sur la neige fraîche. Le soleil, déjà haut, promettait une journée magnifique, le froid vif piquait le nez, on ne risquait pas de tempête. C'est ainsi qu'avec les siens, Manuel Grenon tourna définitivement le dos aux vingt dernières années de son passé. C'était un lundi, le 19 mars 1866.

— Ce soir, nous coucherons au premier relais, assura-t-il. Demain, nous continuerons par le même chemin jusqu'au campe suivant. Si tout va bien, nous serons à la Grande-Baie dans quatre jours.

— C'est donc ben loin ! se plaignit Élisabeth.

— Pas si loin que ça, reprit Manuel. Après la Grande-Baie, on sera à Métabetchouan dans deux jours. Ça fait même pas une semaine complète.

Après un après-midi de route sans heurts, tout juste à la brunante, le premier relais surgit du bois. On eût dit le poste avancé d'une armée d'épinettes noires. La cheminée ne fumait pas, signe que le campe n'était pas occupé.

— Il y aura ben manque assez d'espace pour chacun, constata Manuel d'un air satisfait.

—On peut coucher là même si c'est pas à nous autres ? questionna Omer.

Manuel expliqua.

—C'est fait pour ça, pour les voyageurs comme nous autres. En plus, on est chanceux : on l'a juste pour nous autres. Il faudra seulement laisser derrière nous autant de bois sec qu'on en aura pris.

La noirceur tombait, amenant son concert de loups hurlant tout près de la cabane. Le cheval Tobie ne tenait plus en place. Ils le mirent en sécurité dans une stalle couverte, accolée au campe. Bourré de bons bois d'érable, le poêle réchauffait peu à peu leur abri.

Fabienne s'occupa tant bien que mal de caser sa marmaille. Finalement, chacun dénicha son coin pour la nuit. La miche de pain fit le tour de toutes les mains, il y avait du fromage, du beurre, de la confiture. Manuel poussa un long soupir.

—Demain, dit-il, il pourra faire le temps qu'il voudra. Ce soir nous avons un bon toit, de la chaleur, de quoi manger. Que peut-on désirer de plus ?

—Une maison à nous ! insinua tristement Fabienne.

Sans élever le ton, Manuel répondit :

—Sois patiente ! Nous en aurons bientôt une à Métabetchouan.

L'âme en paix, il s'étendit à proximité du poêle avec l'idée de l'alimenter toute la nuit. Pourtant, l'instant d'après, il dormait profondément. Inquiète, Fabienne, elle, ne pouvait fermer l'œil. Par les interstices du poêle de fonte, les lueurs du feu dansaient sur les solives du plafond. Le regard captivé par cette sarabande, Fabienne revivait en pensée les centaines de nuits où le sommeil lui avait ainsi échappé. Se pouvait-il qu'une fois de plus, il faille tout recommencer ? Élisabeth, qui ne dormait pas non plus, chuchota :

— On a une journée de faite, c'est pas si pire. Il faut s'encourager.

Sa mère répliqua :

— Plus on avance, plus on s'éloigne de chez nous. C'est pas Dieu possible…

— Vous allez pas vous remettre à brailler, lui reprocha Élisabeth. On aura notre maison là-bas.

— Oui, peut-être, mais elle n'est pas encore debout.

— Ça va venir, m'man. P'pa est habile. Avec Omer, ils ne mettront pas de temps à nous bâtir un bon campe aussi chaud que notre maison de Baie-Saint-Paul.

À la seule évocation de sa demeure perdue à jamais, Fabienne se remit à pleurer doucement. « Vraiment, se dit Élisabeth, il n'y a rien à faire avec elle. » La fatigue l'emportant, elle finit par s'endormir. Pendant ce temps, les yeux grands ouverts, Fabienne fixait le plafond. Les minutes ne cessaient de couler au sablier de ses jours. « Avant longtemps, se disait-elle, je serai vieille et plus bonne à rien. » Les feux follets s'embrouillaient sur les solives lumineuses, Fabienne s'endormit, les yeux embués de larmes.

Chapitre 10

Le déménagement,
deuxième journée

Manuel ronflait. Il faisait autant de vacarme qu'une soufflerie de forge. Omer se leva. Le feu ne vivait plus que par quelques tisons amassés tout au fond du poêle. Il y glissa deux petites bûches, puis se faufila dehors en coup de vent. Le froid intense qui le saisit dès la porte franchie le fit se recroqueviller à la manière d'un chat qui veut garder sa chaleur. Le jour s'annonçait beau. À l'est, entre les arbres bercés par le vent, le ciel rougeoyait déjà. Ça craquait de toutes parts, comme si de vieux os étaient broyés par un formidable moulin. La forêt faisait entendre sa profonde voix des matins glacés de mars. Pourtant, Omer le savait, au milieu du jour, le chaud soleil pomperait l'eau des rivières jusqu'à ce qu'elles pleurent sur leurs rives.

Omer s'arrêta près du traîneau. Il ne se souvenait plus de ce qu'il était venu y chercher. Tout près, la neige crissa, quelques branches se cassèrent et il entendit renâcler. Lentement, il releva la tête. À moins de cent pas s'avançait, majestueux, un orignal, son panache comme de grands bras ouverts. Omer en resta pétrifié. Non ! Il ne rêvait pas ! Il se pencha lentement au-dessus du traîneau. Doucement, il tira vers lui le fusil et les munitions. Sans perdre l'animal de vue un seul instant, il chargea l'arme sans faire de bruit. Retenant son souffle pour bien viser, avec précaution, il la pointa dans la direction de la bête. Une explosion déchira l'air sec, la bête s'écroula un instant, puis se releva aussitôt pour prendre la direction du nord, en laissant derrière elle dans la neige une traînée de sang. Il partit à sa poursuite. « Blessé comme il est, songea-t-il, il ne pourra pas courir longtemps. » Sans se presser, tout frémissant du coup qu'il venait de réussir, il suivit l'animal grâce aux traces de son sang, comme des fleurs écarlates dans la neige.

Le coup de feu avait réveillé tout le campe. Tout-Fou jappait. Les enfants pleuraient. On eût dit une fourmilière dérangée par un coup de pied. Manuel sortit le premier en vitesse, puis revint sur ses pas.

— Omer est-il là ?

— Non !

— Alors, c'est lui !

Il courut en suivant les traces de son fils. Atteinte moins sérieusement qu'Omer l'avait d'abord cru, la bête continuait droit devant elle. Essoufflé, il s'arrêta au moment où Manuel le rejoignait :

— Si je me trompe pas, c'est un orignal ?

— En plein ça !

— Si j'en juge par le sang, il doit être gravement touché.

— J'en doute, à la vitesse qu'il court.

— Crois-moi, ils font toujours ça. À l'heure qu'il est, il doit être en train de mourir à cent pas d'ici.

Tout-Fou arrivait en jappant, il fila droit devant. Ils l'entendirent se mettre à aboyer furieusement.

— Tu vois, j'avais raison.

Ils avancèrent, guidés par les jappements.

Derrière un rocher, la bête gisait dans la neige, son panache dressé droit vers le ciel comme les branches d'un arbre abattu par la foudre.

— Ça nous fera de la bonne viande !

— Il faut le dépecer, mais ça nous fera perdre du temps.

— On peut pas laisser se gâcher toute cette nourriture !

— T'as raison, mais faudra faire vite.

Ils retournèrent au campe se munir d'une hache et de couteaux. Manuel attela Tobie. Ils revinrent en vitesse à l'endroit où la bête gisait. D'une main sûre, Manuel dépeça l'animal. Ils arrimèrent les quartiers de viande au traîneau et repartirent aussitôt. Parvenus au campe, ils engloutirent le déjeuner à toute vitesse, il fallait se hâter, on avait déjà perdu deux bonnes heures, le soleil en avait profité pour bondir au-dessus des épinettes en bordure du chemin.

— Ça m'inquiète un peu, déclara Manuel.

— Quoi donc ? s'enquit Omer.

— On a perdu du temps, va falloir le regagner si on veut arriver avant la brunante à l'autre campe relais.

— Pensez-vous qu'on va pouvoir?

— Sans doute, si on ne s'arrête pas pour dîner.

Le chemin forestier évitait avec bonheur les montées abruptes comme les descentes raides. Il glissait entre les arbres telle une couleuvre dans les hautes herbes. Même si le cheval gardait un bon rythme, Manuel continuait à être inquiet. Auraient-ils le temps d'atteindre l'autre relais avant la nuit? Quand les enfants se plaignirent d'avoir faim, il dit à Fabienne:

— Donne-leur du pain! Ça sera tout ce qu'on mangera à midi!

— Tu vois, reprocha-t-elle, ça fait même pas deux jours complets qu'on est parti et on ne peut même pas s'arrêter pour manger comme du monde.

— Ne crains pas! Avec la viande d'orignal qu'on a là, on va se faire un bon régal à soir.

Sans trop maugréer, les enfants se contentèrent de grignoter du pain gelé. Malgré tous les moyens mis en œuvre pour accélérer le transport, il constata rapidement que la nuit tomberait avant que le prochain relais ne soit en vue. Les distances entre chaque halte avaient été prévues pour des voitures moyennement chargées, à condition de partir tôt le matin du relais précédent. Il le savait et il avait également assez l'expérience des forêts pour ne pas s'obstiner à continuer dans l'obscurité. Il poursuivit cependant sa route aussi longtemps qu'il le put. Mais quand il commença à faire noir et qu'il vit qu'imperceptiblement, comme un ours égaré vers les maisons des hommes, la nuit gagnait la forêt en avalant la route devant elle, il dit :

— Halte !

— Enfin ! crièrent les enfants, qui avaient grande hâte de se dégourdir, en sautant vivement du traîneau.

Fabienne s'y prit à trois fois avant de parvenir à mettre un pied à terre. Comme un plongeur émergeant du fond d'un gouffre, elle courait après son souffle.

L'ombre étendit rapidement son manteau au fond des ravins, se coula dans les anfractuosités, s'accrocha aux souches, sauta aux branches basses avant de grimper hardiment aux arbres. Les sapins passèrent du vert au gris bleuté, puis au noir d'encre. Seuls les bouleaux, un temps encore, se détachèrent comme des traits de craie sur un tableau noir.

Manuel choisit un rocher contre lequel il pouvait appuyer le traîneau. Après avoir soulagé Tobie de son attelage, il ne lui laissa que la bride et attacha solidement ses cordeaux à un arbre. Il lui donna sa ration de foin pendant qu'Omer le couvrait d'une couverture de crin. Aidé de son aîné, Manuel plaça les quartiers d'orignal au bout du traîneau. Tout en frappant dans ses mains pour les réchauffer, de sa voix grave, il appela tout son monde :

— C'est ici que nous allons camper, expliqua-t-il, il nous faut creuser notre abri.

Incrédules, les enfants le regardaient sans comprendre. Il les dévisagea à son tour, surpris de leur étonnement.

—Vous avez bien entendu, on couche ici à soir. Allons, grouillez-vous, il faut creuser sous le traîneau, chacun doit se faire une place pour la nuit.

Omer se mit aussitôt à l'ouvrage. Muni d'une branche qu'il utilisait comme une gratte, il tirait la neige vers lui, en encourageant les petits à la repousser plus loin. Accroupie près de lui, Élisabeth en faisait autant. Au bout d'un moment une tranchée se dessina sous le traîneau. Tels des louveteaux autour de leur mère, les enfants se glissèrent dans cette tanière de fortune. Faute de mieux, Fabienne distribua des bouchées de pain gelé. Il était dur à s'y casser les dents. Omer s'en plaignit :

—J'ai une faim de loup ! Je pensais, lança-t-il, que nous aurions droit à de l'orignal ce soir ?

— Oui ! crièrent en chœur les petits.

— Tu peux toujours en faire cuire, répondit Manuel, si tu trouves le courage de chercher du bois sec et de faire un feu…

Les minutes défilèrent sans que personne ne bouge, puis, tenaillé par la faim, Omer sortit de l'abri. Il attrapa une hache dans le traîneau et se mit en quête de bois sec. Pour ne pas être en reste, Manuel se leva à son tour afin de préparer l'emplacement du feu. Ses gestes étaient mesurés et efficaces. Du traîneau, il tira une broche sur laquelle il enfila sept morceaux de viande d'orignal. De deux branches fourchues, il confectionna des supports pour soutenir la broche, et d'un bouleau voisin, il détacha des morceaux d'écorce qu'il disposa en amorce au feu.

Omer revint, les bras chargés de bois sec dérobé aux arbres morts. Manuel sortit son batte-feu. Il déposa une boule de lichen à ses pieds, donna quelques coups contre les pierres à fusil desquelles jaillirent une volée d'étincelles. Le lichen roussit, se mit à crépiter, un filet de fumée s'en éleva, suivi d'une timide langue de feu affairée à lécher les écorces. Un œil vermillon brilla avant de s'ouvrir tout grand, dora la neige, alluma des étoiles aux branches des sapins. Comme un magicien, il fit disparaître la nuit, apprivoisant d'un seul coup la forêt. L'air s'emplit d'un bon parfum de viande rôtie. Attirés par l'odeur, les enfants rampèrent hors de leur tanière en direction du feu.

—Ça valait presque la peine de coucher dehors! s'écria Omer.

Élisabeth, qui se pourléchait les lèvres, enchaîna aussitôt:

—T'as raison, Omer, ça fait longtemps que j'ai pas mangé de la viande aussi bonne.

—On peut pas dire qu'elle est pas fraîche: à matin, elle courait encore…

—Pauvre bête! insinua Fabienne.

Omer s'indigna:

—À vous entendre, m'man, j'aurais pas dû la tuer.

—C'est pas ça que ta mère veut dire, intervint Manuel. Elle se désole pour l'orignal, mais je suis certain qu'elle se régale autant que nous autres en ce moment.

Fabienne ne répliqua pas. Quelques minutes plus tard, repus, les plus jeunes regagnèrent lourdement leur couche. Omer s'assit sur une bûche près du feu, et Manuel grimpa sur le traîneau pour s'y étendre. On pouvait apercevoir le canon de son fusil pointé sous la bâche comme un doigt tendu. Les enfants s'endormirent en paix. Quand Omer alla les rejoindre, il n'y eut plus que le feu qui resta éveillé. Mais petit à petit, la nuit reprit ses droits en refermant un à un les plis de la flamme. Seuls quelques tisons restèrent allumés, agonisant vers le ciel.

Aux petites heures du matin, au moment où le froid se faisait plus mordant, Tout-Fou se mit à gronder, puis à japper. En réponse, on entendit un hurlement sinistre. Attirés par les quartiers d'orignal, des loups rôdaient autour du traîneau. Le plus hardi venait de sentir la présence de l'homme. Son cri d'alarme résonnait encore en écho. D'un bond, Manuel fut debout. Énervé par la présence de la meute, Tobie se mit à piaffer. Omer parvint à le calmer pendant que Tout-Fou, le poil hérissé, continuait à aboyer et à gronder. Recroquevillés par la peur, les enfants se blottirent contre leur mère.

— Les loups ne sont pas loin, dit Manuel. Je les tiens en joue au bout du fusil. Alimente le feu tant que tu peux ! ordonna-t-il à Omer. Ça va les tenir à distance.

— Ça ne sera pas long, vous allez voir !

Les reflets de la lune qui venait d'apparaître donnaient forme aux rochers et aux arbres. Bien adossé à un arbre, Manuel attendait patiemment. Malgré le feu, un loup plus audacieux ou plus affamé se faufila à travers les branches basses des sapins. Manuel le vit approcher du traîneau. Il leva son arme. Au moment où l'animal bondissait vers les quartiers de viande, il tira. Le loup fut fauché net et retomba dans la neige, pattes en l'air. Apeurées, les autres bêtes se réfugièrent à bonne distance. Omer en profita pour nourrir de plus en plus le feu. Son père rechargeait son fusil.

— Il n'y a plus rien à craindre, les flammes les tiendront à distance.

— Pourvu qu'on ne manque pas de bois, s'inquiéta Omer.

— Avec ce qu'il y a dans le traîneau, on est bon jusqu'à l'aube. La clarté les éloignera. Seulement, il faudra voir demain ce qu'on fera de cette viande qui les attire.

Tout le reste de la nuit, la forêt ne fut que bruissements et hurlements. Les enfants sursautaient au moindre crépitement du feu. Fabienne et Élisabeth se firent fontaines de paroles rassurantes.

Chapitre 11

Le déménagement,
troisième journée

Manuel souriait devant l'empressement des enfants à monter dans le traîneau. Tobie mit lui aussi beaucoup de bonne volonté à fuir cet endroit sinistre. On sentait la présence de la meute tout près. Par précaution, Omer tenait le fusil prêt. Avant de partir, Manuel déposa un morceau d'orignal dans la neige.

— On ne verra pas un loup de la journée, assura-t-il.

— En êtes-vous bien certain ? interrogea Omer.

— Prends ma parole, les loups se montrent braves dans le noir et en bande, mais ils deviennent plus peureux le jour. Un loup, ça n'attaque jamais seul. Ils vont se disputer le morceau de viande qu'on leur a laissé en pâture. Nous pourrons continuer en paix.

Après une lieue de route, ils aperçurent le relais qu'ils n'avaient pas pu atteindre la veille. Des voyageurs l'occupaient.

— On aurait couché quand même à la belle étoile, dit Manuel. Premier arrivé, premier servi.

Au passage du traîneau, les occupants du campe se montrèrent le bout du nez par la porte entrouverte. Les enfants les saluèrent de la main. Ils crièrent : « Bonne route ! » Par miracle, le beau temps tenait toujours.

Sous le soleil de midi, le froid se faisait moins sentir. Sans se presser, le printemps s'installait, on le devinait à une foule de petits signes : clarté plus longue au bout des jours ; corneilles en guerre contre un grand duc ; filets d'eau sur la dentelle glacée des ruisseaux.

Engourdis par l'inactivité et la monotonie du parcours, les enfants ne parlaient guère. L'immensité de la forêt appelait au silence. Du fond de la forêt, des geais gris se repéraient de loin en loin par des cris stridents. Quelques-uns suivaient le traîneau dans l'espoir de recueillir des miettes. Ils s'enhardissaient parfois, pour signaler leur présence, à venir tourner autour de la tête de Tobie. Mais à part ces quelques mouvements furtifs, tout semblait figé dans ces grands espaces où le soleil se disputait avec les nuages, les arbres avec les rochers, l'ombre avec la lumière.

Pour lutter contre l'engourdissement, Élisabeth s'étira. Quelque chose la préoccupait. Elle demanda :

— Comment c'est, Métabetchouan ?

Comme celui qui cherche à bien peser ses mots, Manuel ne répondit pas tout de suite. Il finit par dire :

— C'est beau ! C'est très beau ! Comment dire ? Il y a le lac immense, puis la rivière qui s'y jette. Nous habiterons sur le coteau pour pouvoir admirer les deux à la fois. Tu te rendras vraiment compte seulement quand on y sera rendu.

— Nous serons seuls?

— Oui et non. Sur notre rive, au début, il n'y aura que nous, mais de l'autre côté, en face, il y a le Poste de traite de la baie d'Hudson. Des gens y vivent. Il faut compter aussi les Montagnais.

— Les Sauvages?

— Oui! Il y en a qui habitent aux alentours, mais pas tout à côté, à plusieurs milles au bord du lac.

— Au Poste, ils sont nombreux?

— Quatre personnes en tout: le commis, sa femme, la servante et un Métis.

— Vous les avez rencontrés?

— Je les connais un peu.

— De quoi ils ont l'air?

— Je les connais pas trop trop, mais ça l'air du ben bon monde.

— Et les Montagnais, ils sont pas dangereux?

— Pourquoi? C'est du monde comme nous autres. Ils vivent dans les bois, et ils viennent au Poste pour vendre leurs fourrures, et à la chapelle quand un curé se présente pour dire la messe. À part ça, on les voit pas. On m'a dit que de temps en temps, ils déposent un mort près du cimetière, parce qu'ils ont un cime-tière à eux pas loin de la chapelle.

— Ils ne les enterrent pas eux-mêmes?

— Non, ils craignent que l'esprit du mort vienne les chercher à leur tour au cours de l'année.

Pendant que Manuel parlait, la fatigue avait terrassé Fabienne. Le front penché, elle plantait des clous. Dans son rêve se bousculaient de sombres images. Elle gémissait. Le traîneau était sur le point de se renverser, Tobie se débattait, les grelots s'agitaient. Fabienne poussa un cri. Manuel intervint :

— Allons ! Encore tes fantômes, et en plein jour à présent ! Pense à autre chose, tu t'en porteras mieux...

— À quoi veux-tu que je jongle, quand tu nous conduis à la misère ?

— Qu'est-ce que t'en sais ? Tu te fais des idées noires avant même d'avoir vu Métabetchouan.

Avec dépit, il ajouta :

— Tu changeras donc jamais, tu sais voir que le pire.

Malgré le bouclier des arbres, le vent se faisait soudainement plus cinglant. Il fallait tourner la tête ou lever les bras pour se protéger contre sa morsure. Heureusement, le relais apparut entre deux rochers ouverts comme une bible vers le ciel. Il fut accueilli par les voyageurs avec soulagement. Cette journée rude, mais sans histoire, se prolongea par un vrai festin. Aidée d'Omer, Élisabeth fit rôtir un beau morceau d'orignal sur la broche. L'air sentait bon la viande cuite et tout le monde était en appétit. Les loups, qu'on croyait pourtant loin, firent entendre leurs hurlements à la nuit tombante. Omer ancra sur la toiture du campe les morceaux de viande qui restaient.

— Les loups ne pourront jamais les atteindre, dit-il.

— Ils risquent par contre de nous tourner autour toute la nuit, déclara Manuel.

Omer grimpa sur le toit.

— Je vais leur en donner un morceau. De même, ils nous laisseront en paix.

— Mets-en plus que moins si on veut les tenir loin cette nuit.

Il en traîna un quartier à bonne distance. Quand il revint, les petits dormaient déjà paisiblement.

Chapitre 12

Le déménagement,
quatrième journée

Le lendemain, dès l'aube, une douce tiédeur s'était emparée du temps. Des nuages bas s'effilochaient aux cimes des épinettes.

— Nous aurons de la pluie, prédit Manuel.

— Qu'est-ce qui vous fait dire ça ? demanda Omer.

— Les nuages et le vent. Quand on a un temps gris comme ça le matin, c'est immanquable, la pluie nous arrive avant le milieu de la journée.

En attendant leur ration de pain, les yeux bouffis de sommeil, les enfants bâillaient à s'en décrocher les mâchoires. Manuel préparait déjà le traîneau pour le départ.

— Pressons-nous ! Nous devons être le plus tôt possible au dernier relais avant la Grande-Baie. Si le redoux persiste, la neige défoncera avant longtemps.

La pluie arriva une heure à peine après leur départ. Tenace, de son inépuisable besace, elle fit couler sa manne glacée tout au long du jour. Les têtes étaient basses, les dos courbés, l'eau s'infiltrait dans le cou, s'arrêtait un moment au creux des épaules, trouvait son chemin le long des côtes jusqu'aux hanches. Personne n'osait bouger. Des naseaux de Tobie, à chaque effort, sortaient des jets de vapeur.

À mi-parcours, deux voyageurs en route vers Baie-Saint-Paul se pointèrent. Manuel arrêta son traîneau pour leur permettre de croiser le leur.

— Salut, vous autres! s'exclama le plus vieux des deux. Ça fait plaisir de voir du monde quand ça fait des jours qu'on n'en a pas vu.

— D'où venez-vous? questionna Manuel.

— De par en haut du lac!

— Est-ce que la route est bonne?

— Ça dépend des boutes, répondit le plus jeune. C'est pas pire pareil, mais avec cette maudite pluie, pour moé, ça sera pas ben beau demain. D'où vous venez, c'est-y beau?

— Ça l'était, mais il faudra vous presser, parce que la pluie a commencé à maganer le chemin icite aussi…

Après un bref adieu, les hommes poursuivirent leur route, pendant que Manuel encourageait Tobie à avancer plus vite. À quelques milles du relais, le chemin se mit à s'enfoncer sous les pattes du cheval. Chaussés de leurs raquettes, Manuel et Omer réussirent, de peine et de misère, à le guider. La pluie tombait de plus en plus dru. Du sol, comme d'une marmite bouillonnante, montait un épais brouillard. Les bruits mouraient avant même de prendre leur envol. Seules

les gouttes de pluie murmuraient leur inlassable et désespérant monologue.

— J'espère qu'on ne sera pas pogné pour passer la nuite dehors, s'inquiéta Omer.

— Ça devrait pas, le rassura Manuel. On doit pas être ben loin.

Il avait à peine terminé sa phrase qu'ils se cognèrent au campe. Ils ne se firent pas prier pour entrer et ils se débarrassèrent aussitôt de leurs vêtements détrempés. Étendues au-dessus du poêle chauffé à blanc, les pièces de linge séchaient lentement. Tout nus, les enfants se dégourdissaient bruyamment en jouant à la cachette. Omer avait transporté à l'écart, pour les loups, quelques quartiers d'orignal gâtés par la pluie. Manuel fumait sa pipe en songeant qu'enfin ils atteindraient le lendemain la Grande-Baie. Fabienne le regardait à la dérobée, les yeux chargés de reproches. Elle aurait voulu se vider le cœur, mais c'était bien plus difficile que de verser une tasse de thé. Pendant ce temps, Élisabeth faisait rissoler des couennes de lard en y ajoutant des restes de viande d'orignal.

Tout à coup, on entendit un bruit de grelots. Une cariole se rangeait près du campe. Il en sortit deux personnes emmitouflées de fourrures jusqu'aux yeux. Elles entrèrent sans même cogner à la porte. Les petits, encore tous nus, coururent se cacher en piaillant comme une bande de moineaux apeurés.

— Bonsoir la compagnie! lança une voix enjouée, sortant d'entre le col monté d'un gros manteau de fourrure et le dessous d'un immense casque de poil. Y aura certainement une place pour nous autres !

— On va vous dégager un coin, assura Manuel. Mais prenez au moins le temps de vous décapuchonner. Vous nous direz ben ensuite qui vous êtes.

— Moé, c'est Rosario Lacouline, informa aussitôt celui qui avait parlé jusque-là.

— Soyez le bienvenu, dit Manuel.

— Celle-là, c'est ma femme Rose-Aimée.

Comme si elle n'attendait que cela pour enfin se décider à enlever sa capine et son manteau, la dame s'exécuta. Elle avait un derrière proéminent, c'est du moins ce que Manuel remarqua en premier, et une poitrine à se demander s'il ne lui faudrait pas un support pour l'empêcher de tomber en pleine face. Il se dégageait d'elle une odeur de parfum à faire fuir les loups eux-mêmes. Elle s'écrasa sur un banc fixé au mur et n'en décolla plus de toute la soirée. Contrairement à ce que s'était imaginé Manuel, elle ne dit pas un mot. C'était lui qui parlait pour deux.

— On arrive de Chicoutimi, dit-il. On s'en va à la Malbaie, rapport qu'une tante de Rose-Aimée a passé les pieds par-devant après les fêtes et elle nous a laissé un petit héritage. On attendait juste un peu de beau temps pour aller le chercher. Vous avez une belle famille, monsieur… qui déjà ?

— Emmanuel Grenon.

— Et votre femme ?

— Fabienne Laflamme.

— Cette belle grande fille-là s'appelle comment ?

— Élisabeth !

— Et les autres ?

— Omer, Léopold, Geneviève et Arsène.

— Félicitations, monsieur Grenon, vous avez de beaux enfants, n'est-ce pas, Rose-Aimée ?

Elle se contenta d'opiner du bonnet.

— Si c'est pas indiscret, vous vous en allez où comme ça ?

— Nous établir au bord de la Métabetchouan, en face du Poste de traite.

— Avec les Sauvages, en plein bois ? Vous y avez pas pensé, monsieur Grenon ! Je veux pas vous faire peur, mais les Sauvages de par là sont pas faciles à apprivoiser.

— Pour ce qu'on aura affaire à eux autres...

— Les Sauvages, monsieur Grenon, croyez-moi, c'est pas du monde. À part quémander tout le temps des services, du tabac, du tissu et toutes sortes d'autres cossins, ils rôdent sans cesse autour du Poste que c'en est pas vivable aux alentours.

— Qui vous a raconté ça ?

— Des gens qui y sont allés.

— Vous les connaissez personnellement ?

— Pas vraiment, mais je l'ai entendu dire d'un ami qui l'a su d'un de ses amis qui est allé par là.

Manuel se mit à rire.

— Monsieur Lacouline, vous savez, moi, les racontars de l'un pis de l'autre, j'en prends pis j'en laisse. Ça me fait trop penser à l'histoire de l'homme qui a vu l'homme qui a vu l'ours.

Omer, qui en avait assez entendu et voyait sa mère froncer les sourcils comme si elle craignait un orage, en profita pour dire :

— Son père, on a une longue journée demain encore, je pense qu'il vaudrait mieux nous coucher.

— T'as raison Omer, à chaque jour suffit sa peine ! Bien le bonsoir, monsieur et madame !

Élisabeth s'était assurée pendant tout ce temps que les petits soient bien installés pour la nuit.

Fabienne s'étendit sur une paillasse, le cœur chargé d'inquiétude. Elle n'osa pas parler, se résignant à son sort. Sa pensée s'enfermait en elle, oiseau prisonnier de sa cage. Elle essayait de s'exprimer sans succès, tournait en rond ou se heurtait contre les murs. Étourdie, elle revenait se réfugier dans la sécurité du silence. Fabienne se désespérait. Jour après jour se diluait en elle le peu de bonheur qui l'habitait encore.

Chapitre 13

Le déménagement,
cinquième journée

Le lendemain, comme l'avait prédit Omer, la journée fut rude. La mince couche de neige se rompait à chaque pas. Tobie n'en pouvait plus de s'enfoncer, il faisait pitié à voir quand enfin, comme une délivrance, se profilèrent au loin les toitures des premières maisons du village. Ils atteignirent la Grande-Baie en fin d'après-midi, au moment où le soleil faisait ses adieux pour la nuit.

— Ouf! dit Manuel. On arrive juste à temps!

— C'est ça, la Grande-Baie? s'exclama Élisabeth. Je pensais que c'était un village aussi gros que Baie-Saint-Paul.

— Ça peut pas être aussi gros, ma grande, reprit Manuel, ça fait à peine vingt ans tout juste que ça existe, tandis que Baie-Saint-Paul a au moins deux cents ans.

À vrai dire, pouvait-on parler d'un village? Il s'agissait tout au plus d'une petite agglomération. L'année

1846 avait vu naître péniblement la Grande-Baie. Les chantiers lui avaient donné un certain essor, mais après leur fermeture, le village avait presque disparu. Les quelques courageux habitants encore déterminés à s'y établir tâchaient de leur mieux de survivre.

Fabienne, qui ne parlait guère depuis le départ de Baie-Saint-Paul, s'immisça dans la conversation avec une phrase éteignoir :

— Qu'est-ce que ça doit être à Métabetchouan…

— Tu le sais tout aussi bien que nous, lui reprocha Manuel. Je te l'ai dit souvent et les enfants l'ont entendu autant comme autant. Métabetchouan, pour le moment, c'est rien qu'un poste de traite. C'est nous autres qui allons fonder le village.

Omer, qui voulait éviter que la conversation ne dégénère en plaintes et récriminations, fit diversion :

— La Grande-Baie a beau être un tout petit village, je suis pas mal content qu'on y soit arrivé !

Élisabeth ne se fit pas prier pour en remettre :

— Nous allons coucher dans une vraie maison à soir ! Est-ce qu'il y a de quoi qui pourrait nous faire plus plaisir ? À part ça, on a plus que la moitié du voyage de fait. Moi, je suis bien contente en tous les cas.

Manuel soupira :

— Tu as raison, ma grande, nous avons eu quatre bonnes journées de route et nous voilà arrivés à ce qui nous paraissait encore hier être à l'autre bout du monde.

À la Grande-Baie, Manuel connaissait Joseph Bouchard dont la famille habitait auparavant Baie-

Saint-Paul. Installé là depuis deux ans, Djobou, comme on le surnommait, y avait bâti son campe en attendant de se construire une vraie maison. Ce fut chez lui qu'ils descendirent puisqu'ils étaient attendus, Manuel ayant pris la précaution de les faire annoncer.

En voyant poindre Manuel, le bonhomme se mit à hurler à en réveiller les morts. Sa femme arriva, tout en émoi, ajoutant ses cris de surprise à ceux de son mari. Cet accueil chaleureux mit tout le monde à l'aise. Un fou rire s'empara des enfants, laissant échapper un peu de la tension des derniers jours.

—Vous devez avoir faim? s'enquit la mère Bouchard.

—Faim? C'est pas le mot! répondit Manuel. Je dévorerais un ours!

—Prends ton fusil, se moqua Djobou. Y en a ben manque dans l'boute.

—Ça fait du bien de parler à du monde, fit remarquer Manuel en souriant.

—Parce que Fabienne, c'est pas du monde? plaisanta Djobou.

Manuel ne sut quoi répondre, Fabienne lança de curieux regards à son hôte, mais tout se termina dans un grand éclat de rire. Tout le monde avait l'esprit à la fête.

Pendant qu'on trinquait et qu'on s'amusait, la mère Bouchard préparait un civet de lièvre dont l'arôme taquinait déjà les nasaux. Élisabeth disposa les couverts sur la grande table de merisier.

—À la soupe! invita Djobou.

Debout tout autour de la grande table, les convives se signèrent alors que Djobou récitait :

— Mon Dieu, donnez du pain à ceux qui ont faim et faim à ceux qui ont du pain ! Amen !

— Et laissez-en un peu pour nous autres, ajouta Manuel pendant que les enfants, sans attendre, se disputaient le pain et plongeaient déjà le nez dans leur écuelle fumante.

Les Grenon, Fabienne y compris, étaient heureux. La généreuse hospitalité des Bouchard avait balayé d'un coup leurs peines des derniers jours.

Malgré la fatigue de la journée, sitôt le repas terminé, Manuel pria son hôte de lui indiquer le meilleur trajet à suivre le lendemain.

— Vous aurez pas le choix, expliqua Djobou, il n'y a qu'un seul vrai bon chemin, celui que vous allez tracer.

— Comment ça, celui que nous allons tracer ?

— Y a pas un chrétien qui a daigné passer par là depuis près d'un mois.

— Et ceux qu'on a rencontrés, qui disaient qu'ils venaient du lac Saint-Jean ?

— Ils devaient venir de plus haut, assura Djobou, et ils ont passé directement par Laterrière en descendant du lac, avant de bifurquer par le chemin par lequel vous êtes venus.

Sur ce, il s'empara d'un large morceau d'écorce de bouleau, récupéra une éclisse de cèdre, en fit brûler le bout pendant quelques secondes et s'en servit ensuite pour dessiner le trajet sur cette carte improvisée.

— Tu vois, dit-il, icite la Grande-Baie, ensuite le Grand-Brûlé, un peu plus haut la rivière des Aulnaies, plus loin la Belle-Rivière. C'est par là que vous devez passer pour vous rendre jusqu'au lac.

— Y a pas d'autres chemins possibles ?

— C'est le seul ! En partant d'icite, vous traverserez Laterrière, le lac Kénogami et le lac Kénogamichiche. La glace devrait être encore bonne, mais méfiez-vous de la rivière au Sable. Elle gèle rarement à ce temps-ci de l'année. En descendant le long de la rivière des Aulnaies jusqu'à la Belle-Rivière, le chemin risque d'être difficile, mais c'est encore pire à la Belle-Rivière. Dommage, vraiment dommage que vous ne fassiez pas ce trajet en été et en canot !

— Dommage, approuva Manuel. Mais avec tout le butin que nous apportons, ça ne pouvait pas se faire en canot. D'ailleurs, j'aime pas me déplacer sur l'eau.

— T'as ben raison ! Avec pareil butin, t'as pris le meilleur moyen. N'empêche que c'est pas le plus facile et le plus rapide. Tant pis ! Vous devrez vous accommoder des chemins que vous trouverez ou ben vous en tracer d'autres. J'vous prédis que ce sera pas aisé. Si j'ai un conseil à te donner, c'est de pas t'éloigner des lacs et des rivières. Dans la neige et la glace, c'est pas long que tous les arbres se ressemblent. On est vite perdu.

Fabienne qui, mine de rien, écoutait la conversation, sentait son cœur se serrer d'inquiétude en se rendant compte des dangers qui les guettaient tout le long de ce chemin improvisé. Sortir d'une misère pour tomber dans une pire encore, cela valait-il réellement le coup ? Elle prit son chapelet pour implorer la protection de tous les saints, pour elle, son mari et les enfants.

Pendant que les hommes parlaient, Honorine, la mère Bouchard, s'approcha de Fabienne :

— Tu dois avoir hâte d'être rendue, chère ?

— Si j'ai hâte, c'est pas le mot. Si je m'écoutais, je virerais de bord.

— Ça te dit pas d'aller vivre là ?

— Pas une seconde. Que veux-tu, Honorine, quand on est né pour un petit pain…

— Dis pas ça, Fabienne, ça porte malheur. T'es bien mariée, faut pas te plaindre de même.

— C'est ben parce que tu connais pas ma vie ! Depuis que je suis toute petite que le malheur me suit.

Il était vrai que Fabienne n'avait guère eu de chance. Elle n'avait jamais goûté à de grands bonheurs. Sempiternellement, elle vivait dans l'inquiétude du lendemain. Tout son comportement en était marqué. Elle se méfiait des inconnus et du futur. Pour lutter contre toutes ces forces adverses, elle se réfugiait dans la prière, se vouant aux saints afin de dresser un rempart contre les malheurs. Mais puisqu'elle doutait fortement de la puissance de ses alliés, elle appréhendait dans les jours à venir tous les malheurs possibles et imaginables et ne dormait presque plus, se promenant le dos voûté et les yeux remplis de larmes.

De son côté, Manuel était au comble du bonheur. Avec Djobou, ce soir-là, il fuma pipe sur pipe. Comme le nuage qui les enrobait, leur bavardage flotta dans l'air jusque tard dans la nuit.

—Je te garantis, Jos, que d'icite un an, j'vas avoir ma maison !

—T'as raison ! Ça se fait. En plus t'as Omer avec toé. Moé, j'étais tout seul, mais regarde ce que j'ai là.

Manuel jeta un coup d'œil appréciateur autour de lui.

—T'as réussi à plein, Jos. J'ai ben hâte d'avoir une maison aussi bonne que la tienne.

Par l'entrebâillement de la porte du poêle, les lueurs de la flamme dessinaient des ombres fantasmagoriques sur les murs, tandis que la lune, tel un fanal, enveloppait la place d'un halo de lumière. Ils discutaient à voix basse, leurs paroles harmonisées aux ronflements du poêle. Le sommeil avait gagné peu à peu tous les habitants de la maison. Seul sur le seuil, le vaillant Tout-Fou ne dormait pourtant que d'un œil, ses oreilles se dressant comme des antennes au moindre bruit. Il devait être passé onze heures quand les deux hommes décidèrent d'aller dormir. Les jours à venir promettaient de durs efforts et des fatigues sans nombre. Perdu dans ses rêves de récoltes miraculeuses, Manuel se refusait d'y penser.

Chapitre 14

Le déménagement, sixième journée

Les pâles lueurs de l'aube esquissaient à peine les contours de la forêt, les silhouettes des maisons se détachaient en ombres mauves sur le fond blanc de neige. De chaque cheminée montait droit dans le ciel un filet de fumée bleue à peine troublé par le vent. Dans la maison, le pinceau du jour se mit à blanchir graduellement les murs, sauta du bord des fenêtres au plancher en bois rugueux pour courir rapidement jusque sous la table. Agrippé aux pattes des chaises, il finit par y grimper, sembla se reposer un moment sur les sièges, puis glissa sur la table, où il éclaira le pied de la lampe à l'huile avant d'en allumer le globe.

Ce fut comme un signal : d'un coup de balai, la maison évacua la nuit. Tout-Fou s'ébroua, Omer fit gémir la pompe, Fabienne apparut en même temps que Manuel ; Djobou arriva, les bras chargés de bûches d'érable. Il en gava le poêle qui se mit aussitôt à ronronner comme un chat. Frileux, les enfants ne sortirent du lit que lorsque la bonne senteur des crêpes qui doraient sur le poêle chatouilla leurs narines. Attablés en vitesse, ils engouffrèrent crêpe sur crêpe.

— J'en veux encore ! criaient-ils dès qu'ils en avaient englouti une.

— Ça va être assez, avertissait leur mère.

Mais dès qu'elle était distraite un moment, la mère Bouchard, avec un sourire, faisait discrètement glisser une crêpe dans les écuelles tendues.

Le soleil venait tout juste de jeter un œil par-dessus les montagnes quand les Grenon dirent adieu à leurs hôtes. Cette fois, Manuel le savait, les vraies épreuves, tels des loups prêts à l'attaque, les guettaient à chaque tournant.

— La misère nous attend ! murmura Fabienne.

Manuel fit comme s'il n'avait rien entendu. Pourtant, le village disparaissait à peine de leur vue, que déjà cette prédiction semblait vouloir se réaliser. Mal entretenue, la piste obligeait à de longs détours ponctués de fréquents arrêts en vue de choisir la meilleure route à suivre. Constamment, Tobie devait faire des prodiges. La progression fut lente par le Grand-Brûlé, à travers la savane, les broussailles épaisses, les chicots, les fardoches. Les haches ouvraient le passage à petits coups secs et patients. À tout instant, le traîneau menaçait de se renverser avec ses passagers et son chargement.

— Ça brasse sans bon sens ! dit Manuel. On va s'arrêter un peu, le temps pour Omer et moi d'aller voir ce qui nous attend plus loin.

— Je l'avais bien dit, soupira Fabienne.

— Tu l'avais dit. Et après, ça change quoi ? Comment même nous aurions un peu de misère, ça fera mourir personne. Plus on avance, plus on approche.

— C'est toé qui le dit, que ça fera mourir personne… Si t'étais pas si entêté, on serait pas dans la misère de même.

Manuel choisit de ne pas répliquer. Il avait bien assez de problèmes comme ça. Omer et lui chaussèrent leurs raquettes et partirent en éclaireurs. Fabienne et les enfants ne quittèrent pas le traîneau. Tout-Fou grognait au moindre bruissement.

Quand ils revinrent, ils étaient porteurs de bonnes nouvelles.

— Ça se présente beaucoup mieux là-bas, assura Manuel.

— Rien de plus vrai ! ajouta Omer.

— En route ! pressa Manuel. Il faut reprendre le temps perdu !

Il donna un petit coup de cordeaux sur la croupe de Tobie. Vaillamment, l'animal se remit à la tâche. Manuel avait raison, au Grand-Brûlé, quelques campes en ruines rappelaient la civilisation et le chemin se donna des airs de belle route jusqu'au Portage-des-Roches. Tout compte fait, le trajet s'accomplit dans des délais raisonnables. Il était midi lorsque parut, au bout de la piste, le lac Kénogami.

Le lac offrait au traîneau un flanc lisse. En s'y engageant, Manuel poussa un soupir de satisfaction. À perte de vue, la glace ferme ouvrait le plus vaste des boulevards : sept lieues facilement traversées.

— Nous avons fait le bon choix, se réjouit Manuel.

Sur l'autre rive, dès la brunante, aussi sûre que l'étoile polaire, la faible lueur d'une lampe les guida. C'était celle de leurs hôtes, les Boivin. Croulant de fatigue, ils ne firent qu'une bouchée de leur nuit.

Chapitre 15

Le déménagement, septième journée

L'aube les déposa sur la route, confiants d'atteindre enfin sans encombre leur destination avant le soir venu. Le lac Kénogamichiche se montra aussi hospitalier que son grand frère l'avait été la veille. Rapidement parcouru, il ouvrit un passage par la rivière des Aulnaies, où le traîneau glissa en se faufilant entre rochers et épinettes, à la manière d'un lynx. Manuel exultait. Il se permettait même de chantonner en rassurant tout son monde :

— Nos misères achèvent !

— Est-ce qu'on est encore bien loin ? s'enquit Élisabeth.

— Quelques lieux à peine, on y sera à soir.

S'il se montrait encourageant, il gardait toujours néanmoins un doute. Il ne fallait pas se réjouir trop vite. Plantés comme des pierres tombales à la jonction des rivières des Aulnaies et Belle-Rivière, d'énormes bancs de neige obstruaient le passage. Il fallut chercher la faille qui permettrait de contourner l'obstacle. La rive droite de la Belle-Rivière parut être l'endroit tout choisi. Si on parvenait à franchir deux gros amas, au-delà tout redevenait plat. En longeant ensuite la rivière sur la berge, on pourrait avancer rapidement.

À coups de hache, Manuel et Omer ouvrirent un passage au traîneau. Par précaution, Fabienne et les enfants en étaient descendus et ils suivaient à pied. Fabienne soufflait comme un phoque. Parcourir ce petit bout de chemin lui parut une éternité. Pourtant, dès qu'on eut rejoint la berge, chacun regagna sa place et le traîneau continua de plus belle. Mais il fallut vite déchanter. À peine une demi-lieue plus loin, un pan de rocher obstruait le passage. Il fallait changer de rive et traverser la Belle-Rivière.

— Il ne manquait plus que ça, grogna Omer.

Toujours optimiste, Manuel dit :

— M'est idée que ça doit passer assez bien.

Non sans crainte, muni d'une longue perche avec laquelle il sondait la glace pour en vérifier la solidité, Manuel s'avança jusqu'au milieu de la rivière en frappant devant lui à grands coups.

— Tout tient ! assura-t-il.

Omer demanda :

— On peut y aller ?

— On peut y aller !

Manuel reprit les cordeaux. Sans plus attendre, il lança un « hue ! » énergique. Tobie hésita un instant, puis partit à coups de sabots vigoureux.

Au milieu de la rivière, il y eut une secousse. Brusquement, la glace céda sur plusieurs pieds. L'arrière du traîneau se mit à s'enfoncer. Déséquilibré, le poêle glissa puis bascula, emportant avec lui dans la rivière une partie du butin. Manuel réagit vivement. Le fouet siffla dans l'air, Tobie repartit en tirant de toutes ses forces. Soulagé d'une partie de sa charge, le traîneau glissa sans encombre. Le reste de la glace, par miracle, avait tenu.

— Ouf! On l'a échappé belle! s'exclama Manuel.

Il n'avait pas terminé sa phrase que Fabienne criait d'une voix angoissée:

— Arsène! Où est Arsène?

Ce cri paralysa tout le monde. L'enfant n'était ni dans le traîneau, ni sur la rivière. Manuel se précipita vers le trou noir, sinistrement béant au milieu du cours d'eau, d'où pointaient les quatre pattes du poêle. Tout-Fou y était déjà, il jappait en griffant la glace. L'eau roulait précipitamment ses tentacules de mort sur les fonds sombres. Emporté par la chute du poêle, l'enfant venait de trouver son dernier repos dans ce lit glacé.

Manuel comprit tout de suite. Il ne pouvait rien faire pour le sauver. Surexcité par la rage que lui causait son impuissance, il retourna en courant au traîneau. Fabienne cherchait plus que jamais son souffle et gémissait plus qu'elle ne pleurait. Telles des statues de sel, les enfants restaient figés. Manuel ne les voyait pas. Il saisit une hache et, désespérément, se mit à frapper la surface gelée à l'endroit où la rivière bifurquait avant de se précipiter en gros bouillons trente pieds plus bas. Omer courut le rejoindre.

— Il peut être qu'icite ! se rassura Manuel en redoublant ses coups.

— Vous allez vous faire mourir en vargeant de même ! s'inquiéta Omer.

Soudain, un jet d'eau jaillit. La surface se rompit et un gros morceau de glace s'en détacha. À genoux, il se pencha au-dessus de cette ouverture et se mit à fouiller à bout de bras dans l'eau noire. Un sanglot lui serrait la gorge à l'étouffer et le froid lui coupait les bras, mais il n'en continua pas moins, pendant de longues minutes, à brasser de ses deux mains cette eau traîtresse qui retenait le corps de son fils.

Omer tenta de le raisonner.

— Vous voyez ben que ça donne rien !

— Qu'est-ce que t'en sais ? Qu'est-ce que t'en sais ?

Quand, au bout d'un quart d'heure, il vit que ses efforts demeuraient vains, aveuglé par ses larmes, tel un automate, il repartit en direction du traîneau. Pendant ce temps, recroquevillée dans sa peine, Fabienne refoulait sa douleur au plus profond d'elle-même. Les enfants n'avaient pas à savoir. Dans cette épreuve, elle devait se montrer courageuse, exemplaire. Il ne lui était pas permis de laisser paraître le moindre signe de faiblesse.

Manuel s'empara de la poulie à crochet du palan. D'une tête de petite épinette, il fabriqua une perche. Au bout, il fixa solidement la poulie. Muni de ce grappin improvisé, il se mit à fouiller minutieusement sous la surface. Après de longues minutes, il prit la résolution de demeurer à cet endroit tant qu'il n'aurait pas repêché le corps du malheureux Arsène.

— Omer, va conduire le cheval et le traîneau sous les arbres et prépare un abri pour la nuit.

Son fils aîné obéit sans poser de questions.

— Ça sera fait, se contenta-t-il de dire.

Manuel continua de fouiller patiemment le cœur de la rivière. Le crochet raclait les fonds sombres, le crissement sinistre se répercutait dans la gaule comme en un immense diapason, mais, indifférent à tout ce qui l'entourait, il n'entendait rien et persistait dans sa recherche. Soudain, il s'arrêta, se frappa le front, puis se dirigea vers le trou d'où pointaient les pattes du poêle. À peine avait-il commencé à fouiller au fond de l'eau qu'il sentit quelque chose de mou. Il retira lentement le grappin : au bout du crochet pendait un morceau du manteau de l'enfant. Il appela aussitôt Omer.

— Il est là, marmonna-t-il. Il est resté coincé sous le poêle. Tu vas m'aider.

— Comment ?

— Attrape une hache et suis-moi.

Sans perdre un instant, il se dirigea vers la berge et, aidé d'Omer, il abattit quelques petits arbres pour en faire une demi-douzaine de billots.

Omer demanda :

— Qu'est-ce qu'on va faire avec ?

— Va chercher Tobie avec son attelage.

Il se servit du cheval pour traîner les billots tout près du trou, dans la glace. Il les glissa de biais un par un, en les enfonçant au fond de l'eau dans l'ouverture béante. Muni du grappin, il recommença à sonder le fond de la rivière jusqu'à ce qu'il localise le corps de son fils. Il fit un nœud coulant au bout d'une grosse corde de lin. À l'aide de sa gaffe, il descendit ce filin au fond de l'eau, le tira vers lui jusqu'à ce qu'il sente une résistance. Il appela Omer, lui remit le filin et lui recommanda :

— Tu t'en vas sur la berge et quoiqu'il arrive, tu le lâches pas.

— C'est compris ! fit Omer.

Après avoir bien arrimé les pattes du poêle au moyen d'une chaîne, il fixa un câble à un arbre voisin, le fit passer dans les poulies du palan et, à l'autre extrémité, il attela Tobie. Il fixa le crochet de la poulie à la chaîne qui encerclait le poêle. Sûr de son coup, il commanda au cheval d'avancer. L'animal tira de toute la force de ses muscles. Entraîné par cette puissante traction, le poêle se coucha sur les billots, et lentement, graduellement, il remonta par petites secousses jusqu'à la surface. En voyant la manœuvre, Fabienne se détourna. Elle savait qu'à l'avenir, chaque fois qu'elle utiliserait ce poêle de fonte, l'image d'Arsène la hanterait.

Manuel se dirigea vers Omer.

— Donne-moi le filin ! commanda-t-il.

Manuel le prit et tira doucement. Le corps menu de son fils apparut à la surface de l'eau. Figé dans la mort, le visage de l'enfant reflétait la frayeur qui l'avait saisi avant de rendre l'âme. Manuel détourna les yeux, tira le cadavre vers le rivage, le couvrit de son manteau, alla rejoindre les siens. Après s'être emparé d'une large couverture, il retourna sur la berge. Tendrement, précautionneusement, il enveloppa le corps de son fils, le rapporta dans ses bras jusqu'au traîneau, ouvrit le banc du conducteur, en retira l'horloge, le crucifix et les vivres, et y déposa le corps de l'enfant.

Fabienne se précipita pour le voir. Manuel la retint fermement. Il dit d'une voix douce, mais de façon à être entendu de chacun :

— Personne ne doit déplier cette couverture. Nous garderons tous d'Arsène l'image qu'il nous a laissée de son vivant.

Fabienne fonça sur lui et se mit à le marteler de ses deux poings.

—Je te l'avais dit ! hurlait-elle. Je te l'avais dit !

Manuel la maîtrisa sans la brusquer.

— Un accident est un accident, dit-il. Ne rends pas les choses encore pires.

À bout de force, Fabienne n'eut pas le courage de protester davantage. Elle sentait monter en elle un vent de révolte contre cet homme qui décidait de tout, contre ce pays inhospitalier dévoreur de jeunes vies, contre tout ce qui la forçait à suivre sans maugréer, contre ce destin qu'elle ne désirait pas. Habituée à plier l'échine, elle ne souffla mot. Omer s'approcha d'eux. D'une voix émue, il déclara :

— C'est moé qui serais mort si nous n'avions pas changé de place dans le traîneau.

— C'est la faute de personne, enchaîna Manuel. Vous avez compris ? C'est la faute de personne.

Sa réflexion tomba dans le vide. Élisabeth pleurait en silence, pendant que, du revers de la main, Léopold s'essuyait les yeux, tandis qu'assise dans la neige sous le traîneau, Geneviève sanglotait. Seule leur mère, blanche comme la mort, retenait ses larmes derrière une montagne de rage.

Comme pour échapper à cette peine, Manuel s'attarda encore quelque temps à repêcher au fond de la rivière des objets utiles entraînés par la chute du poêle, puis, calmé, il alla rejoindre les autres qui, en silence, préparaient l'abri pour la nuit.

Fabienne se morfondait, cantonnée dans sa douleur. Il la regarda, eut pour elle un geste compatissant, la prit par les épaules, la serra contre lui, mais pour toute parole ne trouva que ces simples mots:

— Ce qui devait arriver est arrivé, c'était son destin, on ne peut rien contre la volonté de Dieu. Remercions-le de nous avoir au moins permis de le retrouver, nous pourrons l'ensevelir en terre chrétienne.

Tel un linceul, la nuit les enveloppa dans leur peine. Fabienne attendit d'être bien certaine que Manuel dormît. Elle se leva sans bruit. Profitant du clair de lune sur la neige, elle s'approcha du traîneau. Soulevant le couvercle du banc, d'un coup sec, elle déplia la couverture. Le visage horrifié de l'enfant lui apparut. Elle crut que le cœur allait lui sortir de la poitrine. En un instant, la forêt ne fut plus qu'un long hurlement. Sans plus réfléchir, elle se mit à courir droit devant elle, comme une perdue. Elle n'avait pas parcouru cinquante pieds qu'elle buta contre les racines d'un saule et se retrouva tête première dans la neige. Comme une automate, elle se releva, pour retomber aussitôt.

Quand Manuel arriva, elle se traînait à plat ventre en tapant des poings contre le sol. Il la prit par les épaules pour la forcer à s'asseoir.

— Regarde dans quel état tu t'es mise. Je t'avais dit, aussi…

Trop occupée à courir après son souffle, elle ne répondit rien. Inquiet, Omer arriva à son tour. Les deux hommes la soulevèrent, puis la soutinrent pour l'empêcher de tomber. Elle avait à peine la force de se tenir debout et cherchait son souffle à chaque seconde. Ils la ramenèrent ainsi jusqu'au campement.

Au petit matin, à la première lueur de l'aube, Manuel se leva, pressé de quitter cet endroit maudit. Son cœur fit un bond dans sa poitrine : Fabienne avait disparu. Comment avait-il pu ne pas se rendre compte de son départ ? Rompu de fatigue, l'esprit torturé, il avait mis du temps à s'endormir, mais persuadé qu'elle ne ferait pas d'autres folies, il avait fini par sombrer dans un sommeil profond.

Pour ne pas inquiéter les plus jeunes, il ne réveilla qu'Omer.

— Chut ! fit-il. Ta mère.

Omer s'énerva :

— Elle est où ?

— Viens avec moi. Elle peut pas être bien loin, il suffira de suivre ses pistes dans la neige.

Il se mit à scruter le sol, afin de découvrir dans quelle direction elle était partie. Il ne tarda pas à reconnaître ses traces sur la rivière. Durant la nuit, sous l'action du gel, la crevasse laissée par l'accident de la veille s'était cicatrisée. Les pistes de Fabienne la contournaient à peine, reprenant à rebours le chemin parcouru la veille.

— Ta mère veut retourner à Baie-Saint-Paul, dit Manuel. Nous devons la retrouver au plus vite. Avec son asthme et le froid qu'il fait, elle court à sa mort. Va tout de suite chercher des couvertes.

À travers les têtes d'épinettes, dans l'échancrure des nuages, des pans de ciel rouge apparaissaient comme les battures d'un fleuve de sang. La journée promettait d'être glaciale. Les arbres craquaient sous l'impact du nordet et se délivraient par secousses de paquets de neige encore accrochés à leurs branches.

Manuel se mit à courir. Il ne tarda pas à repérer, au-delà d'un rocher, la tache noire du manteau de Fabienne. Il s'immobilisa pour voir si elle marchait toujours. Elle ne bougeait pas. Son sang ne fit qu'un tour et il bondit en criant. Quand il la rejoignit, elle tremblait de tout son corps.

— T'es folle! rugit-il. Tu le fais exprès! Tu veux attraper ton coup de mort?

—Oui, c'est ce que je veux, parvint-elle à bre-douiller, entre deux claquements de dents.

—Tu ne peux pas être raisonnable avec l'enfant que tu portes? Un mort, c'est bien assez. Pas deux et pas trois!

Elle s'efforçait de le repousser. Il lui passa les bras sous les reins et d'un coup, il se redressa, haletant. Il ne tarda pas à se rendre compte qu'il aurait besoin de toute sa force de Grenon pour la ramener. Il hurla:

—Au secours!

C'était inutile, Omer avait attelé Tobie et s'amenait déjà avec le traîneau.

Quelques heures plus tard, après quelques nouveaux passages hasardeux, chacun put enfin respirer plus à l'aise et espérer la fin de ses misères: le traîneau attei-gnit le lac Saint-Jean. Sur le coup de midi, Manuel frappait à la porte du Poste de la Métabetchouan.

Chapitre 16

Métabetchouan

L'homme qui vint répondre aux coups répétés de Manuel était le Métis au regard sournois et à l'air niais qui, en échange de nourriture et d'un toit, servait fidèlement John Forrest, le commis du Poste. En reconnaissant Manuel, d'un geste vif, il fit signe à chacun d'entrer. Se tournant vers le fond de la pièce où une porte s'ouvrait sur un appartement, il frappa dans ses mains.

Le commis se montra au bout de quelques secondes.

— Grenon ! s'écria-t-il. Te voilà enfin !

Mais l'air abattu de Manuel le stoppa net dans ses élans. Les plaisanteries qu'il s'apprêtait à échanger avec lui moururent au bord de ses lèvres. Ce fut donc avec retenue qu'il l'interrogea sur les péripéties de son voyage.

— La route a été longue ? commença-t-il d'abord, comme pour briser la glace qui semblait avoir envahi la maison en même temps que les arrivants.

— Passablement, murmura Manuel.

— Avez-vous eu de la misère à vous orienter ?

— Non ! Pour ça, tout a bien été.

— Pas eu de *bad luck*, tout de même ?

— Oui, justement !

— Quoi donc ?

Sans qu'aucun mot ne soit dit, il comprit, aux yeux qui se baissaient, au signe de tête de Manuel qui indiquait l'extérieur, qu'un malheur les avait frappés. Il ouvrit la porte et jeta un coup d'œil dehors.

— Sous le banc d'en avant, dit Manuel.

Forrest sortit, souleva le couvercle. En voyant la couverture ainsi repliée, il comprit aussitôt. De retour dans la maison, cherchant des mots de compassion, il ne trouva rien d'autre à dire que :

— C'est la vie !

Puis se penchant vers Manuel, il lui dit à l'oreille :

— Je te conseille de mettre le corps à l'abri, tu comprends ?

Manuel acquiesça.

— C'est ce que je m'apprêtais à te demander.

— Ç'était un garçon ou une fille ? s'informa le commis.

— Un garçon...

Forrest poursuivit stupidement, à la manière de quelqu'un qui ne sait trop quoi dire :

— Il ne sera pas seul au charnier, deux Montagnais, un homme et une femme, sont morts durant l'hiver, on y a déposé leurs corps. Au dégel, on creusera les fosses.

— Pour mon fils, je n'attendrai pas le dégel, assura Manuel. Dès demain, je l'enterrerai au cimetière.

—*As you like*! approuva le commis.

Il s'avisa alors de la pâleur de Fabienne.

— C'est ta femme? Elle est malade?

Au signe d'acquiescement de Manuel, il appela le Métis:

— Va prévenir Délina.

Puis, désireux de changer l'atmosphère, il demanda:

— Vous devez avoir faim? Je vous fais préparer une soupe.

Sur ces paroles, il sortit pour se diriger vers la maison voisine. Quelques minutes plus tard, il revenait en annonçant que la chambre était prête pour Fabienne et que la servante faisait chauffer la soupe.

Le Poste de la baie d'Hudson, où se trouvaient les Grenon, s'élevait sur la rive sud de la Métabetchouan, tout près de son embouchure. On y trouvait, outre le magasin qui, avec sa vaste salle, servait de lieu de rendez-vous, la maison du commis, une étable, une grange, une poudrière désaffectée, un jardin entouré d'arbres fruitiers et, tout en haut sur un léger promontoire, dominant le tout, la chapelle érigée pour les Montagnais. Derrière ce modeste temple, deux croix perçaient le champ de neige, rappelant aux vivants le souvenir d'intrépides canotiers noyés quelques années plus tôt dans les eaux tumultueuses de la Métabetchouan.

Le lendemain, dès l'aube, Manuel s'affaira à creuser la fosse pendant qu'Omer rassemblait quelques planches pour fabriquer le cercueil. Rien d'autre ne bougeait.

— Nous aurons au moins la chance d'enterrer Arsène en sol chrétien, dit Manuel à Fabienne lorsque tout fut terminé.

— Si tu m'avais écouté… lui reprocha-t-elle.

— Ne recommence pas ta rengaine, coupa Manuel, ça ne changera rien à ce qui est arrivé. Compte-toi chanceuse qu'on soit plus raisonnable que toi.

Quelques heures plus tard, tous entouraient la fosse, même Fabienne, le visage blême, le regard perdu. À l'aide de câbles, John Forrest et le Métis firent descendre le petit cercueil au fond du trou. Manuel ne connaissait pas les prières appropriées, aussi John Forrest offrit de dire quelques oraisons pour le défunt. Il avait apporté un livre dans lequel il lut, d'une voix neutre qui ne laissait percer aucun signe d'émotion :

— Dieu donne la vie, Dieu la reprend à son heure. Béni soit-Il à jamais ! Tu es né poussière et poussière tu retourneras… Que le repos éternel accompagne à jamais celui qui vient de nous quitter, nous qui à notre tour le rejoindrons un jour dans la gloire éternelle. Amen !

Agrippés à leur mère, les enfants pleuraient avec elle, tandis qu'orgueilleusement, Omer et Manuel, tête baissée, retenaient leurs larmes. La nature semblait compatir à ce triste événement, même les oiseaux se taisaient. Seul le bruit sourd des pelletées de terre jetées sur le cercueil venait troubler la paix de ce triste matin. La fosse était aux trois quarts comblée lorsqu'une mésange fit entendre son cri d'alerte suivi de l'appel vif d'un geai. La nature reprenait ses droits. La vie se remettait à vivre.

Chapitre 17

Le campe

Dès après le dîner, Manuel, en compagnie d'Omer, décida de faire traverser tous leurs effets sur la rivière gelée. La neige recouvrait encore le sol, dérobant au regard les tas de pierres servant de bornes. Malgré tout, Manuel n'hésita pas.

—Notre lot se trouve exactement ici, à quelques arpents du lac, dit-il avec assurance.

Il marcha dans la neige afin de dessiner un carré sur le sol.

—C'est ici que s'élèvera le campe, décida-t-il.

Sans perdre un instant, il se dirigea vers la forêt toute proche. Armé de sa hache, il se mit à abattre quelques arbres. Avant le soir, une douzaine de billots appuyés sur des pierres plates formaient les premiers rangs du futur campe en bois rond.

Quand, à la brunante, il revint au Poste avec Omer, Délina, la servante des Forrest, l'accueillit en souriant. C'était une petite femme nerveuse et vive, toujours affairée, et continuellement à l'affût d'un service à rendre. Elle avait des yeux noisette où nichait une chaleur apaisante, et elle souriait d'un sourire à la fois invitant et espiègle qui ne laissait personne indifférent.

Délina s'affairait à préparer le repas du soir et une bonne odeur de viande rôtie flottait dans l'air. Manuel demanda aussitôt :

— Comment va Fabienne ?

— Très bien ! Elle se remet plus vite que j'aurais cru.

Le visage de Manuel s'éclaira.

— J'ai faim, dit-il. C'est du chevreuil ou de l'orignal ?

— Du chevreuil aux noisettes ! reprit Délina. Vous allez voir que c'est pas piqué des vers.

— À ce que je vois, reprit Manuel, la bonne nourriture, ça vous connaît ?

— À qui le dites-vous, monsieur Grenon ! Quand on est née fille d'aubergiste, y a guère de secrets de cuisine qui nous échappent.

Manuel tira de sa poche sa pipe et son tabac. Pendant qu'il préparait sa pipée, ses yeux ne quittaient pas la fenêtre, où il observait quelque scène mystérieuse que lui seul semblait voir. Le commis vint lui offrir un verre :

— Tu prendras ben un petit remontant ?

— C'est pas de refus, après tout ce que je viens de passer.

Ils burent ensemble, à l'avenir, au Poste, à Métabetchouan. Manuel, la langue déliée par l'alcool, se mit à parler de son amour pour ce pays de lacs, de rivières, de forêts.

— Si je suis venu à Métabetchouan, John, c'est parce que je pense qu'il y a pas de plus beau pays sur terre.

— Tu penses ? On voit que t'as pas encore vécu par icite.

La remarque du commis ne lui fit pas perdre sa belle assurance. Il continua à discourir. Ses paroles reflétaient le bonheur qu'il éprouvait à venir ainsi défricher ce coin de terre vierge, comme les Anciens l'avaient fait ailleurs avant lui. Mais ses rêves n'impressionnaient guère le commis. Plus pragmatique, celui-ci se chargea de le ramener sur terre en lui demandant à brûle-pourpoint :

— Es-tu sûr que tous tes papiers sont en règle ?

Décontenancé, Manuel grogna :

— En règle ? Bien sûr qu'ils le sont ! C'est le notaire Harvey qui les a préparés.

— Même si t'es assuré qu'ils sont bons, fais attention où tu bâtiras ton campe et où tu mettras tes clôtures. Les Anglais des compagnies forestières, prends-leur pas un pouce, j't'avertis. C'est leur droit de te sacrer dehors. Ils ont bien raison.

Manuel s'indigna :

— J'enlève rien aux Anglais, mes papiers m'autorisent à m'installer icite, personne ne m'en empêchera. Les Anglais qu'ils viennent ! Je les attends...

— Ils vont dire que t'es un *squatter*, que t'as pas d'affaire là.

— Je leur montrerai mes papiers !

— Tu sais lire ?

— Non !

— *Anyway*, ils vont dire que tes papiers sont pas bons.

— Je les enverrai chez le notaire Harvey, qui en a gardé une copie.

— Ils vont te chasser.

— Qu'ils s'amènent, dit Manuel, sûr de lui. Ils vont apprendre qu'un Grenon, ç'a n'a peur de rien ni de personne, et que des Anglais j'en ai déjà vu d'autres.

Le commis conclut :

— Comment vous dites ? Un homme qui sait…

— Un homme averti en vaut deux, coupa Manuel.

Profitant de ce tête-à-tête avec Forrest, il sortit quelques billets de sa poche. Il les glissa dans la main du commis. Ce dernier feignit l'étonnement.

— Pour la pension, dit Manuel.

— Y a d'autres moyens de payer.

— Vraiment ?

— *Oh yes* !

— Comment ?

— Ta fille la plus vieille est belle…

Interdit, Manuel mit quelques temps à réaliser les intentions du commis.

— Tu parles sérieusement ?

— *Sure* !

Furieux, Manuel gronda :

— J'avais confiance en toi, John. Maintenant, je sais à quoi m'en tenir avec toi. T'avise jamais de toucher à ma fille, sinon t'es un homme mort.

Le commis eut beau répéter qu'il blaguait, Manuel lui tourna le dos. Le lendemain, aidé d'Omer, il se mit résolument à la construction du campe. Il n'avait plus qu'une hâte : déguerpir du Poste et bâtir sa maison à Métabetchouan. L'attitude de John Forrest l'inquiétait. « Ce que te donnent certaines personnes, songeait-il, elles te le font payer très cher par la suite. » Forrest, il le pressentait, était ce genre de rapace. Aussi mit-il les bouchées doubles pour terminer rapidement la construction du campe.

Quand enfin, au milieu d'avril, les neiges se mirent à fondre à vue d'œil et que la rivière déborda sur ses berges, Manuel fut soulagé de ramener tous les siens sous cet humble toit.

— Ici, soupira-t-il, nous serons enfin chez nous !

Chapitre 18

Un départ, deux arrivées

Dès que les dernières glaces eurent calé, Omer se prépara à partir pour Baie-Saint-Paul.

—Et pis, tu ramènes les vaches en bonne santé, lui rappela Manuel. Prends ton temps! On n'a pas besoin d'animaux blessés ou malades.

—Craignez rien, promit Omer, tout sera fait comme il faut!

Manuel lui tendit un morceau de papier.

—Arrange-toi pour commander à Chicoutimi ou faire venir de Québec tout ce qu'il y a d'écrit sur cette liste. Oublie pas! Tu fais livrer au Poste. Si t'as besoin d'explications pour la liste, tu demanderas à Délina Boily avant de partir, c'est elle qui l'a écrite.

—Inquiétez-vous pas, tout se passera bien! promit Omer d'une voix calme.

—J'irai au-devant de toi dans trois semaines, jour pour jour. Je t'attendrai chez les Tremblay, à la tête du lac Kénogami.

Omer ne se décidait pas à partir, une chose l'inquiétait. Il hasarda :

— Comment vous en tirerez-vous pour le défrichage pendant que je serai parti ?

Son père se mit à rire.

— Je défrichais avant même que tu viennes au monde ! T'en fais pas, mon garçon, ton père en a vu d'autres, assura-t-il en bombant le torse. D'ailleurs, dans des circonstances comme ça, la Providence y pourvoit toujours.

Il ne pouvait mieux dire, car deux jours à peine après le départ d'Omer, en plein midi, alors que le soleil chauffait de tous ses feux, un canot parut sur le lac. Deux jeunes hommes conduisaient une voyageuse, qui, dès qu'elle aperçut le campe, se mit à gesticuler au risque de faire chavirer l'embarcation. Manuel observait la scène avec intérêt, quand tout à coup, il s'exclama :

— Batêche ! C'est l'bout d'la misère ! La tante Wilhelmine… C'est pas créyable. Qu'est-ce que j'ai fait au bon Dieu ? V'là la tante Vilaine Mine !

C'était la sœur de Fabienne, une femme tout en chair, à la langue aussi pointue que bien pendue. Elle se considérait comme la savante de la famille et entreprit son travail de sape dès le seuil :

— Tu parles d'une idée de faire une porte si basse ! Avez-vous peur des ours ?

— Non ! répliqua Manuel. Des fouines…

La guerre entre les deux venait de recommencer. Pourtant, la tante feignit de n'avoir rien entendu.

— À ce que je vois, remarqua-t-elle, en fixant le ventre de Fabienne, j'arrive pas trop tard.

— On survient jamais trop tard quand on n'est pas invité, grogna Manuel.

Une fois de plus, la tante avait décidé de ne rien entendre. Manuel prit son casque en grommelant. Pour bien montrer sa désapprobation, il claqua la porte en sortant.

Les deux jeunes hommes qui pilotaient le canot de la tante étaient entre-temps repartis pour le Poste. Ils voulaient profiter de leur séjour à Métabetchouan pour se faire engager par la Compagnie de la baie d'Hudson.

— J'ai pas rien pour vous, leur dit John Forrest d'un air contrarié.

— Nous ferions n'importe quoi, plaida celui qui paraissait être l'aîné. Il nous faut travailler.

— Vous pouvez vous essayer de l'autre bord, chez mon voisin, leur conseilla le commis.

Quand les deux jeunes hommes se présentèrent à lui, Manuel refusa d'abord de les engager. Puis, soudain, il se mit à dévisager l'un d'entre eux.

— Tu s'rais pas un Simard, toé ? s'informa-t-il en se grattant la tête. Il me semble t'avoir déjà vu quelque part.

En esquissant un sourire, le jeune homme s'exclama :

—J'suis bien un Simard.

—Alors, t'es un garçon à Benjamin! reprit vivement Manuel. Batêche! Le monde est p'tit, j't'ai connu t'avais encore la couche aux fesses.

—J'suis Charles à Benjamin, monsieur Grenon, dit le jeune homme en riant. Vous me connaissez: Charlabin! Souvenez-vous, je vous ai aidé à sortir vos meubles pour l'encan.

—Comment ça se fait que j't'ai pas reconnu tout de suite?

—Ma barbe vous aura trompée.

—Je crois me souvenir que tu n'étais pas plus vaillant qu'il faut, poursuivit Manuel.

À cette remarque, son compagnon se mit à rire.

—Dans l'temps, p't'être, protesta Charlabin, mais plus astheure, j'ai beaucoup changé.

—Comment ça?

—J'ai travaillé dans un chantier maritime à Québec. J'en ai arraché pis ça m'a appris.

—Mais t'es pas resté. T'en es parti. Pourquoi?

—Parce que l'ouvrage me convenait pas. Je suis un gars de bois, j'avais pas de plaisir à travailler sur les bateaux.

—Si vous avez de bons bras et du cœur, j'aurais p't'être ben quelque chose pour vous, proposa Manuel. Tout dépend de vos exigences.

—On vous d'mandera rien d'plus que la nourriture et un toit, reprit Charlabin, on va se donner le temps de s'trouver du travail au Poste quand viendra l'temps du trappage.

—M'est idée que t'as raison, mon garçon, approuva Manuel. En attendant, allez chercher votre fourbi qu'on vous trouve un coin dans le campe.

Charlabin Simard et son compagnon François Rioux partagèrent ainsi la vie des Grenon. Réservés au début, les deux jeunes hommes, après quelque temps, se mirent à raconter leurs aventures. Ils avaient un bon auditoire en Élisabeth, Geneviève et Léopold, qui buvaient avidement chacune de leurs paroles. Le soir, autour du feu de grève, ils racontaient aux Grenon leurs folles équipées.

—J'suis parti de Baie-Saint-Paul avec mon oncle Majella Bouchard. Y m'a conduit en charrette jusqu'à Québec. C'est toute une ville! Y a le château Saint-Louis, un marché, des centaines de maisons, des remparts, des écoles et beaucoup d'églises. Comme j'haïssais l'école, mon père avait décidé de m'envoyer apprendre un métier. Je logeais chez un cordonnier. Vous auriez dû voir le patron, et surtout la patronne de la maison.

—Ils étaient méchants? questionna Geneviève.

—Très sévères, assura Charlabin en roulant de gros yeux. On était quatre apprentis à rester chez eux. Tous les jours, on commençait à travailler au lever du soleil, pis on terminait au moment de son coucher, après seulement deux arrêts, un pour le dîner, l'autre pour le souper. On avait une demi-heure pour manger.

—Vous deviez avoir hâte de vous coucher en batêche!

—On était fourbus comme des bêtes; on travaillait, on mangeait, on dormait. Quand le patron partait, sa femme nous gâtait. Elle nous faisait des galettes à la mélasse pis du sucre à crème.

— Comme ça, t'es cordonnier! dit Élisabeth avec admiration.

Charlabin pouffa de rire.

— Jamais d'la sainte vie! J'ai demeuré là seulement un mois, puis je me suis sauvé quand la patronne a voulu que je couche avec elle.

— Tu t'es sauvé? reprit Geneviève. T'es allé où?

— En prison! Un gendarme m'a arrêté pour vagabondage. J'ai dormi une nuit au cachot. Le lendemain, la patronne est venue me chercher pour m'amener au marché avec elle, mais au retour, j'ai pris l'bord des plaines d'Abraham. À la brunante, une espèce de colosse m'a rencontré sur le chemin de l'anse de Sillery. «Où vas-tu, mon garçon?» «Au bout d'mon chemin.» «Ne te moque pas de moi ou je te tords le cou! Tu vagabondes en quête d'un mauvais coup?» «Je cherche juste un endroit pour dormir.» «Suis-moi! Ne t'avise pas de te sauver, sinon j'te fais mettre en prison.» Je l'ai suivi jusqu'à la villa où il était jardinier. Il habitait une maison en bois rond, tout en haut de la falaise. Il m'a donné à souper et m'a prêté un lit. Le lendemain, il m'a conduit au chantier maritime où j'ai trouvé du travail.

— C'est quoi, un chantier maritime? questionna Léopold.

— C'est un endroit où on construit des navires.

— Des gros navires?

— Des navires qui traversent l'océan.

Les enfants regardaient avec admiration ce cons-
tructeur de vaisseaux qui sillonnaient les mers.

— As-tu voyagé dans un de ces bateaux ? demanda
Élisabeth.

— Oui ! J'en ai pris un petit pour venir jusqu'à la
Grande-Baie.

Plus Charlabin parlait, plus Élisabeth admirait son
courage et plus Manuel souriait sous cape. Bien plus
que ses exploits, c'était son manège pour capter l'attention de son auditoire qui le fascinait. Il possédait
de véritables dons de conteur. Il mentait juste assez
pour rendre plus intéressant ce qu'il racontait. Manuel
avait appris à mieux le connaître au rythme du labeur
quotidien et à juger sa valeur. Décidément, ce jeune
homme lui plaisait.

Chapitre 19

Le retour d'Omer

Pendant que Manuel et ses aides s'échinaient à dessoucher leur terre de Métabetchouan, à Baie-Saint-Paul, Omer entreprenait avec ses bêtes le long voyage de retour. Le capitaine Dufour accepta de le transporter à bord de sa goélette avec ses trois vaches jusqu'à la Grande-Baie. De là, Omer voyagea le long de la rivière Chicoutimi en route vers le Portage-des-Roches. Convenablement tracé, le chemin ne posait pas de difficultés. Les vaches s'arrêtaient parfois pour brouter un peu d'herbe. Omer les laissait paître un moment, puis, inlassablement, les obligeait à avancer de nouveau. Elles poussaient quelques meuglements désapprobateurs, mais n'en continuaient pas moins leur route.

De temps à autre, le long de ce chemin rocailleux, apparaissait un campe grossièrement bâti. Omer s'y arrêtait pour boire un peu d'eau.

— Où t'en vas-tu comme ça avec tes trois vaches ? était immanquablement la question qu'on lui posait.

— À Métabetchouan !

— Es-tu malade ? Comment tu penses te rendre là avec trois vaches vivantes ? Pour moé, tu risques bien plus de te les faire manger par les bêtes sauvages, pis toé avec !

Entêté comme un Grenon, il n'en continuait pas moins sa route sans se laisser décourager.

Quand, après être passé par le Grand-Brûlé, il parvint au Portage-des-Roches, à la tête du lac Kénogami, la bonne femme Tremblay qui le vit arriver lui dit tout de go :

— Va mettre tes vaches au pacage, mon gars, et retourne-t'en chez toi jusqu'à ce que mon mari revienne avec ses barges.

— Quand l'attendez-vous ?

— Après-demain, qu'il m'a promis, ce qui veut dire peut-être demain soir, peut-être dans trois jours si le temps se maintient au beau et que la brise ne s'élève pas trop : avec lui on ne sait ni le jour ni l'heure.

Il s'informa :

— Mon père, Manuel Grenon, n'est pas venu ?

— Non, mon garçon, j'ai pas vu âme qui vive depuis trois jours.

— Je reviendrai demain soir, assura Omer.

Il retourna donc au Grand-Brûlé, où il put loger chez les Mailloux, de vagues parents du côté de son père.

Pendant ce temps, Manuel avait quitté Métabetchouan et se dirigeait allègrement vers le Portage-des-Roches.

Avant de partir, il avait avisé Fabienne qu'il serait de retour dans deux jours tout au plus :

— Attends que je revienne pour faire le petit !

La tante Wilhelmine, qui n'en manquait pas une, dit :

— Tu peux prendre ton temps, Manuel Grenon. De toute façon, on n'a pas besoin de toi pour l'accouchement.

— Ça, c'est toi qui le dit ! En té cas, on n'avait pas besoin de toi non plus !

Comme il venait de fermer le clapet de l'accoucheuse, Manuel ferma la porte derrière lui en riant aux éclats.

❧

Omer avait repris la route du lac Kénogami. À son arrivée chez les Tremblay en fin d'après-midi, les bateliers n'étaient pas encore de retour.

— Ils ne reviendront qu'au cours de la nuit, lui dit madame Tremblay.

Tard en soirée, alors qu'Omer allait se coucher, Manuel arriva finalement. Après de brèves retrouvailles, fatigués, les deux hommes se couchèrent. Ils dormaient dans un coin de la maison quand le grand La Piroche, après avoir bien amarré les barges, entra pour la nuit. En apercevant Manuel et Omer, il grogna :

— Qui est couché là ?

— Des voyageurs pour demain, répondit sa femme d'une voix pleine de sommeil.

— Je t'ai dit, sacrament, que j'voulais pas en voir un maudit coucher icite !

— Ben, t'en vois deux ! répliqua la bonne femme sans perdre contenance avant d'ajouter : Ben crère que t'en verras d'autres, viens t'coucher ou ben laisse-nous dormir en paix !

Le bonhomme fit du barda encore quelques minutes, puis il s'enfonça dans le monde du rêve avec de terribles ronflements.

Tôt le lendemain, Manuel et Omer transportèrent leur butin sur une des barges. Indifférentes à ce qui se passait tout autour, les vaches ruminaient, bien installées au centre de la place. Omer alla les traire. Il remercia la mère Tremblay avec deux pintes de lait frais. Des meubles, des sacs de blé, des outils de toutes sortes s'amoncelaient sur la grève. Le jeune infirme qui avait pour tâche de charger les barges se désâmait à transporter avec son unique bras ces objets parfois très lourds. Compatissant, Omer lui donna un coup de main. Bientôt, les barges s'enfoncèrent sous le poids des barils, des caisses et des marchandises de tout genre que le vieux La Piroche devait convoyer jusqu'à l'autre bout du lac Kénogami.

La vigueur et la vaillance d'Omer impressionnèrent le bonhomme. Il ne manqua pas d'en faire part à Manuel :

— Il y va en sacrament, ton garçon ! Je l'garderais ben comme aide au lieu de ce navet, se plaignit-il en désignant méchamment l'infirme.

— D'autre travail l'attend à Métabetchouan, lui répondit poliment Manuel.

— Vous devez être fier de lui. Si jamais vous changez d'idée, qu'il vienne me voir. En attendant, amenez vos vaches, j'vas les transporter, ça vous payera de votre trouble.

Malgré leur position précaire au milieu d'une des embarcations, les vaches se firent tant bien que mal à leur sort. Elles continuèrent à ruminer paisiblement pendant la traversée. Fatigué, Omer en profita pour piquer un somme. Manuel, qui n'aimait pas l'eau, avait préféré faire le trajet à pied le long du lac.

— On se retrouvera à soir, avait-il promis à Omer.

À l'heure dite, après avoir confié tout le reste de ses effets au bonhomme La Piroche, avec promesse de sa part de les apporter jusqu'au Poste en même temps que tout un équipement pour un chantier naval, Omer rejoignit son père. Précédés par les bêtes qui cherchaient à brouter les moindres brins d'herbe, ils continuèrent leur route le long de la Belle-Rivière. Ils avaient à peine eu le temps de se parler depuis la veille.

— Comment ça va à Métabetchouan? questionna Omer.

— Aussi bien que ça peut aller quand ta tante Wilhelmine est là!

— Ma tante est là pour l'accouchement? Maman n'a pas encore accouché?

— Pas encore, en tout cas quand je suis parti!

— Pis, le défrichement va bien?

— Tu vas être surpris quand tu vas arriver. J'ai eu deux aides pour bûcher. T'en connais un: Charlabin!

— Charlabin est là ? Le monde est vraiment petit.

— À qui le dis-tu !

À la chute de la Belle-Rivière, ils couchèrent dans un vieux campe qui servait d'abri aux voyageurs. La nuit s'avéra courte car, couchés ainsi sur les rives de la Belle-Rivière, ils ne pouvaient ni l'un ni l'autre s'empêcher de revivre en pensées les événements de leur dernier passage.

— Tu ne dors pas ? questionna Manuel.

— Non. J'arrive pas !

— Je gagerais que c'est pour la même chose que moi…

— Probablement.

— Tu penses à Arsène ?

— Oui.

— Faut oublier. Ça vaut mieux de même.

— C'est pas facile.

— Je sais, mais il faut quand même…

L'aube mit du temps à se lever. À l'est, l'horizon se teinta d'abord de rose, puis se chargea d'une pile de nuages dorés. Manuel ouvrit les yeux le premier. Il s'attarda un moment à admirer des nuées effilées qui glissaient vers l'ouest tels des paquebots en route vers des ports inconnus. Impatient d'arriver à la maison, il se leva et réveilla Omer, qui ne dormait que depuis une heure.

— Quoi, déjà ?

— Eh oui ! Il faut partir.

En poussant les bêtes devant eux, ils empruntèrent le sentier de portage qui longeait la Belle-Rivière. Ce chemin menait jusqu'au bord du lac Saint-Jean. Par ces mauvais sentiers ravinés et craquelés comme des gerçures, ils eurent toutes les peines du monde à faire descendre les bêtes.

— Tu sais maintenant pourquoi je suis venu au-devant de toi, assura Manuel. Je savais que tout seul ici, avec trois bêtes, tu aurais de la misère à t'en tirer.

— Vous avez ben fait de venir. Je pensais jamais que les chemins seraient si mauvais.

Ce fut avec un soupir de soulagement qu'ils virent enfin apparaître au loin la nappe bleue du lac. Ils s'arrêtèrent un moment, le cœur serré, les richesses de ce grand royaume à leurs pieds : forêts, lacs et rivières.

Ils reprirent tranquillement leur route. Les hommes et les vaches progressaient lentement. Depuis un moment, Manuel s'inquiétait en scrutant l'horizon.

— Nous allons avoir un orage. Si je me fie à ce que j'ai déjà vu, je t'en prédis tout un, une bonne grosse lavasse à nous tremper jusqu'aux os.

— Ouais ! Le ciel est pas mal noir. On va ben avoir du tonnerre, les éclairs commencent à l'autre bout du ciel.

— On va en avoir tout un, je te le garantis.

Des nuages noirs, lourds de pluie, montaient des Laurentides. Sous le souffle des vents d'ouest, la forêt houleuse grondait, s'agitait et craquait. Le lac frémissait de toutes ses vagues, en de longs frissons qui le crevaient de sillons, d'ouest en est. Les premiers éclairs déchirèrent le ciel au moment où, en poussant les vaches devant eux, ils entreprenaient la dernière descente.

— Si on trait les vaches en arrivant, fit Omer, on va sûrement avoir du lait caillé !

— C'est vrai, approuva Manuel. Les vaches n'aiment pas plus les orages que nous autres. En attendant, va falloir se trouver une place pour un abri.

Ils avisèrent un rocher qui formait un toit au-dessus d'une petite clairière. Ils s'arrêtèrent. Un nuage noir d'encre, tel un cheval épouvanté, galopa à bride abattue, bondit, tirant son char de feu chargé d'étincelles. Les premiers brins de pluie claquèrent sur les rochers. Regroupées sous les sapins au fond d'une cuvette, les vaches se mirent à meugler en même temps. Tout près, un éclair crépita, décapitant une épinette. Le tonnerre roula bruyamment ses tonnes de rochers pendant que les nuages catapultaient des paquets de pluie, comme des poignées de noisettes. Dans un ciel qui s'était mis à bouger, pareil à une mer démontée, les cumulus s'effilochèrent aussi vite qu'ils s'étaient formés. Le soleil se faufila aussitôt par les embrasures. Graduellement, il reprit ses droits.

Manuel et Omer sortirent de leur cachette. Entre les arbres encore bouleversés, l'air embué faisait miroiter le lac. On eût dit un mirage. Les yeux tournés vers ce bleu éclatant, Manuel et Omer continuèrent leur route. En écartant les broussailles, ils débouchèrent sur le grand jour de la rive. Métabetchouan était en vue.

Chapitre 20

La tante Wilhelmine

La tante Wilhelmine s'était installée à Métabetchouan comme si elle avait été chez elle. Elle demeurait confortablement assise à regarder travailler Élisabeth, en attendant la venue de l'enfant.

— C'est pour t'aider à accoucher, disait-elle à sa sœur, que j'ai risqué le voyage. Souviens-toi, avant de partir de Baie-Saint-Paul, tu m'avais dit que tu étais enceinte. Je ne l'ai pas oublié.

— C'est bien intentionné de ta part d'y avoir pensé.

— Comprends-moi bien. Je ne voulais pas te laisser accoucher toute seule comme une Sauvage. Après tout, je suis la sage-femme de la famille, ce sera le trois centième enfant que je mettrai au monde.

Élisabeth s'exclama :

— Trois cents, ma tante ! C'est quasiment pas croyable.

— C'est pourtant ça, ma fille. Y as-tu pensé ? J'en ai vu, des cas difficiles, des bébés qui se présentent par

le siège, des infirmes, des pressés, des retardataires...
Je les ai tous sauvés, je n'en ai pas perdu un seul.

— Pas un ! s'étonna Fabienne. J'avais entendu
dire...

— Des qu'en-dira-t-on ! Des mensonges ! coupa
vivement l'accoucheuse. Tu vas voir, tout ira bien.

Elle parlait sans arrêt. « Un vrai moulin à paroles et
pour ne rien dire en plus », soutenait Manuel. Mais
Fabienne devait bien le reconnaître : elle avait rarement l'occasion de placer un mot.

Depuis son arrivée, elle trônait comme une reine
au milieu de la place. Sans se lever de sa chaise, elle
réclama de l'eau :

— Élisabeth, j'ai soif !

— Un moment, ma tante, le temps de vous chercher un verre.

Élisabeth le lui avait tout juste remis quand elle
exigea une galette et se mit à soupirer :

— Ouf ! Il fait chaud comme en enfer.

Pour la taquiner, Élisabeth demanda :

— Vous y êtes déjà allée ?

Wilhelmine n'entendait pas à rire et s'offusqua :

— Tu deviens impertinente, ma fille. On ne parle
pas de même à sa tante.

— Excusez-moi, reprit Élisabeth. Je disais ça pour
rire.

— N'empêche qu'il fait chaud ici comme c'est
pas possible. Comment vous faites pour vivre de
même ? À part ça qu'il n'y a pas une chaise qui a de
l'allure.

— Laissez le temps à p'pa de les faire. Quand vous reviendrez dans un an ou deux, vous verrez la différence.

Fabienne, qui pourtant ne donnait pas sa place pour se plaindre, connaissait bien sa sœur. « La voilà partie dans ses grandes lamentations, se dit-elle. Elle lèverait pas le petit doigt pour une terre afin de rendre service en attendant que j'accouche. »

— En tous les cas, ma fille, j'en reviens pas, poursuivit Wilhelmine. Quelle idée de fou vous avez eu de venir vous enterrer dans un trou pareil ?

— C'est pas si pire que tu le dis, risqua Fabienne sans trop de conviction.

— Pas si pire ! As-tu seulement regardé dans quel taudis tu habites : sur de la terre battue, des fenêtres et une porte grandes comme ma main, pas de lumière, pas de nourriture, des paillasses ! Vous allez tous crever cet hiver… Vous auriez voulu avoir pire que vous auriez pas trouvé. Tu vas t'ennuyer ici, ma fille, à en mourir. Les voisins restent à des milles, pas d'église, pas de médecin, des mouches, pis des maringouins par milliers. Pauvre Fabienne ! Vous devriez retourner à Baie-Saint-Paul.

— Manuel voudra jamais.

— Je vais lui parler.

— Fais jamais ça !

— N'empêche que j'ai raison. As-tu seulement songé à ce que l'hiver va être ici ? Te vois-tu, embarrée des mois sans pouvoir bouger ? Le temps des fêtes va passer sans que vous voyiez âme qui vive. Manuel n'était pas un homme pour toi, t'aurais jamais dû le marier. Isidore Deschênes valait cent fois mieux que lui et dire que tu ne le regardais même pas ! Je t'avais pourtant prévenue, dis pas le contraire. T'as pas voulu m'écouter, tu payes pour, à présent.

— Manuel est vaillant. On finira par vivre mieux, plaida Fabienne.

— C'est vrai ! renchérit Élisabeth, qui n'aimait pas beaucoup les propos de sa tante. P'pa travaille fort.

— Vous avez peut-être raison, mais rien n'empêche qu'il vous a traînées au fond des bois. Il n'y a que les Sauvages qui vivent si loin du monde. Manuel s'arrangerait bien avec eux dans leurs cabanes. Pauvre Fabienne ! C'est une bien triste vie qui t'attend avec lui, ma fille. Laisse-moi te dire que tu méritais saprément mieux.

Le discours de Wilhelmine acheva de bouleverser Fabienne. Elle éclata en sanglots.

— C'est ça que vous vouliez, ma tante ? s'indigna Élisabeth. Soyez fière de vous, vous l'avez eu !

Élisabeth s'efforça de consoler sa mère et, en manière de revanche et pour alléger l'atmosphère, elle dit :

— M'man ! Racontez-moi donc encore comment vous avez rencontré p'pa.

Fabienne se laissa prier. Elle ne voulait visiblement pas parler de ça en présence de sa sœur.

— Tu le sais, je l'ai connu quand je suis venu faire un tour chez mon oncle, à Baie-Saint-Paul.

— C'était la pire affaire qui pouvait t'arriver, déclara méchamment sa sœur.

Élisabeth, qui en avait assez entendu, s'écria sur un ton qui n'admettait pas de réponse :

— Qu'est-ce que vous en savez, ma tante ? Qu'est-ce que vous en savez ?

Chapitre 21

Amélioration, déception, espoir

Peu de temps après son retour en compagnie d'Omer, Manuel se leva un beau matin avec en tête l'idée d'un ouvrage urgent :

— Nous devons bâtir la laiterie.

Omer ne s'étonna pas de cette décision. Maintenant qu'ils avaient des vaches, la chose allait de soi. Il demanda seulement :

— À quel endroit ?

— Du côté de la source, répondit Manuel.

— Sur la terre de Bellone ?

— À la limite des deux. Elle servira à nos deux familles, quand Bellone viendra s'établir.

Ils partirent tous deux avec les engagés, côte à côte, hache à la main, pour aller abattre les arbres nécessaires à l'érection de ce bâtiment. Au soir, des dizaines d'épinettes ébranchées jonchaient le flanc de la falaise, prêtes à être traînées jusqu'à l'endroit choisi.

Le lendemain, conduit par Omer, Tobie tirait les billes jusqu'à la source. Déjà, Manuel avait délimité sur le sol le carré qu'occuperait le bâtiment. Il avait même prévu l'ouverture de la porte du côté nord, afin de garder la laiterie le plus au frais possible. Entourée de sapins, elle profiterait en plus de la tiédeur de leur ombre.

Avec minutie, il commença à équarrir une à une les billes que lui apportaient Omer et les engagés. Il les posait l'une sur l'autre avec soin, prenant le temps de les imbriquer parfaitement à chaque coin. Il travaillait en turlutant, heureux d'un bonheur profond, enfin confiant d'arriver au bout de son dessein. En posant une bille il dit soudain :

— Regardez, les jeunes ! C'est d'même qu'on travaille ! Profitez-en pour voir comment on s'y prend !

— Où avez-vous appris tout ça ? questionna Charlabin.

— Ça me vient de mon père et de mon oncle Wilfrid qui l'ont appris avec leur père ! Les anciens savaient tout ça par cœur, nous avions rien qu'à les regarder pour apprendre.

Il marqua un temps puis reprit, à l'intention de Charlabin et de son ami :

— Quand la laiterie va être finie, à présent qu'Omer est de retour, j'aurai pus d'ouvrage pour vous deux.

Le lendemain, quand la laiterie fut terminée, Manuel appela les engagés et leur donna congé.

— Vous m'avez ben aidé, leur dit-il, peut-être que l'année prochaine...

Charlabin lui dit d'une voix apaisante :

— Vous en faites pas, monsieur Grenon. Ça nous a rendu ben service de travailler pour vous. Avec l'hiver, on va pouvoir aller trapper. Le commis va certainement avoir de l'ouvrage pour nous autres. En attendant, on se trouvera ben d'autre chose.

Les deux jeunes hommes traversèrent jusqu'au Poste. Manuel s'assit sur une bûche et se mit à regarder tout autour de lui. Rien ne lui avait jamais paru si beau que cet endroit. Il admirait ce grand lac, joyau de ce royaume où désormais il profiterait avec les siens de nouvelles richesses : le lait, le beurre et le fromage. Il était ainsi perdu dans ses pensées quand il se rendit compte qu'on s'agitait beaucoup du côté du campe. Il vit Élisabeth accourir jusqu'au rivage.

—Vite, lança-t-elle à Omer, va chercher Délina, maman va accoucher !

Omer, qui venait tout juste de faire traverser les engagés au Poste, se précipita de nouveau vers la chaloupe.

D'un pas nerveux, Manuel s'approcha du campe. Il intercepta Élisabeth, qui s'apprêtait à entrer.

—Le moment est venu, vous en êtes ben sûres ?

—Voyons, p'pa ! Sûres et certaines !

Il se dirigea vers la porte restée ouverte. La tante Wilhelmine était dans l'embrasure.

—On n'a pas besoin d'hommes. Un accouchement, c'est une affaire de femmes !

Manuel répondit :

—J'en ai vu d'autres, mais cette fois icite, avec l'accoucheuse qu'on a, y a des raisons que j'm'inquiète.

La tante l'envoya promener :

—Va donc traire tes vaches !

Elle en profita pour lui claquer la porte au nez.

Manuel n'insista pas. Pour tuer le temps, il se remit à son travail, mais rien n'avançait. Il avait l'esprit ailleurs. Omer finit par ramener Délina du Poste, puis les minutes s'étirèrent pour se transformer en heures. Léopold et Geneviève, à qui on avait permis de s'amuser au bord de la rivière, revenaient avec, dans les mains, quelques écrevisses et un ouaouaron.

— Regardez ce qu'on a pogné, dit Léopold en exhibant le ouaouaron.

— C'en est tout un ! l'encouragea Omer. Laisse-moi-le et retourne en attraper un autre.

— Ça nous tente plus ! dit Geneviève. On a soif !

— Vous allez vous contenter de boire à la rivière, leur dit Manuel. Personne ne doit entrer dans la maison, sinon les Sauvages viendront pas porter le bébé. En voulez-vous un, pour remplacer Arsène ?

— Ah, oui ! soupira Léopold. On va l'appeler Arsène, lui aussi.

— Si c'est un garçon, mais moi je suis sûre que ça va être une fille, dit Geneviève.

— Comment on va l'appeler si c'est une fille ?

— Alberte !

— Ouache ! C'est un nom, à coucher dehors, rétorqua Léopold. J'aimerais ben mieux Rose ou Blanche.

— Allez jouer encore, leur dit Omer. On va vous appeler quand le bébé sera là.

— On va aller guetter les Sauvages ! proposa Léopold en courant vers le lac.

Les deux couettes au vent, Geneviève le suivit à la course.

Alors que les enfants venaient à peine de les quitter, Manuel commença à s'inquiéter. Il ne tenait plus en place.

— Il se passe quelque chose de pas catholique à la maison, mon homme.

Omer tâcha de se faire rassurant :

— Voyons donc ! Des fois, c'est plus long que prévu.

— Pas avec Fabienne. D'habitude, elle accouche en quelques minutes.

Des plaintes sourdes venaient du côté du campe. Un autre quart d'heure passa. Élisabeth sortit de la maison, le visage défait.

— Le bébé est mort, bégaya-t-elle.

— Mort ? cria Manuel. Batêche de sainte vie !

Il voulut se précipiter au chevet de Fabienne, mais Élisabeth le retint.

— Attendez ! On vous appellera quand ça sera le temps. Ç'a été dur, mais maman va bien.

Ce fut Délina qui apporta la dépouille de l'enfant au Poste. Élisabeth en fut quitte pour expliquer à Léopold et à Geneviève que les Sauvages n'étaient pas venus. Avant de partir, la tante Wilhelmine soutint encore une fois que c'était le premier enfant qu'elle perdait. « Le trois centième, en plus, c'est ben terrible ! » Personne ne la croyait plus.

Manuel mit du temps à se remettre de cette deuxième épreuve en si peu de temps : déjà deux morts en seulement trois mois. Longuement, il s'interrogea sur sa décision de venir s'établir à Métabetchouan. Ne ferait-il pas mieux de retourner à Baie-Saint-Paul? Il se rassura en se disant: «Tout ce qui compte, c'est de vivre heureux là où on a décidé de s'établir et je suis heureux ici. Il y en aura pour dire que je suis fou, d'autres pour dire que ce qui m'arrive, je le mérite. Mais moi, je pense que ce qui importe avant tout, c'est Métabetchouan. Au fond, je le sais, j'ai raison, mon cœur me le dit: Métabetchouan, c'est ma vie.» Après avoir raisonné ainsi, il se calma.

De son côté, Fabienne était atterrée. Elle qui était venue à Métabetchouan à reculons, détestait encore davantage cet endroit de tous les malheurs. Elle ne pardonnait pas à Manuel de les avoir menés dans un endroit pareil. «Un vrai trou, murmurait-elle, en serrant les dents. C'est-y Dieu possible! On va y rester tout seul pour le reste de nos jours.»

Le lendemain pourtant, comme pour donner raison à Manuel, un petit vapeur se pointa sur le lac, en direction de la rivière.

—Il vient par icite! cria Omer. Venez voir!

—T'as raison, mon homme, il s'en vient au Poste.

Le vapeur s'approcha du bord. Mené d'une main habile, il vint accoster doucement au bout du quai.

Omer restait indécis.

—Amène-toi, dit Manuel. Nous allons voir qui arrive.

Ils sautèrent dans la chaloupe et, en quelques coups de rames, avec l'aide du courant, ils s'approchèrent du débarcadère. Le capitaine du vapeur était déjà descendu sur le quai et s'entretenait avec le commis.

— Y a pas de passagers pour icite ? s'informa Manuel.

Le capitaine se tourna vers lui et répondit d'une voix profonde :

— Pas un chrétien ! Mais y a des effets pour Manuel Grenon.

— C'est moi, fit Manuel.

— C'est vous, Manuel Grenon ?

— Oui, batêche ! C'est moi ! Je viens de vous le dire.

Le capitaine lui tendit la main.

— Ça me fait plaisir de vous connaître ! Vous savez, vous êtes un des rares que je n'avais pas encore rencontré.

— Faites connaissance avec mon fils Omer, lui dit Manuel.

Omer s'approcha. Ils se serrèrent la main.

— Vous êtes nouveau dans le boute ?

— Ça va faire betôt trois mois qu'on est arrivé, hein Omer ?

— Vous avez travaillé en pas pour rire, j'ai de la misère à reconnaître la place !

— Y faut ben, si on veut être prêt pour l'hiver.

— Ce que je vous apporte, en tous les cas, va vous aider à vous préparer.

Pendant qu'ils parlaient avec le capitaine, un homme avait déchargé sur le quai tous les objets qu'Omer avait commandés pour eux à Chicoutimi. Il y avait deux faucilles, une charrue garnie, des râteaux à foin, un godendard, des haches, des marteaux, des scies, des riflards, des rabots, des roues de charrette, un rouet, un métier à tisser, des rouleaux de tissu, des boisseaux, des minots et toute une série de fûts de diverses grosseurs remplis de clous, de mélasse, de gros sel et de tout l'essentiel de ce qui leur avait manqué depuis leur arrivée à Métabetchouan.

Après avoir aidé Omer à mettre tout leur fourbi à l'abri, Manuel disparut pour le reste de la journée. Omer le retrouva sur l'escarpement qui dominait leur terre et permettait de laisser courir le regard sur le Poste, la rivière et le lac. Il était absorbé dans ses pensées, il regardait à ses pieds en se disant qu'il était encore bien loin, le village dont il avait parlé avec Bellone. Mais déjà se dessinait sa terre parmi les souches et les fardoches. Elle s'approchait lentement du bas de la falaise où ils se trouvaient.

Il dit à Omer:

— Mon village, je l'aurai!

Omer comprit qu'ils étaient à Métabetchouan pour y rester.

DEUXIÈME PARTIE

LA TERRE PROMISE

Chapitre 22

Une nouvelle désagréable
et un amour naissant

Au lever du jour, comme un édredon, une brume épaisse enveloppait le lac. Au mitan de la matinée, sous les rayons ardents du soleil, comme un linceul usé, les nuages se déchirèrent par pans entiers. Depuis le matin, Manuel s'échinait avec Omer à construire leur étable. Au moment où le soleil gagnait sa bataille contre la brume, Manuel commanda une pause, le temps d'une bonne pipée. La rivière bouillonnait encore sur ses rives tandis que, tel un miroir, tacheté çà et là de flocons poussiéreux, le lac reflétait les derniers assauts d'une armée en déroute. Tout était au ralenti. Tout à coup sur le lac, du côté du Poste, un canot parut. D'un geste assuré, régulier comme un métronome, le canoteur plongeait son aviron dans l'eau. Il dirigea habilement son embarcation jusqu'au quai. À peine accosté, d'un bond, il fut à terre, un sac de toile enfilé sur l'épaule. D'un pas décidé, il se dirigea vers le Poste.

Manuel dit à Omer :

— Un visiteur au Poste… Il me semble familier, mais c'est pas Georges-Aimé. Qui ça peut-il ben être ?

— On le saura tantôt ! Délina va nous l'apprendre.

Sans plus, ils reprirent leur travail.

Au Poste, sous l'œil désabusé du Métis, John Forrest réparait un piège quand on frappa à la porte.

— Va ouvrir, Délina !

La servante se précipita vers l'entrée.

— C'est le postillon, à ce que je crois.

Elle ouvrit, mais resta tout étonnée de voir que c'était le jeune Charlabin Simard qui était porteur du sac de la poste. Elle le questionna aussitôt :

— Qu'est-ce que tu fais ici ?

— J'remplace Georges-Aimé pour une couple de mois. Vous allez être obligée de m'endurer.

— Pose toujours ton sac, cher, pis viens vite nous causer des dernières nouvelles de par en bas.

Un rire sinistre se fit entendre dans la pièce voisine.

— Oh ! La folle ! rugit le commis. Ferme-la !

Charlabin demeura interdit. Délina le tira d'embarras par sa demande :

— As-tu de quoi pour nous autres ?

— Voyez vous-même !

Il sortit du sac un paquet de lettres destinées au Poste. Il savait à peine lire et aurait eu de la difficulté à distribuer le courrier si, à la Grande-Baie, on n'avait pris soin de regrouper en paquets les différents colis destinés à chaque endroit croisé le long du parcours. Sur ce dernier paquet, on avait inscrit en lettres majuscules :

POSTE DE LA MÉTABETCHOUAN.

Délina se dépêcha de le défaire et répartit les lettres selon leurs destinataires. Parmi ces missives, elle avait reçu un mot de sa sœur. Elle le glissa dans son tablier avant de demander :

— Y a-t-il du nouveau par en bas, du côté de Chicoutimi et de la Grande-Baie ?

— Du nouveau ? Non ! Rien de bien neuf. Saint-Jérôme grandit toujours. Il paraît que trois nouvelles familles s'en viennent y vivre.

— Ben crère que c'est pas à nous que ça arriverait, trois familles de plus d'un seul coup ! Verrais-tu ça, cher, comme on s'rait content !

John Forrest, qui dans son coin prêtait oreille à la conversation, s'exclama :

— Comme ça, tu passes la malle, Charlabin ? Faut-y qu'on manque d'hommes pour t'engager, *Goddam* ! Pour une fois, tu vas être obligé de travailler !

— Travailler ! s'indigna le jeune homme. C'est ça que j'fais depuis que j'ai sept ans.

— Ça paraît pas. Tu cours comme un veau. Le bonhomme Grenon te soignait pourtant pas pire.

— C'est vrai ! Pour ça, j'ai rien à redire. Mais Omer est revenu pis y avait plus d'ouvrage pour nous autres. Ça tombait à pic, j'suis pas faite pour bûcher et défricher. J'avais grand besoin d'voir du pays, des routes, des voitures, des femmes…

— Des femmes ? Y en traîne partout !

— Pas par icite, en tout cas! Ça manque de monde, protesta Charlabin. Y a pas une femme pour moé à des milles à la ronde.

— Ouvre tes p'tits quenœils! intervint Délina. Tu cherches au loin pour rien. Si tu veux absolument une femme dépareillée, tu ne la trouveras peut-être pas dans nos parages, mais peut-être la dénicheras-tu ailleurs? Est-ce qu'elle existe seulement?

— Sûrement pas! coupa le commis.

— Qu'est-ce que vous en savez? s'indigna Délina. Pour vous endurer, ça prendrait un ange, sinon un archange.

— Tiens! Tiens! La p'tite servante qui se permet de gronder, ricana le commis.

— Dites c'que vous voulez, répliqua Délina, si vous m'aviez pas pour vous entretenir, vous pis votre femme, certains jours vous mangeriez vos bas.

Le ton montait, Charlabin intervint:

— Je file chez les Grenon!

— Profites-en pour t'ouvrir les yeux, conseilla la servante. Y a une des filles à Manuel Grenon, avec ses cheveux roux et ses yeux verts, qui s'en vient belle femme en pas pour rire.

Charlabin haussa les épaules et commenta:

— Vous voulez parler d'Élisabeth? Vous y pensez pas, madame Boily! Elle a quoi? Quinze ans tout au plus!

— Qu'est-ce que ça peut faire, cher? Dans un an, elle en aura seize! Y a ben manque de filles qui sont mariées à c't'âge-là et Élisabeth est vive comme pas une. J'te l'dis, y en aurait pas beaucoup pour l'accoter côté vaillantise.

— Tu peux toujours te pogner une Sauvagesse en attendant, proposa le commis.

Il éclata d'un rire grossier avant d'ajouter :

— Y en manque pas dans l'coin, tu devrais en trouver une à ta pointure !

La répartie du commis fit long feu. Au même moment, la femme du commis passa dans la pièce. Chaque fois qu'elle apparaissait, chacun se taisait. Forrest fit mine de la poursuivre en grognant comme un ours et elle se mit à hurler, pendant que le commis riait aux larmes. Devant la mine déconfite de Charlabin, Délina intervint :

— Ne fais pas attention, cher ! Parfois, y est guère mieux qu'elle !

Toujours curieuse, elle ajouta :

— C'est tout l'nouveau qu't'avais à nous apprendre ?

— Ah ! J'oubliais, se rappela Charlabin, j'ai entendu dire que les Anglais doivent s'amener icite, dès la semaine prochaine, pour construire un navire de l'autre côté d'la rivière. Je plains ceux qui vont travailler pour eux autres, c'est pas du travail facile, j'ai connu ça un temps à Québec.

— Quelle sorte de bateau veulent-ils construire ? Une barge ?

— Non, un vapeur ! Pour le transport de leurs effets et de leurs ouvriers.

Charlabin ramassa son sac. Il plaça la courroie sur son épaule puis ajouta :

—À mon idée, les Anglais risquent de faire du trouble aux Grenon.

—En quel honneur ? s'enquit Délina.

—Si c'est comme ailleurs, ils vont agir comme si tout leur appartient. Ils se croient chez eux partout. Les Grenon risquent de perdre leur terre.

—Espérons que non, conclut Délina.

—À propos, ajouta le jeune homme, j'peux-t'y coucher au Poste à soir ?

—Ben sûr, cher ! Y a toujours d'la place.

—Si je le veux, grogna Forrest.

—T'inquiète pas, le rassura Délina, il est ben d'accord.

Sur ce, Charlabin salua la compagnie. Au lieu de reprendre son canot, il descendit sur la berge, dans la direction de la maison des Grenon. Il lui fallait traverser la rivière, mais la barque se trouvait de l'autre côté. Il cria afin qu'on vienne le chercher. Après quelques minutes, il vit apparaître Élisabeth. Elle descendait au pas de course en direction du quai, où la chaloupe était amarrée. Agile, elle sauta dans l'embarcation et rama vigoureusement vers lui. Pendant qu'il la regardait venir, la réflexion de la servante des Forrest lui revint à la mémoire. À mesure que la barque s'approchait du rivage, il dut se rendre à l'évidence : la fille des Grenon devenait une sacrée belle jeune femme.

Elle fut tout étonnée de constater que Charlabin Simard soit le visiteur inattendu. Quand elle accosta, il monta dans la chaloupe.

— Passe-moi les rames, dit-il.

— Pourquoi ? J'suis capable de ramer, dit-elle fièrement, heureuse de pouvoir démontrer sa force et son
habileté.

Poussée du rivage par Charlabin, la chaloupe reprit
le large. La jeune fille ramait avec force à contre-
courant. Il la regardait donner de solides coups de
rames pour maintenir l'embarcation dans la bonne
direction. Il ne quittait pas Élisabeth des yeux, d'autant
plus qu'à chaque fois qu'elle étirait les bras pour ramener
les avirons vers elle, ses petits seins naissants pointaient
comme un défi à travers sa robe entrouverte. Elle n'avait
été jusque-là pour lui qu'une enfant et voilà qu'il la
découvrait maintenant dans son corps de femme.

L'embarcation approchait de l'autre rive. Tout
absorbée par sa tâche, la jeune fille fronçait les sourcils. Il remarqua ses traits fins, son menton volontaire,
ses yeux verts où luisait une étincelle d'espièglerie.
Son regard s'attarda sur sa longue chevelure souple et
rousse, un grain de beauté dans le cou, une petite cicatrice à la lèvre inférieure. Il la regardait attentivement,
retenait chacun de ses traits, fermait les yeux, puis
reconstituait en lui son image.

Se sentant observée, Élisabeth ne leva pas les yeux
de toute la traversée. Jeune fille soumise à l'autorité
parentale, elle donnait malgré tout l'impression d'un
fauve replié sur lui-même et prêt à bondir. La chaloupe finit par s'échouer sur la rive. Charlabin sauta le
premier à terre et, gauchement, tendit la main à sa
jeune compagne. Elle lui sourit. Il l'attira contre lui.

— Merci d'être venue, bredouilla-t-il.

— Y a pas d'quoi, riposta-t-elle, rouge de plaisir. Tu as appelé, j'ai traversé.

Il murmura :

— Je suis en dette envers toi, ça vaut bien un baiser.

Avant qu'elle ne puisse dire ou faire quoi que ce soit, il l'embrassa vivement. À la fois content et inquiet de son audace, il partit d'un grand éclat de rire. Confuse, la jeune fille protesta pour la forme :

— Qu'est-ce qui t'a pris ?

— Tu n'aimes pas ça ? demanda-t-il d'un air moqueur.

Décontenancée, elle ne dit rien. En moins de deux, elle se mit à courir en direction de la maison. Fier de son coup, il la suivit, la figure illuminée d'un large sourire.

Avant que n'apparaisse la cabane cachée par les derniers arbustes, elle s'arrêta brusquement, se tourna vers lui et dit d'un ton taquin :

— Un autre bec, s'il te plaît !

Mais sans plus attendre, elle s'enfuit vers la maison.

— Ma coquine ! s'esclaffa Charlabin.

Il la pourchassa, ravi de ce jeu. Essoufflés, ils parvinrent presque ensemble au campe, sous le regard étonné de Manuel, qui se tenait sur le seuil. Dès qu'il eut reconnu l'arrivant, il dit :

— Te revoilà dans nos parages ?

— Pour une couple de mois, c'est certain. Je remplace Georges-Aimé. Après ça, Forrest devrait me trouver de l'ouvrage.

— As-tu des lettres pour nous autres ?

— C'est justement ce qui m'amène.

Il les tendit à Manuel. Fabienne se montra le bout du nez par la fenêtre.

— T'es revenu ? Vas-tu passer la nuit à la maison ? demanda-t-elle.

— Non, fit le jeune homme, je coucherai au Poste. Demain matin, aux petites heures, je retourne à la Grande-Baie.

— T'as quand même des nouvelles d'en bas à nous apprendre ? questionna Manuel en se frottant les mains.

— J'en ai une, mais elle vous fera pas plaisir. Vous allez avoir des voisins. J'ai entendu dire que les Anglais s'apprêtaient à venir construire un bateau juste à l'embouchure de la rivière, de ce côté-ci, sur la terre voisine.

— Ils ont ben en bel, reprit Manuel. S'ils ne s'avisent pas de vouloir nous chasser et qu'ils ne débordent pas sur ma terre, ça me dérange pas. Y aura pas de trouble. Sinon...

Il ne termina pas sa phrase, mais son regard se durcit.

— Vous avez fait de bonnes éclaircies depuis mon départ, fit remarquer Charlabin.

— On a pas chômé. Ça commence à porter fruit, comme tu vois. On se sent déjà beaucoup plus chez nous.

Le blé semé entre les souches au printemps poussait dru, présage d'une bonne récolte. Le foin naturel, le long de la rivière, suffisait amplement à nourrir les vaches dont le lait était un vrai luxe en cet endroit si sauvage. Chaque pouce de terrain, Manuel l'avait conquis à la sueur de son front. Il n'était pas encore né celui qui viendrait lui arracher sa terre. Charlabin s'excusa auprès de Manuel. Il appela Élisabeth.

— Peux-tu me traverser au Poste ?

— Tout de suite ? fit-elle, étonnée. Tu viens à peine d'arriver !

— Je dois repartir sans plus tarder.

D'un pas alerte, ils gagnèrent le sentier qui, à travers les aulnes et les saules, conduisait jusqu'à la rivière. Quand ils eurent disparu derrière les premiers bosquets, Manuel debout devant son campe dit :

— Va falloir couper ces arbres, ils nous cachent le bord de l'eau !

Sur ce, après avoir délicatement cogné sa pipe à son talon, il rentra chez lui.

Le campe avait à peine disparu derrière les premiers arbustes que Charlabin défiait Élisabeth :

— Essaye de me rejoindre si t'es capable !

La jeune fille eut beau tout tenter, elle n'y parvint pas. Il s'esquivait derrière les arbres ou lui tournait autour à la manière d'un loup qui excite sa proie. Lasse de ce jeu où elle ne pouvait que perdre, elle feignit l'indifférence. Sa ruse réussit, car Charlabin s'approcha sans méfiance. Elle en profita pour lui sauter au cou. Entrelacés, ils roulèrent sur le sol. Soudain, Charlabin sentit monter en lui le désir profond et irrésistible de lui faire l'amour. Il l'embrassa longuement et profondément tout en lui caressant gauchement les seins. Elle repoussa fermement sa main. Bouleversée, elle se releva et se sauva en courant vers la rivière. Il la suivit d'un pas hésitant pour se donner le temps de reprendre contenance, en se maudissant d'avoir agi trop brusquement.

Quand il parvint au rivage, elle avait déjà pris place dans la chaloupe et l'attendait, un sourire engageant aux lèvres, prête à traverser. Il prit lui-même les rames et mena rapidement la barque sur l'autre rive, évitant les regards d'Élisabeth.

— T'es faché ? s'inquiéta-t-elle.

— Non ! Mais déçu.

— Tu m'aimes ?

Il ne répondit pas. La chaloupe touchait le rivage et il sauta à terre. Du pied, il la repoussa vers le large et, de la main, esquissa un vague geste d'adieu. Sans plus se retourner, il prit le chemin du Poste. En même temps que la barque s'éloignait du rivage, Élisabeth le regarda gagner d'un pas vif le haut de la falaise. Longtemps, ses yeux restèrent fixés sur le sentier où il avait disparu. Elle sentit une tendresse jusqu'alors inconnue l'envahir comme la bonne chaleur d'un feu. Déjà, à la seule pensée des risques qu'il allait courir jusqu'à son retour, son cœur se serrait d'inquiétude. Elle soupira profondément et murmura :

— Comme la semaine sera longue !

Pendant ce temps, Manuel qui, ses lettres à la main, l'attendait, se demandait pourquoi elle mettait tant de temps à revenir.

Dès qu'elle fut de retour, il lui ordonna de retraverser immédiatement au Poste pour faire lire son courrier par Délina.

Chapitre 23

Les Anglais s'installent

— Ça parle au diable! Charlabin avait raison!

Manuel venait de jeter un coup d'œil du côté du lac et voyait un groupe d'hommes affairés autour d'une goélette. Déjà, une tente s'élevait au milieu de la place. Pour parer à toute éventualité, Manuel entra dans le campe et en ressortit avec son fusil.

— Tu vas tout d'même pas leur tirer dessus? s'inquiéta Fabienne.

— Si c'est nécessaire, pourquoi pas? grogna-t-il. Ils ont besoin de se prendre de bonne heure pour me déloger. C'est à cause d'un Anglais comme eux autres que je suis parti de Drummond. Y en a pas un maudit qui va me faire partir d'icite.

Il alla calmement déposer l'arme près de la porte puis, afin de se faire une meilleure idée de la situation, s'assit un moment pour réfléchir. Soudainement, il se releva pour s'assurer que les bornes de son terrain n'avaient pas été déplacées. Il descendit au bord de la rivière et, mine de rien, sous les regards de quelques nouveaux arrivants, vérifia si les tas de pierres sous lesquels l'arpenteur avait déposé des tessons de bouteilles n'avaient pas bougé. Tout était en place, personne ne pourrait prétendre que le terrain ne lui appartenait pas. Heureux de son inspection, il se frotta les mains de satisfaction, remonta vers son campe, tira sa pipe de sa poche et s'alluma une bonne pipée, avec l'air d'un homme au-dessus de ses affaires.

— Qu'ils viennent, maintenant! cracha-t-il. Je les attends!

Mais de nouveau, pris d'un doute subit, il alla en vitesse vérifier si le contrat notarié prouvant l'achat de sa terre se trouvait toujours dans l'armoire où il l'avait déposé. Personne n'y avait touché. Enfin calmé, il se campa sur le seuil, les yeux rivés vers l'embouchure de la rivière où les hommes, qui devaient bien être une vingtaine, terminaient maintenant de décharger le bateau.

Manuel les vit se démener pour tout mettre en place. Ils avaient fait descendre quelques chevaux qui parurent excellents au connaisseur qu'il était. Il les observa lever leurs tentes rapidement, faire en quelques heures à peine d'un endroit désert un campement bien organisé. Il se morfondit à les attendre en vain toute la journée. Personne ne se présenta, ce qui eut pour effet de semer quelque peu le doute dans son esprit. Mais le lendemain, dès l'aube, des coups répétés à la porte le firent sursauter. Il tira en vitesse le rideau qui séparait la chambre du reste du campe. Un coup d'œil à la fenêtre lui permit de juger de la situation.

Une quinzaine d'Anglais, armes à la main, assiégeaient sa maison. Il n'avait plus d'autre choix que de leur répondre. Il attrapa son fusil. Comme on frappait de nouveau, il demanda d'une voix forte :

— Qui est là ?

Une réponse lui parvint en anglais dont il ne comprit pas un traître mot.

— Parlez en français ou bien passez vot' chemin !

Aussitôt une voix nouvelle le pria, en français, de bien vouloir sortir.

— Je sortirai, répondit-il, quand vous aurez tous reculé de vingt pas et que je pourrai vous voir la face tout comme celle de votre chef.

L'interprète traduisit aussitôt. Une voix cria un ordre dont il ne saisit pas le sens, mais qui eut pour effet de regrouper tous les hommes à plus de trente pieds de sa porte. Sans se montrer, il entrouvrit et cria :

— Qu'est ce que vous me voulez ? Vous êtes ici chez moi !

C'est l'interprète qui répondit encore une fois :

— Au nom de la compagnie forestière qu'il dirige, monsieur William Peabody te demande de déguerpir aussitôt de ses terres. Généreux, il t'accorde une heure pour le faire.

Furieux, Manuel donna un coup de pied dans la porte et sortit, pointant son fusil. Sans attendre, d'une voix puissante il clama :

— Le premier maudit qui avance, je le descends sans pitié !

Surpris, les hommes reculèrent, Peabody le premier.

— Si vous voulez discuter, ajouta-t-il, vous n'avez qu'à vous présenter à la porte comme du monde civilisé.

Sur ce, Manuel regagna sa maison. Témoins de toute la scène, les enfants applaudirent son entrée. Seule Fabienne parut désapprouver son geste. Il ne manqua pas de le remarquer et bougonna à son intention :

— Je suppose que tu aurais préféré les laisser nous mettre à la porte. Ça ferait bien ton bonheur, mais compte pas trop là-dessus.

Le lendemain matin, il se remit tôt au guet, prêt à toute éventualité, mais personne n'approcha de la maison. Réquisitionnés pour la surveillance, les enfants trouvèrent d'abord le jeu intéressant et collaborèrent sans se faire prier, mais comme il ne se passait rien, ils se lassèrent vite. Quelques jours passèrent sans alerte, puis, un beau midi, Omer signala l'arrivée de deux hommes par le sentier du gué.

Peabody et son interprète se présentèrent quelques instants plus tard. Manuel les reçut dehors, à la porte, sans leur offrir d'entrer. Avant même qu'ils puissent prendre la parole, il déclara :

— Si vous voulez me déloger, vous perdez votre temps. Vous devrez d'abord me passer sur le corps. J'ai en main tous les papiers pour prouver mon bon droit d'habiter ici.

Peabody sortit solennellement un papier de sa poche et pria son interprète de le lire. Ce dernier s'exécuta aussitôt :

— *Au nom de Sa Majesté la reine d'Angleterre, monarque de ce pays, et en vertu des pouvoirs qui me sont conférés, vous êtes sommés de quitter sans délai les terres de la Couronne britannique sous peine de confiscation de vos biens et de vos personnes par les officiers dûment mandatés à cette fin. Malcolm Welsh, huissier.*

— Vous pensez m'impressionner avec un bout de papier qui ne vaut rien ? Combien l'avez-vous payé, votre huissier, pour qu'il écrive ce torchon ? Vous savez très bien que mes terres m'appartiennent et que vous y pouvez rien. Mes papiers sont en règle, faits devant notaire. Que ça vous plaise ou pas, je suis icite pour y rester.

Dès que l'interprète eut traduit la réponse de Manuel, Peabody tint, à la manière d'un politicien, un long discours sur les droits acquis par les compagnies forestières les autorisant, elles seules, à utiliser les terres du Haut-Saguenay. Son compagnon résuma ce beau discours en quelques phrases.

— Ne gaspille pas ta salive, l'Anglais, répondit Manuel, tes droits existaient il y a quelques années, mais le gouvernement les a abolis depuis. Tu le sais pis je le sais. J'en ai assez entendu pour aujourd'hui, tu ferais mieux de partir avant que j'me fâche.

L'interprète fit son travail. Le petit homme tourna les talons en quittant les lieux d'un air indigné.

Ce même soir, Charlabin arriva, porteur d'une lettre et de quelques nouvelles, dont celle de la venue prochaine au Poste du curé Tremblay de Saint-Jérôme.

— Il a décidé de venir dire la messe à la chapelle des Montagnais tous les deux dimanches, madame Grenon. Ça fera sans doute votre bonheur !

— Tu te rends compte, Manuel ? dit Fabienne, toute joyeuse. Nous allons avoir enfin un prêtre tout près de chez nous ! En plus, c'est un Tremblay, comme notre curé de Baie-Saint-Paul. C'est peut-être son frère !

— Des Tremblay, y en pleut ! Y a peut-être même pas de parenté avec notre ancien curé.

— Rien n'empêche qu'on est chanceux d'avoir déjà les services d'un prêtre.

— De la chance ! bougonna Manuel. Dans un sens, oui ! Mais dans un autre, non ! Il saura bien nous quêter comme le curé le faisait à Baie-Saint-Paul. Ils sont tous pareils, on n'a rien et ils trouvent toujours le moyen de nous le réclamer.

Fabienne protesta :

— C'est pour le bon Dieu…

— Pour le bon Dieu ? Dis plutôt pour sa bedaine de curé, rétorqua Manuel. Nous le faisons vivre à rien faire.

— Tu es injuste ! Nos prêtres sont bons, ils nous apportent les sacrements, le bon Dieu et ses consolations, ils sont présents de notre naissance à notre mort.

— Trop présents ! Ils en veulent à notre argent. Sors trente sous de ta poche, tu en verras aussitôt arriver un pour te le quêter.

— Ils ont leurs bonnes œuvres, sans compter les plus pauvres que nous à aider, argua Fabienne.

— Des plus pauvres que nous, intervint Manuel, y en a, mais bien peu…

— Faut pas se plaindre le ventre plein.

Manuel ne rata pas sa chance :

— Tiens ! Pour une fois, t'admets qu'on n'est pas si mal que ça à Métabetchouan !

Sur ce, il se mit à raconter en long et en large à Charlabin les péripéties de la dernière semaine, pendant qu'Élisabeth se morfondait dans son coin. Elle dévorait le jeune homme des yeux, priant intérieurement pour qu'il la regarde, mais lui, apparemment indifférent, causait de tout et de rien sans la voir.

Le soir tombait quand Omer fut chargé de reconduire le visiteur. Élisabeth, le cœur gros, le regarda partir sans qu'il se retournât une seule fois pour nourrir son espérance. Habituée à peu, elle se contenta d'aller dormir sur les miettes de son rêve.

Chapitre 24

La visite du curé

Le curé Tremblay se laissait bercer par les eaux bleues du lac, au rythme des avirons maniés par ses guides montagnais. Il s'en allait célébrer la messe à la chapelle du Poste et avait hâte d'y parvenir. Il allait rencontrer pour la première fois ses paroissiens éloignés, en particulier les Grenon qu'il se promettait bien de brasser un peu pour les inciter à assister à la messe tous les dimanches.

Depuis le matin, Fabienne sortait à tout instant pour regarder dans la direction du Poste, mais le drapeau s'obstinait à flotter tout en haut du mât. Elle s'était entendue avec Délina qui lui avait promis de descendre le drapeau aux trois quarts du mât quand le curé serait arrivé. À force de surveiller de la sorte, Fabienne devenait de plus en plus nerveuse. Elle ne tenait plus en place.

—Allez donc au Poste! lui suggéra Élisabeth.

—Il n'est pas encore arrivé.

— Qu'est-ce que ça peut bien faire ? Vous jaserez avec Délina en l'attendant. Ça vous reposera de la maison.

— Mais qui préparera le souper ?

— Je m'en occuperai, comme je le fais souvent. Je suis pas manchote…

— Que va dire ton père ?

— Il dira rien. D'abord qu'il peut manger quand il a faim, il est content. Pis vous avez bien droit d'aller à confesse.

— Surtout que j'en ai ben gros sur le cœur.

Fabienne finit par céder. Élisabeth alla la conduire de l'autre côté de la rivière.

— Prenez tout votre temps, lui recommanda-t-elle.

Élisabeth regarda s'éloigner sa mère à bout de souffle, le dos courbé par tous les tourments qui l'accablaient depuis si longtemps. À peine au seuil de la quarantaine, on lui aurait donné facilement soixante ans. Elle paraissait ravagée par les malheurs qu'elle entretenait constamment en elle. Toute sa vie et ses pensées tournaient autour de la misère. On aurait dit qu'elle se faisait un malin plaisir de ne parler que de choses tristes. La noyade d'Arsène avait longtemps alimenté son esprit, grugeant jour après jour le peu de résistance qui lui restait devant la vie. Sa seule consolation, elle la trouvait dans la religion, auprès des curés, les seules personnes en qui elle avait entièrement confiance.

༄

Pour lors, Fabienne accélérait le pas: le drapeau là-haut venait de baisser jusqu'aux trois quarts du mât. Oubliant son asthme, sûre de pouvoir enfin soulager sa conscience, elle entra au Poste comme dans sa propre maison. Dès qu'elle vit le curé, elle s'exclama:

— Mais vous êtes monsieur le curé Tremblay, de Baie-Saint-Paul!

— Bien oui, madame Grenon, je suis le nouveau curé de Saint-Jérôme.

— Vous allez me confesser! s'exclama Fabienne. J'en ai grandement besoin!

— Pas tout de suite, quand même! protesta le prêtre. Laissez-moi le temps d'arriver, vous n'êtes pas à l'article de la mort, à ce que je sache. Vous pouvez toujours bien attendre que j'aie pris le temps de manger!

Elle ne répondit rien, encore toute bouleversée de cette belle surprise. Enfin, elle allait avoir un allié dans la place! Elle alla s'asseoir pendant que le curé s'attablait en prenant tout son temps. À la dérobée, elle se mit à l'observer d'un regard admiratif. Il est vrai qu'elle le considérait déjà comme un saint homme. À Délina, désireuse de lui servir une deuxième portion de bouilli, il dit:

— Non merci, ce serait un péché de gourmandise.

Fabienne le trouva extraordinaire de pouvoir refuser ainsi de la si bonne nourriture. Elle remarqua cependant qu'il prit une seconde part de tarte aux pommes. «C'est pour nous faire croire qu'il n'est pas aussi mortifié qu'il le paraît», songea-t-elle. Elle continua d'attendre patiemment qu'il ait terminé son souper, puis elle le suivit dans une pièce en retrait.

—Mon père, pardonnez-moi, commença-t-elle, j'ai beaucoup péché.

—Qu'avez-vous fait de si grave?

—C'est difficile à dire!

—Dieu est capable de tout entendre.

—J'en veux à mon mari de nous avoir entraînés dans ce coin reculé.

Le curé fit mine de se scandaliser. Il dit d'une voix rude:

—Vous ne pouvez pas lui pardonner, je suppose?

—Non, murmura-t-elle en baissant la tête.

—Vous n'avez pas honte? L'apôtre saint Paul a dit que la femme doit en tout temps être soumise à son mari. Vous, au lieu de lui obéir avec plaisir, vous vous permettez de le haïr. C'est insensé! C'est de l'orgueil! Repentez-vous, si vous voulez être sauvée!

Fabienne se taisait. Le curé continua:

—Vous n'avez rien d'autre à avouer?

—Rien de plus grave, marmonna-t-elle en poussant un profond soupir.

—Pourtant, madame Grenon, vous avez oublié le principal.

Cette remarque du curé l'étonna. Elle se sentit comme un enfant pris en défaut. La gorge serrée, elle demanda:

—Quoi donc?

—Vous ne vous êtes pas accusée d'avoir manqué la messe du dimanche depuis des mois.

Dans sa hâte de libérer sa conscience de ce sentiment de haine qui la troublait tant, elle avait omis le principal aux yeux du curé. Toute confuse, elle reprit :

— Vous avez bien raison, monsieur le curé, j'oubliais. Mais c'est pas de ma faute. Mon mari veut pas se rendre à l'église de Saint-Jérôme en canot. Il dit que c'est trop dangereux. Comment pourrais-je y aller seule avec mes jeunes enfants ? J'y vais quand il y en a une à la chapelle du Poste.

— C'est à vous, madame Grenon, de décider votre mari. Lui en avez-vous seulement parlé ?

— Ben sûr ! Mais il veut rien entendre. Depuis la noyade d'Arsène, il dit que c'est pas juste de la part du bon Dieu de venir chercher un enfant si jeune qui n'avait fait de mal à personne.

Le curé se leva, indigné :

— À ce que je vois, il est toujours aussi orgueilleux. Pour qui se prend-il, Manuel Grenon, pour prétendre avoir des reproches à faire au bon Dieu ? Va falloir que je lui parle ! Mais au fait, vous avez perdu un enfant ?

— Vous le saviez pas ? Arsène s'est noyé dans la rivière quand on s'en venait icite.

Le curé se contenta de lever les yeux au ciel et de soupirer. Il se rassit, ferma les yeux, se recueillit, donna l'absolution à sa pénitente. Pour pénitence, plutôt que les trois Ave conventionnels, il lui enjoignit de faire son chemin de croix.

Soulagée, Fabienne remercia chaleureusement le curé :

— Sans vous, monsieur le curé, la vie serait bien triste, on se promènerait toujours l'âme remplie de péchés. Si ce n'est pas abuser de votre bon cœur, j'ai autre chose à vous demander.

Le curé se rengorgea. D'un air docte, il énonça :

— Jésus a dit : « Demandez et vous recevrez ! »

— On vous serait bien obligé si vous vouliez bénir notre maison après la messe, demain.

— Votre mari sera là ?

— Ben oui !

— Dans ce cas, j'irai avec plaisir avant de retourner à Saint-Jérôme.

Fabienne repartit comblée. De retour à la maison, elle prévint tout son monde de la grande visite du lendemain, sans préciser que ce curé Tremblay était leur ancien curé de Baie-Saint-Paul. Elle se mit à ramasser, frotter, astiquer jusqu'à la nuit tombante. En prévision de la cérémonie du lendemain, elle disposa sur la table un flacon d'eau bénite accompagné d'une branche de sapin pour servir de goupillon.

Le lendemain, à huit heures, toute la famille, à l'exception de Manuel, se retrouva à la chapelle des Montagnais pour la messe dominicale. Les Blancs avaient droit au jubé. C'est là que Fabienne, accompagnée de Délina, prit place avec ses enfants.

Les Montagnais occupaient la nef et leurs femmes avaient revêtu leurs plus beaux costumes. Le chœur débordait de monde. Tous entouraient un vieillard usé comme un parchemin. Vêtues de soie, les mères portaient leurs bébés sur le dos. Elles les enveloppaient dans de la mousse et les enfouissaient dans un genre de fourreau orné d'un ruban rouge. Au moment où le curé Tremblay arrivait enfin, quatre femmes entrèrent, porteuses d'un brancard sur lequel avait pris place la plus vieille femme de la tribu. Elle tenait dans ses mains le livre de l'Évangile et le feuilletait nonchalamment.

Le prêtre commença la cérémonie. Il se surpassa particulièrement dans un sermon à l'emporte-pièce contre le fléau de l'alcoolisme qui visait plus particulièrement ses ouailles à peau rouge. Puis, le regard tourné vers le jubé, il s'attaqua à ses paroissiens de race blanche, pour qui, prétendit-il, «tous les prétextes étaient bons pour manquer la messe dominicale». Fabienne rougit. Elle avait l'impression que tous les regards se tournaient vers elle. «Manuel n'est pas venu, monsieur le curé va s'en apercevoir, il ne voudra pas traverser pour bénir notre maison», se dit-elle. La messe terminée, elle se précipita à la sacristie pour rappeler au curé sa promesse. Il les accompagna comme prévu jusqu'à la maison. Manuel les attendait sur le seuil et fut tout étonné de reconnaître leur ancien curé de Baie-Saint-Paul.

— Tiens! Tiens! Monsieur l'curé, vous voilà dans nos parages. Me semblait que vous deviez jamais vous retrouver dans pareil coin perdu?

Piqué, le curé lui répondit d'un ton courroucé:

— Toujours aussi orgueilleux, Manuel Grenon! Monsieur ne vient plus à la messe du dimanche?

— Comme vous voyez, monsieur le curé, répondit-il sans montrer le moindre signe de culpabilité.

—Il y a de bonnes raisons à ça ? On peut les connaître ?

—Pour sûr qu'il y a de bonnes raisons !

—Lesquelles, tu peux me les dire ? Tu sais pourtant que rien ne doit passer avant le bon Dieu.

—Je le sais ben, mais j'irai pas prendre le risque de me noyer tous les dimanches pour aller à la messe, pis en plus, aujourd'hui, je devais protéger mes récoltes et ma maison.

—Laisse ce soin au bon Dieu. C'est lui qui permet la pluie et le beau temps.

Manuel ne se laissa pas désarçonner.

—Je suis au courant, assura-t-il, mais les Anglais là-bas ne le savent pas, eux autres. Si je n'avais pas surveillé mes biens, pensez-vous que le bon Dieu l'aurait fait à ma place ?

—Oui ! Quand on a la foi, on fait confiance à la Providence !

—Faut croire que je n'ai pas la foi, conclut Manuel, mais j'en connais quelques-uns dont la maison est passée au feu pendant la grand-messe du dimanche.

Loin d'être décontenancé, le curé se contenta d'insister.

—Quand comptes-tu te décider à accompagner ta famille à Saint-Jérôme pour assister à la messe ?

—Fabienne a dû vous le dire. Je n'aime pas voyager en canot. Tant qu'il n'y aura pas de chemin par voie de terre, vous m'y verrez pas. Cet hiver, on ira probable-ment par le lac en passant sur la glace, à tout le moins les dimanches que le temps le permettra, mais pour le moment, le temps et les Anglais me l'interdisent.

— Qu'est-ce que vous redoutez tellement d'eux autres ?

— Tout ! Si j'ai le malheur de m'absenter, ils peuvent aussi bien venir mettre le feu à ma maison qu'à mes récoltes. Pensez-vous qu'ils se gêneraient si je me décidais à partir pour la messe ?

Mécontent, le curé reprit en bougonnant.

— La messe du dimanche passe avant tout !

— Vous en êtes certain, monsieur le curé ?

— Absolument !

— Dans ce cas, reprit Manuel, vous allez répondre à une question que je me pose depuis belle lurette. Pouvez-vous me dire combien de temps les apôtres se sont promenés avec Notre Seigneur Jésus-Christ ?

— Trois ans, maugréa le prêtre.

— En trois ans, à ma connaissance, il leur a dit seulement une messe.

Furieux, le curé quitta les lieux sans bénir la maison.

Atterrée par la tournure des événements, Fabienne se culpabilisa pour tout ce qui venait de se passer.

— C'est de ma faute, aussi ! J'aurais pas dû lui demander de venir. Il n'a pas béni la maison, ça nous portera malheur !

Dans son coin, Manuel riait dans sa barbe tout en surveillant les travaux des Anglais.

— Eux, dit-il en les désignant du doigt, la messe du dimanche les dérange pas !

Les yeux toujours rivés sur les nouveaux venus, en pensée il vouait le curé Tremblay à tous les diables, assuré que le bon Dieu était beaucoup plus compréhensif que son représentant sur terre.

Quand Fabienne parla de l'obligation de faire son chemin de croix à Saint-Jérôme, Manuel s'étonna de cette nouvelle dévotion.

— Pourquoi pas à la chapelle du Poste?

— Parce qu'il n'y a pas de stations de chemin de croix.

— Bah! fit-il, ça s'arrange.

Il partit aussitôt muni de sa hache et en revint avec de jeunes épinettes qu'il avait ébranchées.

Quand, deux semaines plus tard, le curé Tremblay revint au Poste pour célébrer la messe du dimanche, quatorze croix ornaient les murs de la chapelle. Manuel lui-même demanda au curé de les bénir. Le prêtre s'offusqua:

— C'est pas moi qui les bénirai!

— Si c'est pas vous, c'en sera un autre, reprit Manuel sans perdre contenance.

Puis, il tourna le dos pour regagner sa maison. Le curé, outré, lui cria:

— Et la messe du dimanche, c'est fait pour les chiens?

— Non pas, rétorqua Manuel. Juste pour ceux qui ont pas d'Anglais dans leur cour.

Chapitre 25

Les Anglais passent à l'attaque

Comme pour les récompenser de tout leur labeur, l'été 1866 fut d'une clémence sans pareil : un équilibre parfait entre la pluie et le beau temps. Le blé donnait du cent pour un. C'était vraiment la Terre promise que Manuel avait tant souhaitée. Mais les récoltes approchaient et il fallait trouver le moyen de les mettre à l'abri. Avec son fidèle Omer, Manuel s'attaqua à la construction d'une grange. Ils y travaillèrent pendant deux semaines, trouvant le moyen malgré tout de voir à toutes les autres besognes. Les Anglais installés depuis le printemps pour la construction de leur navire les avaient laissés en paix et Manuel ne se méfiait plus.

Jusqu'à ce qu'un jour, alors qu'il revenait d'une tournée de ses terres, une bonne demi-douzaine de gaillards lui tombent dessus à l'improviste. En moins de deux, ils le ficelèrent. Quand il fut revenu de sa surprise, il comprit que les Anglais passaient aux actes et le constituaient prisonnier. Ils le placèrent sans ménagement dans une charrette qu'ils poussèrent à travers les souches, les roches et les fardoches jusqu'à leur campement. Bâillonné, les yeux bandés, pieds et mains liés, Manuel ne s'était jamais senti si impuissant. Il se sermonnait : « Quelle idée t'as eue de te promener ainsi sans te méfier ! Ça valait bien la peine de faire tant d'histoires. Te voilà bien mal pris, ils vont avoir du plaisir à tes dépens. C'est bon pour toi, ça t'apprendra, va falloir que tu t'arranges avec ça, t'as plus le choix, t'es prisonnier, ils te préparent un coup de cochon à leur façon. Faut pas que tu t'énerves, surtout tu dois rester calme, maître de toi, de tes moyens. Tu te fais docile comme ils s'y attendent, mais à la moindre distraction de leur part, tu files. Après, tant pis pour eux ! »

À l'arrivée du convoi près des tentes, les cris qui l'accueillirent lui démontrèrent toute la satisfaction que sa capture donnait à ses ennemis. Escortée par toute la population ouvrière du chantier, sa charrette fut poussée sous la tente qui servait de cantine. Les rires firent graduellement place aux injures, aux coups, aux crachats, jusqu'à ce que Peabody lui-même intervienne. Un coup de pied accompagné d'une poussée firent rouler Manuel au milieu de la place. Un coup dans le dos le força à se relever, mais il ne le pouvait pas, tellement ses liens lui mordaient les chairs. Il y eut un long silence, à la faveur duquel on lui enleva les bandeaux qui obstruaient sa bouche et ses yeux. Il put alors voir les hommes qui l'entouraient, au regard chargé de haine. Malgré le calme qui n'avait pas cessé de l'habiter, devant ces visages hostiles, il sentit son assurance faiblir et, pour se donner du courage, il se redressa.

Peabody s'adressa à lui d'une voix moqueuse. Manuel, qui ne comprenait rien à son discours, tâchait de son mieux de reprendre contenance. Heureusement pour lui, l'interprète vint à son aide en traduisant les paroles du petit homme.

— Monsieur Peabody te rappelle qu'il t'a donné deux chances de quitter les lieux. Tu as joué au plus fin avec lui, tu ne t'es pas occupé de ses avis. Si tu décides de partir, il promet qu'il ne t'arrivera rien. C'est un gentleman, il tiendra parole.

Pour faire approuver ses dires, l'interprète s'adressa à tout le groupe. Il leur fit confirmer le *fair play* de Peabody.

Manuel les regarda un à un sans parler, puis il dit :

— Le *fair play* des Anglais, je le connais depuis que j'ai seize ans. Ça pis de la marde, c'est la même chose.

L'interprète ne jugea pas bon de traduire ses paroles. Manuel ajouta :

— Je ne dirai pas un mot de plus tant que je serai attaché.

Sur la recommandation de l'interprète, on accéda à sa demande et on défit ses liens. Il dit ensuite à l'interprète :

— Je compte sur toi pour leur faire bien comprendre ce que je vais dire.

L'homme l'assura qu'il traduirait fidèlement ses paroles. Alors seulement Manuel commença :

—Je vous ai dit que la terre où j'habite est à moi. J'ai eu le temps de contacter le commissaire aux terres et forêts, et dans deux jours, il sera ici pour vous en informer, lui-même en personne. Il est averti de votre façon d'agir. Vous avez tout intérêt à ce qu'il ne m'arrive rien. J'ai un contrat passé devant notaire qui prouve que cette terre m'appartient. Je l'ai fait également arpenter. J'ai le certificat de l'arpenteur. Quand vous venez couper des arbres chez moi, comme vous ne vous êtes pas privés de le faire, vous agissez comme des voleurs. S'il y a une justice, chez nous, vous me le payerez. Personne ne m'enlèvera mon bien.

L'interprète fit son travail. Il y eut des huées et plusieurs poings se levèrent.

—Tu n'es pas en position pour répondre sur ce ton, répliqua Peabody.

—Attention à ce que vous faites, reprit Manuel. Vous êtes, vous aussi, bien mal placé pour agir comme vous le faites. Si c'est la guerre que vous voulez, vous l'aurez.

Les menaces de Manuel et son assurance décontenançaient Peabody qui commença à penser que si les autorités judiciaires se mêlaient de l'affaire, le nom de sa compagnie risquait d'être terni et que ce serait lui qui, à la fin, écoperait. Il s'apprêtait à relâcher Manuel sans autre forme de procès quand, déçus de la tournure des événements, ses hommes exigèrent qu'il lui fasse payer son insolence. Mal à l'aise, Peabody cherchait un bon moyen de sortir de cette impasse sans perdre la face quand un malin s'avança en tenant une poule qui se débattait en caquetant. Il la remit à Manuel, puis alla glisser quelques mots à l'oreille de Peabody. Ce dernier, qui cherchait toujours une façon élégante de se sortir de ce mauvais pas, sourit et fit signe à l'interprète. Après avoir discuté un moment avec lui, il se tourna vers Manuel.

— Tu ne t'en tireras pas si facilement, lança-t-il d'une voix triomphale. Voilà un poulet que nous voulons manger pour souper. Tout ce que tu lui feras, nous te le ferons après.

Sous les cris et les applaudissements des assistants, l'interprète s'empressa de traduire les paroles de Peabody. Tous attendaient avec impatience la réponse de Manuel et le silence se fit lorsqu'il prit la parole à son tour :

— Monsieur Peabody est supposé être un gentleman, mais je n'en crois pas un mot.

Il y eut des huées.

— Qu'il me promette seulement de me laisser partir en paix si, comme il l'exige, je peux faire à cette poule une seule chose qu'aucun de vous n'osera me faire.

Mis au défi, Peabody approuva le marché en souriant. Sans hésiter, Manuel entra son index dans le cul de la poule, l'en ressortit, puis le mit dans sa bouche avant de cracher dans la direction de l'assistance. Puis, calmement, tournant le dos aux Anglais, il baissa son pantalon en leur présentant son derrière.

Les cris cessèrent. Personne ne bougeait. Manuel remonta son pantalon. Il s'apprêtait à s'en retourner tranquillement chez lui quand quatre hommes lui tombèrent dessus et le conduisirent de force vers une chaloupe échouée sur la rive. Peabody n'intervint pas. Ils le poussèrent sans ménagement dans l'embarcation, puis ramèrent en direction d'une petite île, le long du lac. Après l'avoir déshabillé en se moquant de lui, ils l'attachèrent nu à un arbre et le bâillonnèrent pour l'empêcher de crier.

— Nous verrons bien si, dans un jour ou deux, tu n'auras pas changé d'idée, railla l'un d'eux.

Ils avaient beau parler, Manuel ne comprenait pas ce qu'ils disaient. En lui montrant le poing, ils repartirent en direction de la Métabetchouan en emportant ses vêtements avec eux.

«Mes écœurants, ragea Manuel, vous me le payerez.» Il étouffait sous son bâillon à force de tenter de se libérer de ses liens. «Des gens qui n'ont pas de parole, se promit-il, on ne doit pas en avoir pitié.»

À force de se démener, il se rendit compte que la corde qui lui retenait les poignets était moins serrée. «Ils ont fait une erreur, s'encouragea-t-il. Je parviendrai à me détacher les mains. S'ils reviennent demain, je ne serai plus là.» Exténué, au moment où l'aurore pointait, il réussit à dégager une de ses mains. Quelques minutes plus tard, il était libre, mais prisonnier sur cette petite île, à une centaine de pieds à peine de la berge. Il rageait aujourd'hui plus que jamais de n'avoir su apprendre à nager.

«Comment vais-je m'en aller d'icite? se demanda-t-il. S'ils reviennent à quatre, je pourrai rien faire pour me défendre. Il faut que je parte. » Il marcha en direction de la grève. À la vue de quelques arbres morts, il s'écria soudain :

— Je l'ai !

Il revint sur ses pas chercher les cordes dont les Anglais s'étaient servies pour le ficeler. Après avoir traîné sur la berge trois arbres morts, il les attacha solidement. Son désir de fuir étant plus fort que sa peur de l'eau, il n'hésita pas un instant à pousser au lac ce radeau improvisé sur lequel il s'étendit à plat ventre, puis se mit à ramer de ses deux bras. En moins de deux, son embarcation de fortune s'échoua sur la rive opposée du lac.

Il hurla :

— À nous deux, Peabody !

Se rendant soudain compte de sa nudité, il se servit d'un bout de corde comme ceinture, dans laquelle il glissa quelques fougères. C'est dans cet accoutrement, en se meurtrissant les pieds sur les pierres de la rive, qu'il partit en direction de la Métabetchouan.

Pendant tout ce temps, au campe, on était sur un pied d'alerte. Ne voyant pas rentrer son mari à la brunante, Fabienne s'était aussitôt inquiétée. Elle avait laissé passer encore une heure avant d'envoyer Omer au Poste. Le commis n'avait pas vu Manuel. Il se moqua :

— Il est allé coucher avec une sauvagesse !

Dès qu'Omer fut de retour, il se munit d'un fanal, fit le tour de tous les bâtiments, poussa ses recherches du côté de la Métabetchouan en appelant désespérément son père. Pendant ce temps, Délina était venue rejoindre Fabienne et s'efforçait de la rassurer.

— Il s'est perdu en forêt, gémissait-elle.

— Voyons chère! On n'en sait rien. Il est sans doute à deux pas d'ici.

— Mais pourquoi il n'arrive pas? Il doit s'être blessé.

— Manuel, c'est pas une tête folle. Il est sans doute allé à Saint-Jérôme et aura été retardé. Tu vas le voir arriver avec la clarté demain matin.

Délina finit par convaincre Fabienne qu'il valait mieux tenter de dormir.

— C'est le mieux à faire en attendant la venue du jour. Je vais prévenir Charlabin qu'il couche au Poste à soir. Il nous aidera à le chercher demain.

À l'aube, le campe des Grenon était en effervescence. Omer et Charlabin partirent en canot dans la direction de Saint-Jérôme. Manuel les vit venir. Quand ils furent à portée de voix, il manifesta sa présence. Omer et Charlabin s'étonnèrent de le trouver en si piteux état. Il les mit au courant de sa mésaventure.

— Il faut les faire payer, dirent-ils. Mais comment?

— J'ai eu le temps d'y réfléchir, dit Manuel. Vous allez m'aider. D'abord, ils ne doivent pas savoir où je suis passé. Vous allez me ramener au campe et vous allez continuer à chercher comme si vous ne m'aviez pas trouvé. Je vais vous dire ensuite ce qui va leur arriver.

Manuel se coucha dans le fond du canot et Omer et Charlabin le couvrirent de fougères. Ils reprirent ensuite la direction du campe. Tout le reste de la journée, ils firent semblant de chercher le long des rives du lac en direction de Pointe-Bleue.

Le soir même, bien armé, Manuel fit son apparition au milieu des Anglais réunis autour d'un feu de grève. En un tournemain, il s'empara de l'interprète et l'amena avec lui à bonne distance.

—J'ai besoin de toi, dit-il, pour leur dire qu'ils sont une bande de lâches, qu'ils me paieront ce qu'ils m'ont fait et qu'ils devront me remettre mes habits.

Tenu en joue par Manuel, l'interprète ne se fit pas prier pour traduire. D'abord étonnés, les Anglais semblèrent vouloir réagir.

—S'il y en a un maudit qui bouge, il est mort, assura Manuel.

Pour les en convaincre, il lança un morceau de bois à une quinzaine de pieds au-dessus du feu. Une balle le fit voler en éclats.

—Ce coup-là, cria-t-il fièrement, vient du fusil de mon fils Omer. Charlabin peut en faire autant, vous allez voir.

Il lança un autre morceau de bois en l'air : même résultat.

—Le coup de feu de mon fils Léopold est pas mauvais non plus, assura-t-il. Ne vous avisez surtout pas d'approcher, ils ont ordre de tirer. Maintenant, je veux mes habits.

L'interprète fit part de la demande de Manuel. Deux hommes se levèrent en même temps.

— Un seul ! hurla Manuel en désignant du doigt le plus petit des deux.

Interdits, ils s'arrêtèrent net. L'interprète traduisit les exigences de Manuel.

— Dis-lui qu'il ramène en même temps Peabody et, surtout, qu'il ne s'avise pas de vouloir nous faire une entourloupette quelconque, ou il y aura du sang.

L'homme apporta les vêtements. Peabody était derrière lui, l'air apeuré.

— Toé mon Anglais *fair play*, lui dit Manuel avec mépris, qui est même pas capable de maîtriser tes hommes, tu vas payer pour ta lâcheté. Je veux trois cents piastres pour le bois que tes hommes ont pris sur ma terre.

Le visage de Peabody s'allongeait au fur et à mesure que l'interprète faisait son travail. Pourtant, Manuel n'avait pas encore fini. Il dit, sur un ton qui ne laissait aucune place au doute :

— Le premier qui osera franchir les limites de mon habitation, je le tire comme un rat.

Il garda Peabody en otage jusqu'à l'arrivée du commissaire aux terres et forêts, le lendemain.

Le commissaire avait tenu parole. C'était un rougeaud qui n'avait pas froid aux yeux. Manuel comprit en le voyant qu'il ne s'en laisserait pas imposer par quiconque. Il lui montra les papiers prouvant son bon droit d'habiter à cet endroit. Il raconta tout ce qu'il avait eu à souffrir des Anglais. Le commissaire alla constater les dégâts qu'ils avaient causés. Il informa Peabody que sa compagnie devrait rembourser Manuel.

— Après tout ce que vous lui avez fait subir, dit-il, pour cent cinquante piastres, la moitié de ce qu'il demande, vous vous en tirez à bon compte. Je vais faire rapport aux autorités, vous avez une semaine pour payer votre dette. De plus, ne vous avisez plus de bûcher sur sa propriété, car la prochaine amende sera salée. Enfin, je m'arrangerai pour que cette histoire soit connue par tous les journaux du pays.

Chapitre 26

Élisabeth et Charlabin

Le jeudi suivant, vers les quatre heures, Élisabeth avait couru jusqu'à la rivière, au-devant de Charlabin. Cachée par les arbustes, elle regardait fixement sur la rive opposée l'endroit où le sentier débouchait près du gué. Elle ne voulait pas se montrer, de peur de trahir ses sentiments devant le jeune homme, mais à tout moment, elle revivait en pensée leur première rencontre. Chaque caresse et chaque baiser qu'ils avaient échangés lui revenaient à l'esprit et la remplissaient d'une douce et profonde nostalgie. Elle n'avait pas oublié non plus sa dernière visite, où il l'avait ignorée comme si rien ne s'était passé entre eux. Toutes les fois qu'elle songeait à ces instants, l'inquiétude et le doute envahissaient son cœur. Il lui fallait une certitude au plus tôt, sinon la souffrance en elle deviendrait plus forte que l'espérance.

Quand, sur l'autre rive, elle vit Charlabin paraître seul, elle sut enfin que s'apaiseraient ses angoisses des dernières semaines. Elle le laissa appeler de sa voix puissante :

— Hou ! Hou ! Quelqu'un pour me traverser !

Elle attendit pour qu'il ne se doute de rien, laissant passer une bonne minute puis, le cœur battant, quand il appela de nouveau, elle sortit de sa cachette et descendit le sentier au pas de course.

Il lui sembla, au moment où elle prenait l'embarcation, que sa destinée se jouait à cet instant précis. Elle ramait avec force, consciente que chaque coup d'aviron la rapprochait de son avenir, qu'il soit heureux ou malheureux. Autant elle désirait intensément l'instant de leur rencontre, autant elle aurait voulu le repousser encore, de peur d'une trop vive déception.

Charlabin attrapa l'étrave dès que la barque eut touché la rive. Il sauta à bord en la retournant au large d'une vigoureuse poussée puis, comme deux semaines auparavant, observa la jeune fille absorbée par le maniement des rames.

— Comme tu es belle ! lui dit-il sans autre préambule.

Elle rougit et sourit tout à la fois, attendant la suite avec impatience. Pourtant le jeune homme se contint jusqu'à ce que la chaloupe touche l'autre rive. Puis, de ses bras vigoureux, il souleva la jeune fille qui n'opposa aucune résistance.

Leurs lèvres se joignirent en un fougueux baiser. Enlacés, ils roulèrent l'un sur l'autre dans les mousses fraîches, en bordure de la rivière. Elle le laissa dégrafer son corsage et lui remonter sa robe. Il la serra avec passion contre lui. Son sexe brûlant la pénétra brusquement. Une vive douleur lui fit ouvrir grands les yeux. Des nuages gris se déchiraient au-dessus d'eux, laissant filtrer un rayon de soleil tout de lumière et de chaleur. Puis, à travers la souffrance de cette première union, un plaisir profond s'empara d'elle, faisant vibrer ses membres tendus, un plaisir si intense et si violent qu'il était à la limite de la douleur. Elle exhala un profond soupir au moment où, dans un dernier sursaut, il laissa retentir un cri de contentement.

Elle mit du temps à reprendre ses sens et son souffle. Quand elle ouvrit de nouveau les yeux, le soleil faisait flamber les érables, dont quelques feuilles se détachaient sous la caresse du vent. Ils restèrent là un moment, sans mot dire, goûtant à plein le plaisir de cette première étreinte. Quand ils se relevèrent, Charlabin l'aida à délivrer ses cheveux des brindilles qui s'y étaient logées. Ce geste délicat la toucha au plus profond du cœur. «Il m'aime!» se dit-elle. Elle frissonna en pensant à l'hiver tout proche. Une question lui brûlait les lèvres.

— Quand la neige aura tombé, où pourrons-nous nous aimer? demanda-t-elle d'une voix inquiète.

Il ne répondit pas tout de suite, puis choisit de la taquiner.

— Parce que, plaisanta-t-il, nous ferons encore l'amour?

— Grand fou, reprit-elle en l'enlaçant de nouveau, mais il se libéra doucement son étreinte.

— Soyons sages, conseilla-t-il, sinon ta mère va trouver que tu mets bien du temps à venir me chercher. Quant à cet hiver, on verra puisque je ne monterai plus la poste.

Aussitôt, une vive inquiétude se dessina sur le visage de la jeune fille.

— T'en fais pas, la rassura-t-il. Profitons plutôt du moment présent, laissons demain régler l'avenir.

Sur ces mots, de ses bras puissants, il la souleva. Ses lèvres effleurèrent son front pour en chasser les plis d'inquiétude, puis pour l'apaiser, il ajouta tendrement :

— Quoi qu'il arrive, je serai toujours avec toi, puisque je t'aime.

Au même moment, Manuel arrivait au détour du sentier. Il se dirigea vers eux sans hésiter.

— Alors, les amoureux ? Vous faites pas de bêtises, au moins ?

— Des bêtises ? répéta Charlabin.

— Tu as parfaitement compris, gronda-t-il. Que je t'y prenne pas, Élisabeth est encore trop jeune.

— Vous inquiétez pas, monsieur Grenon, je sais ce que j'ai à faire.

— En attendant, ajouta Manuel, je vais faire quelque chose que je remets depuis trop longtemps à plus tard.

Il retourna au campe. Il en revint muni d'une hache et se mit à abattre les arbustes qui obstruaient la vue entre le campe et la Métabetchouan.

⁓

Quelques jours passèrent, puis le nordet et ses bourrasques apportèrent les premiers flocons de neige. Rusé, Charlabin avait manœuvré de telle sorte que le jeudi suivant, Élisabeth soit désignée pour aller chercher le courrier au Poste. Délina avait prévenu Fabienne à la messe du dimanche.

— Charlabin pourra plus porter le courrier chez vous puisque Georges-Aimé a repris sa place. Tu m'enverras Élisabeth aux nouvelles.

— Que va devenir Charlabin ? interrogea Fabienne.

— Forrest lui a trouvé de l'ouvrage au Poste.

Les nuits de plus en plus froides marquaient inexorablement la venue prochaine de l'hiver. Les glaces brodaient des dentelles aux rives de la Métabetchouan. Le nordet soufflait sans arrêt, faisant moutonner les vagues sur le lac, et dès qu'on mettait le nez dehors, il mordait les mains et le visage. Pourtant, rien au monde n'aurait pu empêcher Élisabeth de rejoindre Charlabin. Délina la reçut au Poste le jeudi après-midi. Elle avait devancé l'arrivée du postillon, pleine d'espoir de profiter de ces instants en tête-à-tête avec son amoureux. Complice, Délina l'envoya faire un tour à la grange. Charlabin l'y attendait. Longtemps, le haut plafond fit résonner leurs gémissements et leurs soupirs. Mais, comme si le bonheur ne pouvait durer plus longtemps pour elle, Charlabin lui annonça une nouvelle qui lui fendit le cœur.

— Je pars dans le Nord, j'm'en vas trapper tout l'hiver.

Élisabeth éclata en sanglots.

—Pleure pas, c'est rien qu'une question de mois. Je reviendrai avec le printemps. Sois raisonnable! Si tu veux que nous puissions nous bâtir une maison, il faut que je gagne des sous. Avec les peaux de castor, de loutre, de vison et de martre que je vais vendre, dans deux ans nous aurons notre chez-nous.

La jeune fille demeurait inconsolable; plus il parlait, plus elle pleurait. Un seul argument vint tarir ses larmes:

—Si tu rentres chez toi les yeux rougis, que va penser ta mère?

Élisabeth se calma peu à peu. Le postillon venait d'arriver, porteur de ses bonnes et mauvaises nouvelles. Il n'y avait rien pour les Grenon. Tristement, la jeune fille repartit sans se retourner, de peur que renaisse en elle la douleur qui venait de l'accabler.

—Comme l'hiver sera long, soupira-t-elle en montant dans la chaloupe.

Quand elle releva les rames pour les glisser dans les toletières, l'eau glacée qui lui coula sur les mains la fit frissonner jusqu'au cœur.

Chapitre 27

Le lancement du vapeur

De jour en jour, le froid grignotait les dernières miettes de l'automne. Le matin, la Métabetchouan se couvrait de buée : le lac respirait comme un poumon neuf. Les moindres détails de ses rives se détachaient sous un ciel sans nuage. On pouvait encore faire le plein de soleil sans devoir s'abriter sous un chapeau, mais le nordet ramenait par vagues l'haleine fraîche des glaciers du Nord. Les jours s'amenuisaient, les nuits claires multipliaient par milliers les étoiles, et les moindres bruits s'amplifiaient avant de venir mourir contre la montagne. Ces signes ne trompaient pas. Au petit matin, pour chasser l'humidité de la nuit, il fallait attiser les braises du poêle avant de déjeuner.

Pressés par le temps, les Anglais avaient travaillé jour et nuit à la construction du vapeur qu'ils voulaient mettre à l'eau avant les grandes gelées. Peabody en personne vint au Poste, porteur d'une grande nouvelle :

—Cher monsieur Forrest, nous sommes heureux de vous inviter avec votre épouse, au lancement du nouveau vapeur *Le Canada*, qui aura lieu dimanche midi.

Mal à l'aise, Forrest se grattait la tête.

—Vous allez excuser ma femme, monsieur Peabody, sa santé ne lui permet pas d'assister à de telles cérémonies.

—Vous m'en voyez navré. Peut-on quand même compter sur votre présence?

—J'y serai comme un seul homme! promit le commis avec enthousiasme.

Délina se dépêcha de traverser chez les Grenon.

—J'ai une importante nouvelle à vous annoncer: les Anglais lancent leur vapeur dimanche midi.

Manuel se frotta les mains.

—Enfin, dit-il, c'est terminé! Ça veut dire qu'ils vont débarrasser le plancher. Ils peuvent bien le faire, quant à moi, maintenant qu'ils m'ont payé.

Délina l'avait laissé parler, puis elle ajouta:

—Je suis venue pour vous inviter au Poste dimanche, voir le lancement. On est à peu près les mieux placés pour tout voir.

Manuel secoua la tête.

—J'irais bien, mais si Forrest est là, j'aime mieux voir ça d'icite.

—Justement, reprit Délina, il a été invité par les Anglais et il sera avec eux autres.

—Dans ce cas-là, promit Manuel, nous y serons tous.

Le dimanche, après la messe, ils se retrouvèrent sur les hauteurs, près de la Poudrière. De cet endroit, ils jouissaient d'une vue idéale sur l'embouchure de la Métabetchouan, où s'élevait le chantier maritime. Forrest était déjà parti.

Les Anglais avaient dressé une tribune d'honneur, tout près du vaisseau. À bord d'un vapeur, dans leur plus belle tenue, leurs invités arrivèrent tous ensemble. Les femmes portaient de larges chapeaux que le vent d'ouest menaçait d'emporter à chaque instant. Elles marchaient en tenant leur coiffe à deux mains pendant que leur robe se soulevait dangereusement. Leurs compagnons les taquinaient tout en hâtant le pas, impatients de contempler le nouveau vapeur. Ils ne furent pas déçus. Monté sur sa rampe de lancement, le navire avait fière allure. Les hommes en faisaient le tour, tâtaient sa coque, prenaient du recul pour examiner les grandes roues, touchaient le gouvernail, revenaient en sifflant d'admiration. Fiers comme des paons, Peabody et ses hommes s'échangeaient des poignées de main tout en acceptant avec plaisir le déluge de félicitations.

De leur poste d'observation, les Grenon ne man-quaient rien du spectacle.

— Si John nous voit ici, dit Manuel, il ne sera pas content. Nous aurions dû le prévenir, ses amis les Anglais le lui reprocheront.

— Soyez sans inquiétude, intervint Délina, vous êtes mes invités.

— Ils ont bien travaillé, remarqua Manuel. Faut leur donner ça, leur vapeur est un beau navire.

— Mais il n'est pas encore à l'eau, insinua Charlabin, qui venait tout juste d'arriver.

— Que veux-tu dire ?

— Un vaisseau n'est bon que quand il est à l'eau ! Les lancements, ça se passe pas toujours comme prévu.

Manuel haussa les épaules :

— Ils ont construit leur navire, ils sauront bien le faire flotter !

Des applaudissements parvinrent jusqu'à eux : la cérémonie commençait. Au son du *God Save the Queen*, l'Union Jack fut hissé. Les musiciens attaquèrent aussitôt un air militaire. Quelques invités montèrent à la tribune pour les discours officiels. Sur le coup de midi, la marraine fut invitée à baptiser le navire. La bouteille de champagne vola en éclats contre la coque, le vapeur se mit à bouger, glissant majestueusement vers le lac. Des salves d'applaudissements et de coups de feu marquèrent son entrée à l'eau. Il s'éloigna lentement du bord.

Délina, Manuel et Fabienne s'apprêtaient à regagner la maison du Poste quand Omer et Léopold les rappelèrent :

— Venez voir, le navire penche !

— Quoi ? Pas vrai !

Ils se retrouvèrent tous au bord de la falaise. Le vapeur donnait de la bande. Charlabin courut au Poste et en revint les bras chargés de chaudrons. Avec Omer, Élisabeth, Léopold et Geneviève, ils se mirent à frapper à tour de bras sur le fond des casseroles. Ils criaient à tue-tête :

— Bravo ! Hourrah ! À la prochaine !

Manuel voulut les faire taire. En vain : plus le navire s'enfonçait, plus ils manifestaient ! Sur l'autre rive, les Anglais montraient le poing. Les quelques hommes qui étaient à bord du vapeur sautèrent dans des chaloupes venues à leur secours. Le navire sombra à environ deux cents pieds de la rive.

Manuel ne tenait plus en place. Il voulait partir, craignant, avec raison, la réaction de Forrest. Trop tard : le commis surgit dans l'embrasure de la porte, en furie :

— Qui vous a permis de venir au Poste, *Goddam* ?

— Moi ! répondit Délina sans sourciller.

— T'avais pas d'affaire à inviter cette gang de *pea soups* ! cracha-t-il avec mépris.

Délina lui fit face sans broncher.

— Vous êtes en boisson.

Le commis voulut se ruer sur elle, mais Manuel s'interposa.

— *Scram* ! rugit-il. Sacrez votre camp ! Des amis comme vous autres, je pisse dessus.

Il tenta de cracher au visage de Manuel, qui ne broncha pas, et se mit en frais de déboutonner sa braguette. Désespérée, Délina se tourna vers Manuel.

— Faut lui pardonner ! Quand il est dans cet état, il n'a plus d'ami.

Fabienne, de son côté, entraînait les enfants vers la grève. Omer et Léopold attendaient au cas où les choses tourneraient mal. Manuel alla les rejoindre.

— Qu'est-ce qui lui a pris ? s'indigna Omer.

—Il a perdu la face devant les Anglais à cause de nous autres. On aurait été mieux de rester chez nous !

De retour de leur côté de la rivière, Manuel, qui en avait gros sur le cœur, conseilla aux enfants d'une voix rude :

—Méfiez-vous de cet homme ! C'est un visage à deux faces. Tout ce qu'il fait, il le fait par intérêt. Il hurle selon la direction du vent.

Charlabin dit à Manuel :

—Vous voilà bien vengé, monsieur Grenon, les Anglais ont eu ce qu'ils méritaient.

—La Providence fait parfois bien les choses, acquiesça Manuel en jetant un coup d'œil vers le vapeur échoué dont ne dépassait, au-dessus de l'eau, qu'un bout de la cabine.

Ce fut plus fort que lui, il se mit à rire comme quelqu'un qui vient d'entendre une bonne histoire.

Chapitre 28

Les joies hivernales

Charlabin, comme il l'avait promis, gagna les bois dès que la neige fut là pour rester. Élisabeth se barricada dans son chagrin.

— Elle devient de plus en plus comme toi, fit remarquer Manuel à Fabienne.

— Y a que toi pour aimer l'hiver à Métabetchouan ! répliqua-t-elle.

— Qu'as-tu à te plaindre ? Nous avons de quoi manger, de quoi nous loger, nous vêtir, nous chauffer, c'est ben manque suffisant pour nos besoins.

— Y a pas que la nourriture et le logement dans la vie !

— Quoi donc ? Tu voudrais des distractions ? Fais comme les enfants, prends une traîne et va glisser. Tiens, justement ! Geneviève et Léopold y vont à matin.

— Tu me vois glisser, à mon âge ?

— Pourquoi pas ? Les enfants demanderaient pas mieux. Léopold ! Geneviève ! Venez icite !

Les enfants arrivèrent, précédés de Tout-Fou qui branlait la queue d'excitation.

— Vous aimeriez aller glisser avec votre mère ?

Interdits, ils se regardèrent en pouffant de rire.

— C'est sérieux ? demanda Léopold.

— Ben oui ! Votre mère s'ennuie, amenez-la glisser avec vous, ça lui fera du bien.

Ils s'approchèrent de Fabienne, tout sourire.

— Viens, m'man ! P'pa veut, on ira dans la grande côte de la montagne.

— J'ai pas le temps, protesta-t-elle. Et puis mon asthme…

— Tu y allais bien quand t'étais plus jeune, rappela Manuel, pourquoi tu n'irais pas avec les enfants ? Ça serait plaisant pour eux et pour toi. Ça te distrairait.

— Oui ! Oui ! supplièrent les enfants.

— Je vous accompagne, proposa Élisabeth.

Fabienne ne voulut pas en démordre.

— J'irai demain ! Aujourd'hui, j'ai trop d'ouvrage.

— Pourquoi remettre à demain ? s'écria Manuel. Tu sauras donc jamais t'amuser ?

Ni les protestations de Manuel ni la déception des enfants ne réussirent à la convaincre.

— Aller glisser ne me désennuiera pas, dit-elle avec amertume dès que les enfants eurent passé la porte. Je me sens tellement loin de tout, ici à Métabetchouan.

— Va faire un tour au Poste, proposa Manuel.

— T'y penses pas ? La rivière est pas encore suffisamment gelée pour qu'on s'y risque sans péril. En plus, le commis est enragé après nous autres.

— Allons donc ! C'est de l'histoire passée. Prends la chaloupe, pousse-la devant toi, si la glace défonce, saute dedans.

— C'est trop dangereux, j'pourrai jamais.

— Dans ce cas-là, sois patiente. Dans moins d'un mois, on ira à Saint-Jérôme pour la messe de Noël. Ça va être toute une fête, on va y rencontrer ben du monde ! Si on pouvait y aller tous les jours, j'suis sûr que ça deviendrait ennuyant : on s'habituerait, ça tuerait notre plaisir, tandis qu'une fois seulement de temps en temps, c'est beaucoup plus apprécié, comme en amour !

— Parle pour toi, Manuel Grenon ! De l'amour, on n'en a jamais assez.

— Du repos non plus ! T'aurais pu profiter de ta journée avec les enfants. Viens pas dire ensuite que je te l'ai pas offert !

— T'es bien chanceux de pouvoir t'arrêter sans remords quand l'ouvrage attend. Je suis pas faite de même.

— Tant pis pour toi ! Dans la vie, il faut savoir s'arrêter des fois.

Fabienne se réfugia une fois encore dans le silence. Elle n'avait plus le cœur à discuter. Elle se concentra sur son ouvrage, pendant que lui revenaient à la mémoire les souvenirs des mauvais hivers passés.

Bourré jusqu'au bord de bonnes bûches d'érable, le poêle remplissait le campe d'une douce chaleur. Manuel adorait ces instants où, enfin, la terre lui donnait un peu de répit. Le souci du pain quotidien réglé pour quelques mois à venir lui laissait le loisir de s'adonner à des tâches tout aussi utiles, mais combien plus agréables pour lui : trapper, pêcher sous la glace et chasser.

Fabienne, elle, ne voyait pas les choses du même œil. L'hiver venait compliquer toute sa besogne. Il lui enlevait le seul plaisir qui lui restait : veiller à la brunante sur le perron, les soirs de doux temps, une fois terminées les tâches de la maison. Telle une chape de plomb, l'hiver lui tombait sur le dos, l'accablant de toutes ses tristesses. Elle sombrait alors dans un long et pénible pèlerinage parmi les noirs souvenirs et les malheurs imminents dont rien ne parvenait à la tirer.

Ce premier hiver dans le Haut-Saguenay, particulièrement précoce avec quelques bonnes bordées de neige qui avaient enfariné tout le paysage, s'avéra par la suite extrêmemment éprouvant. À Noël, à la faveur d'un redoux, la glace du lac ne fut pas suffisamment épaisse pour porter le traîneau. Il fallut renoncer à la messe de minuit à Saint-Jérôme. Ce fut dans leur pauvre demeure que Manuel et les siens fêtèrent Noël. Omer traversa la Métabetchouan moitié sur la glace, moitié en chaloupe et revint avec Délina. Elle consacra l'après-midi à préparer des tourtières pour le réveillon avec Fabienne et Élisabeth.

D'abord déçus de ne pouvoir se rendre à Saint-Jérôme, les enfants s'accommodèrent de ce contretemps quand, à leur grand étonnement et à celui de Manuel et de Fabienne, ils découvrirent en Délina une conteuse hors pair qui passionna tout le monde avec ses récits du temps passé. Elle conquit les enfants dès la toute première histoire qu'elle leur raconta. Assis près du poêle, ils s'amusaient avec Tout-Fou quand elle se racla la gorge pour attirer leur attention et demander d'une voix douce :

— Connaissez-vous l'histoire de…

— De qui ? crièrent les enfants.

— De, de… ah, j'sais plus.

— De qui ? supplièrent-ils.

Elle se fit prier un moment avant de poursuivre.

— De Baptiste Lapointe, l'homme fort des chantiers.

— Raconte ! hurlèrent-ils.

— Chut ! fit-elle en roulant de gros yeux. Si vous réveillez Baptiste, il viendra vous mordre les orteils pendant votre sommeil. Chut ! Chut !

Ayant obtenu le silence, elle commença, presque à voix basse, à raconter l'histoire de son héros.

— Baptiste Lapointe était l'homme le plus fort de tous les chantiers du Saint-Maurice. Il ne croyait ni à Dieu ni au diable. Un bon soir de Noël, alors que tous ses compagnons étaient partis pour la messe de minuit, il resta seul au chantier. Savez-vous ce qui lui est arrivé ?

— Non ! crièrent les enfants. Quoi ?

— Chut ! fit-elle. Vous allez réveiller Baptiste.

Profitant de nouveau du silence, elle continua vivement, d'une voix forte, en roulant de gros yeux.

— Satan lui-même, accompagné d'une vingtaine de démons, entra dans le campe. Ça sentait le souffre et le cuir brûlé. Surpris de cette visite inattendue, Baptiste demanda : "Que voulez-vous ?" "Réveillonner", répondirent-ils en chœur. "Réveillonner ? Le *cook* est parti à la messe de minuit et moé j'sais rien faire cuire." "On va te l'apprendre", dirent les démons.

« Baptiste avait beau être fort comme quatre hommes, les démons le forcèrent à sortir une marmite aussi grande que celles qui servent pour le sirop d'érable. Ils y fourrèrent un cochon entier. Un des diables entra dans le poêle et souffla un long jet de flamme qui, en quelques secondes, mit le feu aux bûches dont le poêle était bourré. Les autres démons se mirent à rire, à danser sur les ronds du poêle qui rougeoyaient sous la chaleur du feu.

« En quelques minutes, le cochon fut rôti jusqu'au bout de la queue. Satan s'approcha, attrapa une patte qu'il engloutit d'une seule bouchée. Il se pourlécha les babines avant d'en offrir à ses démons.

« Baptiste Lapointe n'en revenait pas. Il n'avait jamais rien vu de semblable. Il commençait à se demander comment tout ça finirait, quand un diablotin voulut lui faire ingurgiter un plein verre d'alcool pur, qui bouillonnait à gros bouillons. "Jamais je boirai ça !" cria Baptiste. "Tu le boiras !" rugit Satan.

« Il fit un signe et quatre démons sautèrent sur Baptiste. L'un d'eux lui ouvrit la bouche de force, pendant que les autres l'empêchaient de bouger. Un diablotin s'approcha avec son verre. Baptiste pensa : "Je suis mort !" »

Délina s'arrêta. Les enfants s'étaient instinctivement rapprochés les uns des autres et retenaient leur souffle.

— Que pensez-vous qu'il lui arriva ? questionna-t-elle.

— Il est mort en avalant l'alcool, risqua Geneviève.

— Tu n'y es pas, assura-t-elle.

— Il s'est réveillé parce qu'il rêvait, suggéra Élisabeth.

— Pas en toute !

— On donne notre langue au chat, démissionna Léopold.

Mystérieuse, Délina les fit encore un peu languir avant de déclarer :

— Il réussit à dégager un bras et traça un grand signe de croix. En moins de temps qu'il en faut pour le dire, le campe se vida de tous les démons. Laissez-moi vous dire que jamais plus Baptiste Lapointe ne manqua la messe de minuit.

Durant toute la veillée de Noël, ils l'écoutèrent ainsi raconter les aventures fantastiques des gars de chantier. Omer, en particulier, se régalait. Il s'imaginait, tels les héros de ces récits, entreprendre de longues randonnées pour rejoindre sa blonde au temps des fêtes. Il rêvait du jour où il pourrait fréquenter une jeune fille et penser à fonder un foyer. Il songeait même parfois à retourner en Charlevoix pour aller choisir la future élue de son cœur, tout en se demandant avec inquiétude s'il trouverait un jour celle qui accepterait de venir vieillir avec lui sur les bords de la Métabetchouan.

Fabienne trouva le temps des fêtes très long : elle avait tellement misé sur cette période pour aller faire ses dévotions et revoir la parenté qu'elle sombra dans une profonde mélancolie dont personne ne put la tirer. Heureusement, le lendemain de Noël, les grands froids prirent pour de bon. Le jour de l'An amena le postillon Georges-Aimé Dufour avec son paquet de lettres de bons vœux. Puisque la rivière et le lac ne présentaient plus de dangers, Manuel décida d'aller fêter les Rois à Saint-Jerôme. Geneviève choisit précisément ce moment pour attraper une grippe qui la jeta au lit et fit avorter le voyage.

Puis, les jours reprirent leur rythme coutumier, tous pareils et monotones. Fabienne traînait sa peine aux quatre coins de la maison. Vaillamment, Élisabeth l'aidait, soutenue par l'espoir de voir bientôt revenir Charlabin, objet de tous ses rêves.

Mars arriva enfin, porteur d'espérance. Les jours plus longs et le soleil plus chaud présageaient un printemps hâtif, mais le nordet, comme toujours, vint brouiller les cartes : ce ne fut qu'en avril que les eaux se gonflèrent réellement, charroyant avec elles les glaces de la Métabetchouan. La débâcle vint d'un seul coup dénouer tous les liens de l'hiver, faisant renaître l'optimisme au cœur de chacun.

Charlabin revint un beau matin, porteur de peaux de loutre, de martre et de castor. Élisabeth le rejoignit au Poste. Ils disparurent des heures durant, perdus dans leur amour. Manuel et Omer ouvrirent vaillamment le sol aux semences printanières. Seule Fabienne, ce printemps-là, ne trouva pas le courage de renaître.

Chapitre 29

La surprise d'Élisabeth

Comme il l'avait fait peu après leur arrivée à Métabetchouan, Charlabin offrit son aide à Manuel. Tout le printemps, il logea chez les Grenon. Élisabeth ne pouvait plus se passer de lui. Chaque fois qu'ils en avaient la possibilité, ils se retrouvaient tous les deux au bord de la rivière ou au Poste, grâce à la complicité de Délina.

Lorsque arriva le mois d'août, Élisabeth sut qu'elle était enceinte. Elle s'en ouvrit à Délina. Cette dernière eut la sagesse de ne rien ébruiter et lui servit de confidente.

— Chère, tu dois en prévenir Charlabin immédiatement.

— Il se fâchera !

— J'voudrais ben voir ça ! Ben crère que ça lui fera un choc, mais c'est lui qui l'a fait, cet enfant.

À la première occasion propice, Élisabeth annonça la nouvelle à Charlabin en présence de Délina.

— J'ai de quoi à te dire qui devrait te faire bien plaisir.

— Ah ! Une bonne nouvelle, enfin ! Va toujours, on verra bien !

Le voyant dans de si bonnes dispositions, Élisabeth annonça :

— J'attends un bébé !

Charlabin pâlit puis, se reprenant, demanda :

— T'en es ben sûre ?

— Absolument sûre et certaine.

Élisabeth, qui s'imaginait qu'il lui sauterait au cou, fut bouleversée de l'entendre se récrier d'un ton courroucé :

— T'aurais pas pu faire attention ?

Délina intervint :

— Pis toi, alors ? Pourquoi en fais-tu reproche à Élisabeth ? Tu as ta part là-dedans. Maintenant que c'est fait, prends tes responsabilités ! Cet enfant a besoin d'un père et d'une mère, oublie pas ça !

L'intervention de Délina sembla secouer Charlabin. Après un moment de réflexion, il déclara :

— Faut nous marier ! J'ai bien peur que si nous allons à Saint-Jérôme, le curé Tremblay refusera tout net, mais si nous attendons trop longtemps, tout le monde saura bientôt que tu es enceinte. Il faudra en parler à tes parents. Ta mère voudra t'envoyer accoucher quelque part en douce et donner notre enfant en adoption. On nous refusera le mariage. Laisse-moi y réfléchir quelques jours encore.

Accompagné d'un Montagnais et de Délina, il partit le dimanche suivant en canot pour la Pointe-Bleue. Délina profita de ce voyage en tête-à-tête avec le jeune homme pour lui prodiguer un tas de conseils.

—Il faudra réussir à convaincre Élisabeth de prévenir ses parents. Tu devrais d'ailleurs toi aussi en parler aux tiens.

Devant l'absence de réaction de Charlabin, pour l'encourager, elle lui promit de parler à Élisabeth et de la persuader d'en informer son père, qu'elle soupçonnait d'être plus ouvert que Fabienne.

L'été accaparait tout le monde avec son cortège de travaux harassants. Malgré son état, Élisabeth trimait dur. Fabienne battait toujours de l'aile. Son asthme avait empiré avec les grandes chaleurs. Elle trouvait quand même moyen de se traîner jusqu'à la chapelle du Poste pour faire ses dévotions. Profitant de l'absence de sa mère et se ralliant aux conseils de Délina, Élisabeth se décida à confier son secret à son père.

—Papa ! J'ai quelque chose d'important à vous dire.

Manuel plaisanta :

—Dis-moi pas, ma grande, que tu veux entrer chez les sœurs ?

Elle murmura, les yeux baissés :

—J'attends un bébé.

—Ai-je bien entendu ? questionna-t-il, plus ou moins surpris. Tu es en famille ?

Manuel respira profondément.

—Je crois savoir qui est le père... Batêche de Charlabin !

Élisabeth rentra le cou dans les épaules comme un enfant qui s'attend à être giflé. Manuel s'approcha et l'attira contre lui. Tout ému, il dit :

—Coquine ! Tu as décidé de me faire grand-père plus tôt que prévu.

Élisabeth se mit à pleurer.

—Pourquoi pleures-tu ? s'étonna Manuel.

—Parce que vous ne m'avez pas disputée.

Manuel se moqua :

—Et si je l'avais fait, je suppose que tu aurais ri. Voyons, ma grande, crois-tu que ton père va te chicaner alors que tu t'apprêtes à lui faire le plus beau cadeau du monde ?

Il se tut un moment, le temps de surmonter son émotion, puis il demanda :

—Ta mère est-elle au courant ?

Au signe de dénégation d'Élisabeth, il reprit :

—Je sens que ce ne sera pas facile de lui faire avaler ça. Bon ! Je t'avertirai au moment voulu, advienne que pourra.

Tout heureuse, Élisabeth embrassa son père avant de courir informer Charlabin de la bonne tournure de sa démarche.

Quand Manuel jugea le moment venu, il alla chercher sa fille et la prévint :

—Tu lui dis, mais tu t'en fais pas trop si elle le prend mal. Tu connais ta mère, avec sa maladie... Laisse-moi d'abord lui parler.

Il s'approcha de Fabienne qui se berçait dans la cuisine.

— Notre fille a une grande nouvelle à t'apprendre.

— Une nouvelle ? Une bonne, j'espère.

— Pour moi, c'en est une.

Il fit un clin d'œil à Élisabeth qui, rougissante, déclara d'une voix menue :

— Maman, je suis en famille !

Sa mère s'étouffa de surprise. Quand elle put enfin reprendre son souffle, elle s'indigna :

— En famille ? Tu attends un bébé ? Malédiction ! Tu es en état de péché mortel. Qu'est-ce qu'on a fait au bon Dieu pour qu'il nous punisse de même ? Que vont penser tes grands-parents, tes oncles, tes tantes, tes cousins, tes cousines ?

À bout de souffle, elle s'arrêta pour respirer. Elle allait continuer ses lamentations quand Manuel lui coupa la parole :

— T'es même pas intéressée à savoir qui est le père ?

— Le père d'un bâtard ? hurla-t-elle en cherchant de l'air comme une personne qui se noie.

— Il ne le sera pas longtemps, reprit Manuel, Élisabeth et Charlabin vont bientôt se marier.

— Charlabin ! Charlabin ! Mon Dieu ! Mon Dieu !

Elle se mit à tousser et devint écarlate. Pour la calmer, Manuel lui tapa dans le dos.

— T'es donc pas capable de te réjouir d'une bonne nouvelle, ma pauvre Fabienne ? Tu vas être grand-mère, ça devrait te faire plaisir.

Elle n'écoutait pas ce qu'il disait.

—Jamais le curé Tremblay voudra bénir leur mariage ! finit-elle par dire entre deux soupirs. Jamais !

—Heureusement, reprit Manuel, y a pas que le curé Tremblay.

—Que veux-tu dire ? Que veux-tu dire ?

—T'as bien compris. Le mariage sera aussi bon ailleurs qu'à Saint-Jérôme.

—Dans ce cas-là, comptez pas sur moi pour y assister.

Elle en avait assez entendu. Elle sortit de la cuisine aussi vite que son souffle court le lui permettait.

Élisabeth était atterrée.

—Faut pas t'en faire, ma grande, l'encouragea son père. Ça lui passera quand elle verra le bébé.

Chapitre 30

Une drôle de chasse
et un mariage

Vint la mi-octobre et le temps des grandes chasses. Sur la Métabetchouan, tout comme le long des rives du lac, des outardes s'abattaient en si grand nombre que leurs cris semblaient être les jacassements lointains de milliers de commères. Tout appelait à profiter des derniers beaux jours avant l'hiver. Le plus naturellement du monde, Charlabin proposa une excursion du côté de Rivière-Bleue. C'était un prétexte pour y amener Élisabeth, Manuel le savait. Il déclina l'invitation. Occupé aux derniers labours, Omer demanda du temps pour y réfléchir.

— Penses-y vite, lui conseilla Charlabin, c'est pour demain.

Comme Élisabeth voulait être de la partie, Fabienne s'y opposa. Manuel intervint :

— Laisse-la y aller, ça lui fera du bien.

— C'est pas la place d'une fille enceinte, d'aller courir les bois.

— Pourquoi donc ?

— Parce que.

— Dans ce cas-là, elle ira, soutint Manuel, parce que j'ai décidé qu'elle irait et malgré ma peur de l'eau, je l'accompagnerai.

Élisabeth et Charlabin partirent à l'aube pour le Poste, où un Montagnais les attendait. Ils montèrent dans son canot et revinrent chercher Manuel et Omer. Le Montagnais aidait Charlabin à manœuvrer l'embarcation tandis que Manuel faisait de gros efforts pour surmonter sa peur. Ils mirent le cap sur Pointe-Bleue.

Depuis quelques années, ce village desservi par le curé Lavoie était devenu une réserve indienne où les Montagnais vivaient en grand nombre. Leur missionnaire y accueillait de temps à autre des Blancs pour des cérémonies de baptême, de mariage et parfois même d'enterrement. Le père Lavoie avait la réputation de bien recevoir tous ceux qui s'adressaient à lui. Délina et Charlabin avaient déjà préparé le terrain lors de leur visite précédente. Le curé ne se montra donc pas surpris de les voir arriver ainsi sans avertissement. Il insista seulement pour confesser les futurs mariés. Après avoir entendu leurs aveux, il s'assura de l'âge d'Élisabeth.

— Tu es bien jeune pour te marier.

— Seize ans, c'est pas trop jeune !

— Tu penses ? Je ne suis même pas certain si je peux vous marier selon le droit canon.

Il sortit un bouquin à reliure noire et tranche rouge, le feuilleta nerveusement en marmonnant. S'arrêtant soudain, il lut quelques lignes puis se tourna vers les futurs époux.

— Selon les lois de l'Église, vous êtes en âge de vous marier, dit-il d'une voix affable. Revenez avec vos témoins dimanche prochain, je bénirai votre union.

Ce fut donc le cœur léger qu'ils partirent à la chasse, rapportant des douzaines de canards que, le soir même, Élisabeth s'affaira à plumer pendant que sa mère, comme un enfant contrarié, boudait dans son coin.

Manuel prévint Fabienne que le mariage serait célébré à la Pointe-Bleue. Elle ne voulut rien entendre.

— Si c'est pas le curé Tremblay qui les marie, ça sera pas bon !

Le dimanche suivant, toute la famille Grenon, à l'exception de Fabienne, se retrouva à la réserve pour la cérémonie. Délina les accompagnait. À contrecœur, Forrest lui avait accordé sa journée. Élisabeth rayonnait dans sa belle robe du dimanche. Charlabin avait passé une veste en cuir et paraissait tout guindé dans son pantalon neuf.

Le prêtre les accueillit comme un bon grand-père qui reçoit ses petits-enfants et les invita sans tarder :

— Si vos témoins sont prêts, on va débuter.

— Me voilà ! dit Délina en s'approchant.

— Vous êtes témoin pour le marié ?

— C'est bien ça, monsieur le curé.

Manuel s'avança à son tour.

— Je suis le père de la mariée.

— C'est parfait, acquiesça le prêtre.

Charlabin et Élisabeth répétèrent après lui les paroles usuelles :

— Moi, Charles Simard, je te prends, Élisabeth Grenon, pour épouse...

— Moi, Élisabeth Grenon, je te prends, Charles Simard, pour époux.

Pendant que, faisant de son mieux pour ne pas se tromper, Élisabeth répétait après le prêtre les paroles rituelles, Charlabin pensait à ses longs périples en forêt : ils lui manquaient déjà.

La brève cérémonie se déroula en toute simplicité. Au sortir de la chapelle, au son de l'unique cloche, les nouveaux mariés eurent le droit de se donner un chaste baiser sous l'œil des petits, qui s'amusaient de les voir ainsi s'enlacer. Accompagnés de leurs témoins et des enfants, ils allèrent tout bonnement pique-niquer au bord du lac.

— Je regrette seulement une chose, déplora Élisabeth.

— Quoi donc ? s'inquiéta Charlabin.

— Que maman soit pas là.

— C'est mieux ainsi, intervint Manuel. Tu connais ta mère, elle aurait fait tant d'histoires que tu n'aurais pas pu te marier. Tu sais comment elle est butée. Pour elle, parce que t'es enceinte et que c'est le père Lavoie qui vous a mariés, votre mariage est pas bon.

Avant de quitter Pointe-Bleue, Délina, qui avait obtenu son congé sous prétexte d'aller chasser, acheta à un vieux Montagnais quelques lièvres et six canards abattus le jour même. Manuel les déposa dans le canot.

—Votre cadeau de noces, dit-elle à Élisabeth et Charlabin.

Puis, elle invita tout le monde à souper au Poste.

Manuel et Omer s'excusèrent, car ils ne voulaient pas rencontrer le commis. Seuls les nouveaux mariés acceptèrent l'invitation et firent grand honneur au repas préparé par Délina. Ils en étaient au dessert lorsque arrivèrent Forrest et le Métis. Le commis, avec un vague sourire, s'informa nonchalamment :

—La chasse a été bonne ?

Délina répondit sans broncher.

—On a déjà vu mieux, mais nous avons eu du plaisir, c'est ce qui compte.

Forrest hocha la tête.

—Vraiment ? Pourtant, j'ai entendu dire que Charlabin en a vécu une ben bonne aujourd'hui.

Assis en retrait, le Métis se mit à glapir.

—Qu'est-ce qui lui prend ? s'informa Charlabin.

Le commis le dévisageait avec un sourire moqueur :

—T'es vorace, mon garçon ! Quand tu vas à la chasse, tu prends les femelles en entier pour toi tout seul.

Le jeune homme devenait de plus en plus perplexe. Dans son coin, le Métis ricanait de plus belle. Forrest s'approcha d'Élisabeth et lâcha :

—La mariée me doit un bec !

Sans qu'elle puisse réagir, il l'embrassa longuement sur la bouche.

—T'as du goût, le jeune ! Tu les aimes fraîches et juteuses !

Furieux, Charlabin fonça sur le commis, mais Délina s'interposa. D'un ton ferme, elle avertit Forrest :

— Vous ne viendrez pas gâcher le bonheur de cette belle journée !

— Ce serait si facile, continua-t-il méchamment, rien qu'une seule nuit avec la mariée.

Charlabin hurla :

— Faites ça et vous êtes mort !

— Oh, là ! mon garçon, modère tes transports, *Goddam* ! Entre hommes, on peut toujours s'arranger. Tu me la passes une couple de soirs et je te laisse la paix. C'est ça ou ta job.

— Fermez-la, rugit Délina, vous êtes ben juste qu'un ivrogne !

Il la repoussa sans ménagement, puis s'adressant à Charlabin, il clama :

— Je suis venu fêter tes noces !

Le Métis apportait une bouteille. Forrest approcha trois verres et les remplit à ras bord de ce que Charlabin devina être de la « robine » d'Indiens. Le commis leva solennellement son verre :

— À ta santé, mon garçon !

Il le vida d'un seul trait, sans grimacer, imité par le Métis comme par son ombre. Charlabin ne fit que tremper les lèvres dans le sien.

— C'est pas bon ? lui reprocha Forrest.

— J'ai pas l'habitude !

Le commis rit moqueusement et se versa une nouvelle rasade.

—J'avais presque oublié comme c'est bon, dit-il. Le Métis, lui, y se souvenait. Ça fait que j'ai décidé d'reprendre le temps perdu. Tu devrais en faire autant.

D'un seul trait, il vida son verre.

—J't'ai pas offert un coup pour rien. Bois, *Goddam*!

—J'ai pas l'goût.

S'emparant du verre de Charlabin, il le vida d'un trait.

—C'est pas bon? grogna-t-il. Y a rien d'meilleur! Tu vois, c'est pas poison!

Attrapant la bouteille, il la porta directement à ses lèvres. La tête renversée, il en engloutit le contenu. Sa pomme d'Adam remontait et descendait à chaque gorgée. Charlabin l'observait en écarquillant les yeux. À peine la bouteille terminée, il se tourna vers le Métis en hurlant:

—Envoye, fainéant! Va en chercher une autre! Tu vois pas que j'crève de soif!

En se traînant les pieds, le Métis obéit. Le commis fixa Charlabin droit dans les yeux.

—Tu t'en vas dans l'Nord? bredouilla-t-il.

—C'est en plein ça, pour l'hiver.

—Tu vas rapporter beaucoup de fourrures?

—Tout c'que j'pourrai, si le trappage va bien. Il faut que j'fasse une bonne chasse si j'veux prendre soin d'Élisabeth et de notre enfant.

Forrest le dévisagea un long moment sans rien dire, comme quelqu'un qui cherche à remettre de l'ordre dans ses idées, puis il éclata de rire sans raison et dit:

— Si tu me laisses pas prendre soin de ta femme quand tu seras parti, tu iras vendre tes peaux ailleurs.

— J'irai ailleurs ! fit Charlabin.

Insulté, le commis s'approcha du jeune homme.

— Même si tu veux pas que j'm'en occupe, marmonna-t-il, pour m'en occuper, j'vas m'en occuper.

Il fut pris de nouveau d'un rire sinistre, puis, sans raison apparente, se mit à vociférer à l'endroit du Métis :

— *Goddam* ! Amène-toé tout d'suite ou j'm'en vas aller en chercher moi-même en personne !

Le Métis rapporta une autre bouteille ; Forrest revint aussitôt à la charge.

— C'te fois-ci, tu vas en prendre, *Goddam !* C'est pas tous les jours qu'on s'marie !

Il lui en versa une bonne rasade, remplit son verre et celui du Métis. Sans attendre, il trinqua :

— Aux nouveaux mariés !

Il rota et se mit à rire comme un insensé. Il avait les yeux exorbités, les cheveux en bataille, la langue pâteuse. L'alcool faisait son œuvre. Pour calmer le commis, Charlabin prit une gorgée qu'il recracha presque aussitôt.

— C'est du feu, c't'affaire-là !

— Le feu ! hurla le commis. Le feu, tu vas l'avoir au cul, *Goddam*, si t'arrêtes pas de rire de moé.

— J'ris pas de vous ! protesta Charlabin.

— Tu t'moques de moé ! Tu refuses le verre de bagosse que je t'offre.

— J'suis pas obligé d'aimer ça, objecta le jeune homme.

— Le verre de l'amitié, c'est sacré, poursuivit Forrest. Pis tu veux pas l'boire avec des amis. *Scram, Goddam* !

Charlabin se leva. Faisant preuve d'un étonnant sursaut d'énergie, le commis attrapa une chaudière, sauta dessus pour l'aplatir et la lança en direction du jeune homme. Le projectile alla frapper le mur derrière lui, à quelques pouces de sa tête.

Charlabin blêmit puis, revenu de ses émotions, il lança :

— Qu'est-ce qui vous prend ? J'vous ai rien fait !

Pour toute réponse, Forrest fonça vers lui. Mais au bout de trois pas, il s'affala de tout son long sur le plancher.

Impuissante, Délina avait assisté à la scène sans broncher.

— Il a son compte ! dit-elle.

— C'est la première fois que je le vois d'même, s'inquiéta Charlabin.

— Il m'avait pourtant juré de plus boire, se désola la servante. Nos troubles ne font que commencer.

Élisabeth, totalement affolée par le comportement du commis, avait déjà fui en direction de la berge. Charlabin la rejoignit, le cœur battant. Ensemble, ils traversèrent jusque chez les Grenon.

— Et le gibier ? se rappela le jeune homme.

Ils s'arrêtèrent, Élisabeth pleurait. Il la consola de son mieux. Elle s'était laissée choir dans l'herbe haute. Il dit :

— Attends-moi, je reviens tout de suite.

Il retourna au Poste chercher lièvres et canards. Quand ils rentrèrent à la maison, Manuel les attendait. Leurs bras débordaient de gibier, mais le cœur d'Élisabeth était chargé d'inquiétude.

Chapitre 31

Les confidences de Fabienne

Comme tous les hivers en ce pays nordique, la neige parut tôt. La Métabetchouan orna ses berges de franges de glace qui scintillaient sous le soleil. Le fort courant de la rivière l'empêchait de geler complètement, tout comme le lac à son embouchure. C'était là que se tenaient les oiseaux qui n'entreprenaient pas le voyage vers le sud. On entendait du matin jusqu'au soir leur incessant bavardage. Le froid obligeait les colons à s'encabaner et, du coup, chacun se retrouvait seul avec lui-même. Fabienne n'acceptait pas que sa fille aînée soit enceinte. Elle avait fini par se persuader qu'il fallait éviter à tout prix que la chose s'ébruite. Même s'ils n'avaient eu que très peu de visites depuis leur arrivée à Métabetchouan, elle craignait de voir arriver quelqu'un à l'improviste et que la nouvelle se répande dans sa famille. Il lui fallait en parler à quelqu'unpour se soulager et le curé Tremblay ne viendrait pas avant des jours. Elle eut alors l'idée d'aller trouver Délina.

Elle arriva au Poste au moment où la servante était occupée à sortir du fourneau des tartes aux bleuets dont la bonne odeur remplissait toute la cuisine. Assise près d'une fenêtre ouverte sur le lac, madame Forrest se berçait sans arrêt en chantonnant une mélopée lugubre. Délina eut beau tenter d'attirer son attention sur l'arrivée de Fabienne, elle continua sa chanson sans montrer le moindre signe d'intérêt.

— C'est bien triste de la voir ainsi tous les jours, déplora Délina. Faut crère qu'il y en a qui sont nés juste pour un p'tit pain.

Absorbée par ses propres problèmes, Fabienne ne dit mot. Délina reprit :

— Qu'est-ce qui nous vaut ta visite, Fabienne ? Rien de malheureux, j'espère.

Avant de répondre, Fabienne poussa un long soupir, comme pour chasser de ses épaules le poids de ses misères.

— Je m'inquiète pour l'accouchement d'Élisabeth.

— Pourquoi donc ? s'étonna Délina. Y a pas raison de t'en faire, je m'y connais en accouchement et c'est pas les Sauvagesses qui manquent ! Tu n'auras qu'à me prévenir quand ça sera le temps.

— J'aimerais pas qu'elle accouche à la maison, à cause des petits.

— C'est ben simple, chère, vous aurez rien qu'à traverser la petite au Poste. T'en parleras à ton homme, voir ce qu'il en dira ! D'ailleurs, la meilleure place où la petite peut accoucher, c'est bien icite, va !

—Je veux surtout pas que ça se sache dans ma famille.

— Pourquoi donc ? Attendre un enfant, c'est pas un crime.

— En attendre un comme ma fille le fait, c'en est un. Ça fait que j'ai pensé à quelque chose pour que ma famille ne l'apprenne jamais.

— Quoi donc ?

—Je vais faire passer cet enfant pour le mien. Ça fait des mois qu'on n'a pas mis les pieds à Saint-Jérôme ni à la Grande-Baie : qui se doutera que l'enfant est d'Élisabeth ?

— Tu penses pas ce que tu dis, Fabienne.

— Ben quoi, des femmes, y en a ben manque qui accouchent à quarante ans et plus !

— Et Élisabeth, dans tout ça ?

— Elle nous doit obéissance.

— Mais l'enfant est le sien et sera toujours le sien, tu pourras jamais rien y changer. Crois-tu qu'elle va accepter de faire passer cet enfant pour son petit frère ou sa petite sœur ? C'est insensé ! Puis t'as oublié Charlabin, il a son mot à dire là-dedans, c'est aussi son enfant !

— Celui-là, s'indigna Fabienne, je veux plus en entendre parler. Il peut bien disparaître, quant à moi.

Voyant que Délina n'approuvait pas son idée et qu'elle se montrait peu disposée à en discuter, Fabienne prit congé en claquant la porte.

Elle retourna chez elle, bien déterminée à en parler à Manuel. Elle attendit en soirée que tous les enfants soient endormis, mais finalement n'eut pas le courage

d'aborder le sujet avec son mari. Il lui restait néanmoins un allié à qui elle pourrait se confier. Le
dimanche suivant, après la messe, elle parla de son
problème au curé. Le prêtre, qui n'avait pas remis les
pieds chez les Grenon depuis sa visite avortée, ne se
fit pas prier pour traverser la Métabetchouan. Il brûlait d'envie de proférer un tas de reproches à Manuel
et ne manqua certes pas de le faire.

— Voilà ce que méritent ceux qui ne pratiquent
plus leur religion !

Sans broncher, Manuel répondit :

— J'en connais ben manque, sauf votre respect,
monsieur le curé, qui vont à la messe et à qui c'est
arrivé quand même.

— Si tu étais plus fervent, répliqua le prêtre, le bon
Dieu vous aurait épargné cette épreuve.

— Le bon Dieu ne nous a pas envoyé une épreuve,
il nous a fait grands-parents ! Pis le bon Dieu, qu'est-
ce qu'il a à voir là-dedans ? J'ai pour mon dire qu'il
faut pas le mêler à toutes les sauces. S'il écoutait tout
ce que le monde veut, il serait bien mal pris.

La réponse de Manuel prit le curé de court et le
laissa bouche bée. Manuel en profita aussitôt pour
enchaîner :

— Et on peut savoir quel bon vent vous amène,
monsieur le curé ?

— Une affaire entre ta femme et moi, répondit
sèchement le prêtre.

— Si je comprends bien, en déduisit Manuel, je suis
de trop. Ça tombe bien, j'ai de l'ouvrage à l'étable.

Sans plus de cérémonie, il prit son casque et quitta la maison. Le curé commanda aussitôt à Fabienne :

— Faites venir votre fille !

— Élisabeth ! cria-t-elle.

La jeune fille se présenta, tête basse, intimidée par le représentant de Dieu.

— J'ai eu une idée au sujet de ton enfant, commença Fabienne, et j'en ai dit un mot à monsieur le curé.

— Quoi donc ?

— T'es enceinte, Élisabeth, mais tu devrais pas l'être. Je veux pas que ma famille apprenne ton état, ils ne l'accepteraient pas, je les connais. C'est assez pour qu'ils nous adressent plus la parole. Je vas leur faire croire que c'est moi qui attends un bébé.

À ces mots, Élisabeth éclata en sanglots. Surpris, le curé grogna :

— Ce n'est pas de cela dont vous m'aviez parlé, madame Grenon. Il n'était question que de l'accouchement au Poste. Mais à bien y penser, l'idée est pas si mauvaise qu'elle en a l'air.

— Je voulais vous en dire un mot, bredouilla Fabienne, mais j'en ai pas eu le temps.

Revenue de sa surprise, Élisabeth s'écria d'une voix indignée :

— Jamais ! Vous m'entendez ! Mon bébé sera mon bébé pour tout le monde.

Pour se donner contenance, Fabienne reprit d'un ton ferme :

— Qui te permet de répondre ainsi à ta mère ? Attends que ton père l'apprenne !

Le curé, qui avait d'autres paroissiens à visiter, se leva, prêt à partir.

Accablée par le chagrin, longuement, intensément, Élisabeth regarda sa mère qui, perdue dans ses pensées, l'ignorait. Si elle avait pu lire tout ce qu'exprimaient les yeux de sa fille, elle aurait eu peur. Élisabeth voulut parler, mais elle se ravisa et choisit plutôt de se taire. Jamais sa mère ne ferait le moindre effort pour la comprendre.

Entre-temps, Fabienne ne chôma pas. Elle se servit du curé pour qu'il répande la bonne nouvelle dans sa famille. Restait maintenant à mettre Manuel dans le coup. Elle savait que ce ne serait pas facile, mais finit par se décider à lui en parler.

— Es-tu tombée sur la tête ? Cet enfant est celui d'Élisabeth, tout le monde saura que c'est le sien. Pourquoi veux-tu fendre les cheveux en quatre ?

— J'ai fait écrire dans ma famille, confessa-t-elle. Je leur ai dit que j'étais enceinte.

— T'as pas fait ça ? s'indigna Manuel. Tu prends prétexte sur ta famille, alors que tu sais très bien qu'à part ta sœur Wilhelmine, les autres ne feraient pas toute une histoire avec ça. Batêche ! T'es pas mal pire que je croyais…

Puis l'hiver bouscula l'automne, à coups de grandes bordées de neige. Aussitôt qu'il put transporter ses effets sur la neige à l'aide d'une traîne, Charlabin partit pour ses chasses d'hiver.

—Je reviendrai à temps, promit-il.

Chapitre 32

Les mensonges de Fabienne

L'hiver avait le don de tout amortir et de tout ralentir. Pendant des mois, toute la maison semblait faire la sieste. On ne commençait réellement à s'activer qu'aux premiers rayons chauds de la fin de février. Il faudrait encore près de deux mois pour voir la rivière gonflée par les eaux de fonte dessiner sur le visage glacé du lac un large sourire.

Par un beau midi d'avril, alors que le lac venait à peine de se débarrasser de ses glaces et que le soleil en chauffait les berges de tous ses feux, à travers les nuées vaporeuses, un canot parut en face du Poste. Manuel appela Omer :

— Qui penses-tu que ça peut être ?

Omer plaça sa main droite au-dessus de ses yeux. Il lorgna un moment dans la direction de l'embarcation.

— C'est de nouveau la tante Wilhelmine, murmura-t-il, oui, c'est bien elle.

— La vieille maudite, reprit Manuel, pas encore elle ! On avait bien besoin de cette langue sale icite ! Va prévenir ta mère.

Fabienne sortit en s'essuyant les mains sur son tablier.

— Wilhelmine! Mon Dieu, faut pas qu'elle apprenne que c'est Élisabeth qui est...

Sans terminer sa phrase, elle entra en appelant sa fille.

— Vite, dit-elle, ta tante Wilhelmine arrive, il faut pas qu'elle te voie. Va-t'en au Poste jusqu'à ton accouchement!

Elle ordonna à Élisabeth de se cacher derrière la laiterie, puis de traverser au Poste dès que la tante serait dans la maison.

Conduit par deux Montagnais, le canot approchait maintenant de la rive. Au beau milieu, comme une reine, trônait la tante Vilaine Mine, comme la surnommait Manuel. Dès qu'elle vit qu'on s'était rendu compte de son arrivée, elle se mit à gesticuler.

— Elle ne changera jamais, grogna Manuel.

Après s'être extirpée du canot, tant bien que mal, elle monta vers la maison pendant qu'un Montagnais portait ses bagages.

— À ce que je vois, remarqua-t-elle en regardant le ventre de Fabienne, j'arrive trop tard.

— Je l'ai perdu, j'ai fait une fausse-couche.

— Misère! J'aurai fait tout ce trajet-là pour rien.

— C'est bon pour toi, dit Manuel, ça te fait prendre du bon air.

Sans attendre sa réplique, il sortit à la suite du Montagnais qui venait de déposer les valises près de la porte. Il vit Omer qui faisait traverser Élisabeth au Poste. «Pourquoi vont-ils au Poste ?», se demanda-t-il.

Puis, se frappant le front, il murmura :

— Elle n'a pas voulu que la vilaine voie Élisabeth.

Il esquissa un sourire en branlant la tête comme un homme incrédule. «C'est incroyable, songea-t-il, de tant en faire pour cacher quelque chose de si naturel… Pis la voilà pognée dans ses menteries…»

Dès l'arrivée d'Élisabeth au Poste, Délina entreprit de la rassurer sur l'accouchement.

— Je m'occuperai de tout, promit-elle.

— Mais ma tante Wilhelmine est venue chez nous exprès pour ça, lui apprit Élisabeth. Seulement… Seulement…

Délina l'encouragea :

— Quoi donc ?

— Maman lui avait fait des accroires. Elle avait fait écrire dans la famille par monsieur le curé, je crois, que c'était elle qui attendait un enfant.

À cette nouvelle, Délina ouvrit de grands yeux.

— Ça, c'est ben ta mère tout crachée ! Elle l'a fait, même si ç'a ni queue ni tête. Si je comprends bien, elle t'a envoyée au Poste pour éviter que ta tante se rende compte de ton état ?

— C'est en plein ça !

— Bon, c'est un mal pour un bien, tu y es, tu y restes, mais ta mère n'en a pas fini avec ses menteries, elle va devoir expliquer ton absence.

Une fois arrivée, la tante Wilhelmine s'installa et s'étonna tout aussitôt de l'absence d'Élisabeth.

— Elle est à Saint-Jérôme pour quelques jours, mentit Fabienne.

Mais les quelques jours se transformèrent en une semaine, et même davantage, avant que la tante ne libère enfin les lieux.

Entre-temps, au Poste, Élisabeth accoucha sans problème d'un garçon de sept livres.

Pour Fabienne, la face était sauvée, c'était le plus important. Maintenant, il lui importait de faire baptiser l'enfant au plus tôt. Dès le samedi suivant, à l'arrivée du curé Tremblay au Poste, elle lui en fit la demande.

— Cet enfant est illégitime, commença le curé, c'est ainsi que je l'inscrirai aux registres paroissiaux.

— Vous pourriez marquer que je suis sa mère, insinua de nouveau Fabienne.

— Que votre parenté le croie, madame Grenon, c'est votre problème, mais vous ne me forcerez pas à écrire des mensonges dans les registres ! Cet enfant est illégitime et il le restera toute sa vie. C'est comme ça que ça sera inscrit dans les registres : enfant illégitime de Charles Simard et d'Élisabeth Grenon.

Témoin de cette conversation, Délina, qui se tenait à l'écart, intervint :

— Vous auriez tort, monsieur le curé, de le baptiser comme un enfant illégitime.

— Comment ça ? bougonna le curé.

— Parce que cet enfant est aussi légitime que vous et moi.

—Vous m'en direz tant! Avez-vous l'intention de m'en apprendre sur ces questions?

—Non pas, mais j'ai raison quand même.

—Qu'est-ce que vous m'inventez là?

—Rien! Mais madame Grenon ne vous a pas tout dit. Je veux seulement vous informer que l'enfant a un père et une mère mariés à l'Église catholique.

Fabienne blêmit, pendant que le prêtre devenait rouge comme une tomate.

—Expliquez-vous, au nom du bon Dieu! s'impatienta le curé.

—Élisabeth et Charlabin se sont mariés l'automne dernier à Pointe-Bleue. J'ai servi de témoin à Charlabin, et son père à Élisabeth. C'est le père Lavoie qui a béni leur union. Seulement, madame Grenon est pas venue: elle prétend que ce mariage n'est pas bon.

Le toit de la chapelle serait tombé sur la tête du curé que sa surprise n'aurait pas été plus vive. Il ne réagit pas sur le coup, puis, prenant ses affaires, il sortit en maugréant.

—Fabienne, rien ne presse pour le baptême, assura Délina, ça peut attendre. Le temps arrange bien les choses, tu sais. Ben crère que dans quelques semaines, tu seras contente d'agir comme marraine.

Charlabin revint des bois après l'accouchement. Il prit son enfant dans ses bras et déclara:

—Tu t'appeleras Benjamin, comme ton grand-père!

Chapitre 33

Un baptême mouvementé
et un visiteur indésirable

L'été fit son nid en même temps que les oiseaux. Le fond de l'air restait parfois frais, mais au milieu du jour, le soleil tapait dur, des vapeurs montaient de l'eau et traînaient quelque temps comme des voiles de mariée avant que la brise ne se charge de les effilocher. Tout était calme. Seuls, de temps à autre, des huards troublaient la quiétude de leurs appels.

Par un beau dimanche matin, à Pointe-Bleue, Benjamin Simard, le deuxième du nom, reçut le baptême. Son parrain, Manuel Grenon, fit sa marque et sa marraine, Délina Boily, signa le registre avec le curé. Les parents, quant à eux, déclarèrent ne pas savoir écrire ni signer. Perdue dans ses préjugés, seule Fabienne n'assista pas à la cérémonie.

Ce fut dehors, devant le Poste, quelques heures plus tard, qu'on célébra l'événement. Délina avait fait les choses en grand.

— Quelle belle table ! s'exclama Élisabeth.

Forrest, qui ne s'était pas montré jusque-là, arriva, comme toujours, tel un cheveu sur la soupe. Selon son habitude, il beugla :

— Il manque quelque chose !

Il tenait une main derrière son dos.

— Quoi donc ? demanda Délina.

Il déposa sur la table la bouteille d'alcool qu'il avait cachée jusque-là.

— Pas ça ! défendit vivement Délina en s'emparant du flacon.

Forrest protesta :

— Qu'est-ce qui te prend ! Un baptême, ça s'arrose ! Y a pas d'fête sans boisson.

— Vous avez promis ! le coupa Délina. Vous allez pas nous gâcher les réjouissances du baptême comme vous l'avez fait pour celles du mariage.

Au même moment, on entendit un cri strident provenant de la chambre de madame Forrest. Le commis s'esclaffa :

— V'là la *crazy* qui jappe à c't'heure, il manquait juste ça !

— Madame Forrest a l'air souffrante, dit Charlabin.

— Tu veux dire, plus *crazy* que jamais !

— Elle aurait besoin d'un docteur.

— *Goddam* ! fit-il, en haussant les épaules. Dis plutôt : d'un bon poison. Un de ces jours...

— Quoi, un de ces jours ? coupa Délina.

Le commis marmotta :

— Rien ! J'me comprends.

Madame Forrest hurla de nouveau comme une perdue. Son cri donnait froid dans le dos.

— *Goddam* ! éructa Forrest. J'vas aller lui fermer la gueule.

Il entra au Poste d'un pas mal assuré. Il avait visiblement commencé à « fêter » depuis longtemps.

— Il ne viendra pas nous gâcher cette journée-là comme la dernière fois, promit Délina. Prenez tout le manger, nous traversons chez vous.

Quand Forrest revint, Délina, Élisabeth et Charlabin étaient déjà au milieu de la rivière.

Le commis hurla à leur intention :

— Bande de *pea soups*, vous allez me le payer !

Il retourna au Poste et en ressortit avec un fusil. Au moment où la chaloupe accostait sur l'autre rive, il tira un coup de feu dans leur direction. La balle siffla au-dessus de leurs têtes. Ils laissèrent les vivres dans la chaloupe et coururent se réfugier derrière la maison. Le commis était rendu au bord de la rivière et s'apprêtait à tirer de nouveau quand un coup de feu claqua dans l'air, lui faisant sauter son arme des mains. Manuel, tenant le commis en joue, lui cria :

— Ne t'avise jamais plus de tirer sur quelqu'un de ma famille, parce que t'es un homme mort !

Au moment où, encore tout bouleversés, ils fermaient derrière eux la porte de la maison, Charlabin ne put contenir sa colère :

— Y aurait pu nous tuer, c'te maudit-là ! Y est rendu aussi fou que sa femme.

Remis de leurs émotions, ils attendirent d'être certains que le commis soit retourné au Poste avant d'aller chercher la nourriture restée dans la chaloupe.

En revenant de la rivière, Charlabin fit remarquer à Manuel :

— Qui a monté une tente sur la terre voisine ?

— Une tente ? s'étonna Manuel.

— On ne la voit pas d'icite, reprit Charlabin, mais y a bel et bien une tente sur la terre d'à côté.

— Sur la terre à Bellone ? Ça se peut pas. C'est certainement pas lui, je le saurais. Allons voir !

Suivi d'Omer, Manuel descendit au bord de la rivière puis se dirigea vers la tente. Au bruit de leurs pas, un homme passa la tête par l'ouverture.

— Sacrament ! Qu'est-ce que vous me voulez ?

Sans s'émouvoir, Manuel salua :

— Bonjour, je m'appelle Manuel Grenon et voici mon fils Omer. Êtes-vous installé ici pour longtemps ?

— Ça vous regarde ?

— Un peu, puisque cette terre appartient à mon ami Bellone et il m'a chargé de m'en occuper pendant son absence.

— Tu lui diras, sacrament, que s'il veut me chasser d'icite, y a besoin de se lever de bonne heure. J'vas rester icite tout le temps que ça m'plaira. Y est pas encore né le câlisse qui va me faire partir.

— Crains pas, j'vas lui faire le message. Et en même temps, j'aviserai le commissaire aux terres.

— Fais donc ça, tabarnac, et tu vas voir ce qui va t'arriver !

En même temps qu'il proférait ses menaces, le bonhomme sortit un fusil qu'il pointa dans leur direction.

Manuel n'insista pas, mais il regagna sa maison très lentement pour bien montrer à cet énergumène qu'il n'avait pas peur de lui.

Le lendemain, en se rendant à la laiterie, Manuel se rendit compte que l'eau de la source avait été détournée. Leur nouveau voisin avait fait sauter le tuyau qui y menait l'eau.

Manuel se rendit à la source et remit tout en place. Le bonhomme ne se montra pas le bout du nez, mais le soir même, Manuel alla vérifier, et la tente n'avait pas bougé de place.

Les jours passèrent sans que le bonhomme ne laisse paraître la moindre volonté de quitter les lieux. Chaque jour, quand il ne brouillait pas la source, il en détournait le cours, mais Manuel remettait patiemment tout en place. Le lendemain d'une nuit où le froid s'était fait plus mordant, la tente et son occupant avaient disparu.

—C'est payant de se montrer patient, conclut Manuel.

Chapitre 34

Les récriminations de Fabienne et les malheurs d'Élisabeth

Déjà, l'automne annonçait les grands froids de l'hiver par un nordet cruel de plus en plus omniprésent. Le miracle se reproduisait une fois de plus. Les érables avaient revêtu leur habit rouge, les bouleaux leur veste jaune, les frênes leur manteau ocre. Tout le bord du lac se drapa d'or et de pourpre où seules les épinettes tranchaient, tels des totems verdoyants.

Charlabin ne songeait plus qu'à ses chasses et Élisabeth appréhendait de nouveau son départ.

Délina, qui se souciait du bien-être d'Élisabeth comme si elle avait été sa propre fille, lui fit une proposition.

— Vous aurez besoin d'argent pour vous bâtir une maison, dit-elle. Si tu veux, tu pourrais venir travailler au Poste une ou deux journées par semaine.

— Et Benjamin, qui s'en occupera ?

— T'auras qu'à l'amener au Poste, chère. Jamais je croirai qu'à nous deux, on trouvera pas moyen d'en prendre soin !

Ce qui fut dit fut fait, et bien vite Élisabeth alla rejoindre Délina au Poste afin de l'aider dans ses tâches. Elle aimait bien ce travail qui lui occupait l'esprit, et elle adorait Délina, qui avait le cœur et l'esprit ouverts à tout et à tous – à l'opposé exact de sa mère, en somme. Celle-ci, profitant d'une journée où Élisabeth travaillait, se rendit au Poste avec l'intention de l'accabler de reproches devant Délina.

— Où est ma fille ? questionna-t-elle, à peine arrivée.

— Prends le temps de t'asseoir, lui offrit Délina venue l'accueillir.

— Je suis pressée, répondit-elle d'un ton bourru, je te causerai une autre fois. Je veux voir ma fille.

— J'espère que c'est pour de bonnes nouvelles, reprit la servante. Elle en a bien besoin.

— Va la chercher ! ordonna Fabienne avec impatience. J'ai des choses importantes à lui dire.

Délina obéit sans trop de conviction, en se demandant ce qui pouvait motiver pareille intrusion. Elle ramena une Élisabeth craintive.

— J'ai à te parler sérieusement, ma fille, commença aussitôt Fabienne.

Délina, qui se sentait de trop, sortit.

— Ton enfant ne peut pas être légitime, continua-t-elle, tu l'as conçu dans le péché, tu n'avais pas l'âge de te marier.

— Pourtant, le curé Lavoie nous a mariés pareil.

— C'est pas l'avis de tous les curés. Je vais faire annuler ton mariage.

— Ça ne m'enlèvera pas mon enfant ! Je saurai bien le garder. Pourquoi êtes-vous devenue si méchante ?

Fabienne éclata d'indignation :

— Je suis pas méchante, je veux pas d'un bâtard, c'est toute ! Cet enfant est le déshonneur de la famille, je verrai à l'en éloigner.

Elle se leva brusquement et quitta les lieux sans se retourner.

Profondément blessée par les paroles de sa mère, Élisabeth demeura un long moment prostrée, pleurant en silence et retenant à grand-peine les sanglots qui lui brûlaient la gorge. Jusque-là, elle avait tout supporté sans rien dire, mais les paroles cruelles de sa mère venaient de briser quelque chose en elle. Délina eut beau accourir et tâcher de la réconforter, le mal était fait.

Malgré tout, à force de patience et de compréhension, la servante réussit à lui communiquer un peu de son optimisme.

— Voyons, chère ! Il faut pas trop t'en faire, le temps arrange bien des choses. Ta mère peut rien contre toi et ton enfant : t'es mariée.

— Si elle réussissait à faire annuler le mariage ?

— Elle pourra pas t'enlever ton enfant. Crains rien, il va couler encore beaucoup d'eau dans la Métabetchouan avant qu'elle touche à ton fils. D'ailleurs, ton père la laissera jamais faire. Il faut qu'elle soit vraiment malheureuse pour agir comme elle le fait et prendre le temps de venir t'en parler ici, par crainte que ton père l'entende.

— Elle est comme ça, murmura Élisabeth.

Incapable d'en dire plus, elle se remit à pleurer.

— Voyons, chère ! Sèche tes pleurs, il est temps de nourrir le petit Benjamin.

Quelques jours plus tard, Charlabin annonça son départ pour le Haut-Saint-Maurice. Désespérée, Élisabeth demanda à son père d'intervenir pour le convaincre de ne pas partir. Dès qu'il en eut la chance, Manuel aborda la question avec son gendre.

— Comme ça, Charlabin, tu t'en vas encore dans le Nord cet hiver ?

— Ben sûr ! Il faut vivre et c'est de même que je gagne ma vie.

— Y a une centaine d'autres façons de la gagner. Tu pourrais aller bûcher ou encore travailler à Chicoutimi, ou ailleurs au Saguenay.

— Chasser, c'est ma vie.

— As-tu pensé à ta femme et à ton enfant dans tout ça ? Ils ont besoin d'un chez-eux.

— C'est pour eux autres que je le fais !

— Es-tu certain de ce que tu dis là ? Ça serait pas aussi d'abord et avant tout pour toi ?

— Comment ça, pour moi ?

— Fais pas simple ! Tu sais très bien que ce n'est pas à moi que tu vas en faire accroire. Depuis des mois, t'as même pas approché Élisabeth. Elle me l'a dit. Crois-tu que c'est une vie pour elle?

— Elle me dit plus rien! J'ai connu mieux dans le Nord.

— Une autre femme?

À cette question, il ne put s'empêcher de sourire.

— Non, voyons donc! Ma maîtresse, c'est la forêt. J'étouffe sans liberté!

— Te rends-tu seulement compte de ton égoïsme? Tu préfères les forêts au bonheur de ceux qui t'aiment?

— Vous ne pouvez pas comprendre, monsieur Grenon. Y a rien d'égoïste là-dedans. Y a simplement quelque chose de plus fort que moé. Ça m'enivre, j'suis pas capable de m'en passer.

— Et ta femme? Et ton enfant?

— Ma liberté d'abord, le reste ensuite. Je mentirais à Élisabeth si je lui donnais des illusions.

— Penses-tu réellement ce que tu dis?

— Ben sûr! J'ai eu le temps d'y songer en masse, dans le Nord.

— Et tu n'as pas de remords?

— Pourquoi? Tout ça, c'est ben naturel.

— Peut-être! Mais t'as profité d'Élisabeth quand ça te plaisait, et aujourd'hui, tu l'abandonnes parce que ça fait ton bonheur. Une telle conduite est inadmissible de la part de quelqu'un qui a le cœur bien placé.

— Vous perdez votre temps à vouloir me changer. Pour moé, toute ce qui compte c'est la nature. C'est plus fort que toute, vous pouvez pas comprendre…

Il ne savait pas l'exprimer, mais ce qu'il aurait voulu dire, c'est que la douceur d'un soir d'automne près d'un feu en plein bois, la danse des aurores boréales dans le ciel du Nord, les jeux de la poudrerie sur les lacs gelés, l'odeur du pemmican sur la braise, la couleur des montagnes à perte de vue lui procuraient tout ce qui le rendait heureux. Là, il se sentait libre. Il se tut un moment comme pour goûter au plus profond de son être ces moments privilégiés, puis il ajouta tristement :

— Les choses sont ainsi et resteront ainsi. J'y peux rien, vous n'y pouvez rien. Vous aimez Élisabeth, vous lui ferez comprendre.

— Comptes-tu revenir au printemps ?

— Certainement ! J'ai un fils dont je suis fier et qui s'appelle Benjamin, comme son grand-père.

— Si je comprends bien, tu reviendras pour l'enfant plus que pour sa mère.

— Je reviendrai de toute façon, car l'un va pas sans l'autre.

Puis, comme s'il voulait se faire pardonner en épatant son beau-père, il lui dit :

— J'ai un secret que je veux vous dire depuis longtemps.

— Quoi donc ?

— Le vapeur des Anglais.

Manuel le regarda fixement.

— Que veux-tu dire ?

— Le vapeur a pas coulé tout seul. Nous y avons vu.

—Qui ça ?

—Omer et moi.

—Non ! Vous n'avez pas... reprit Manuel, les yeux ronds.

—C'est en plein ça, poursuivit Charlabin, l'air satisfait.

—Comment ?

—On a passé la nuit au vapeur. Le gardien dormait, il avait trop fêté. J'ai grimpé à l'intérieur. Oubliez pas que j'ai travaillé quelque temps à Québec, au chantier maritime. Je savais quoi faire pis comment le faire. Avec une tarrière, comme une souris, j'ai percé des trous dans l'étoupe près de la quille, sous la ligne de flottaison. Dehors, Omer vérifiait pour que rien paraisse. C'est tout ce que méritaient ces maudits Anglais de malheur.

—Vous auriez pu vous faire prendre...

Charlabin se contenta de hausser les épaules en souriant.

—Pas un mot de ça à personne, sous aucun prétexte, ordonna Manuel.

Le lendemain, Charlabin partit comme prévu vers le nord pour ses chasses hivernales, sans que sa jeune épouse ni Manuel puissent le faire changer d'idée. Élisabeth le regarda s'éloigner sous les flocons d'une première neige. Son cœur se serra dans l'étau de l'angoisse. Elle se tourna vers son père pour lui dire sa peine, mais les mots moururent au bord de ses lèvres.

Tout d'un coup, son regard se vida et elle chavira de nouveau dans son mélancolique univers. Dehors, le vent venait de tourner. Au-dessus du lac s'amoncelaient des nuages remplis de neige, tandis qu'au nord, le ciel se plâtrait d'un gris sale. Après avoir brillé de tous leurs feux, les érables devenus nus et ternes s'étaient éteints autour du Poste comme des flambeaux soufflés. En pointes de flèche, les dernières volées d'outardes avaient filé vers le sud.

— Il s'en va au-devant de milliers de dangers, murmura Élisabeth, des larmes plein les yeux. Il me semble que je le reverrai jamais.

— Dis pas ça ! protesta Manuel. Ça porte malheur !

Chapitre 35

Manigances, peurs et inquiétudes

Fabienne en avait gros sur le cœur, et elle ne lâchait pas prise.

—Notre fille méritait mieux qu'un petit mariage en cachette, répétait-elle d'un ton bougon, et y a rien qu'une façon de réparer tout ça.

—Encore tes idées fixes, grommela Manuel. Veux-tu bien me dire ce qui t'a mis ça dans la tête ? Élisabeth et Charlabin se sont mariés en bons catholiques, que tu le veuilles ou non. Ils sont aussi bien mariés que nous. J'ai jamais vu quelqu'un d'aussi entêté que toi. Change de discours, batêche, reviens-en une fois pour toutes !

Fabienne fit celle qui n'avait rien entendu.

—J'en ai parlé au curé Tremblay, la dernière fois qu'il est venu à la chapelle du Poste. Il m'a dit que le mariage était probablement pas bon.

Une lueur passa dans les yeux de Manuel.

—Comment ça, pas bon ?

—Je me comprends, conclut Fabienne en redressant le coussin de sa berçante.

Elle ajouta :

— Quand monsieur le curé viendra dimanche, il devrait pouvoir me renseigner.

Manuel tira quelques bouffées de sa pipe. Le soir tombait, la lampe jetait un peu de clarté sur son visage inquiet.

— Pourquoi le mariage serait pas bon ? répéta-t-il d'une voix où perçait l'anxiété.

— Le curé Tremblay me le dira, répéta-t-elle obstinément. J'ai bien fait de garder de bonnes relations avec lui…

Manuel ne releva pas la remarque. Les événements des derniers mois l'avaient bouleversé et il ne se sentait plus guère la force de discuter en pure perte. Pourtant, comme un filet d'eau qui creuse lentement son sillon, les paroles de Fabienne semèrent l'inquiétude en lui jusqu'à lui faire perdre le sommeil.

Toujours aussi obstinée, le dimanche suivant, Fabienne alla rencontrer le curé à la chapelle du Poste. Contre toute attente, il se montra affable.

— Le mariage d'Élisabeth est pas bon, monsieur le curé, j'en suis certaine.

— Vous venez sans doute vous enquérir de la possibilité de le faire annuler ?

— Comme vous dites, monsieur le curé, acquiesça Fabienne.

Le prêtre se rengorgea et prit une voix mielleuse pour déclarer :

— Vous avez bien fait, madame Grenon, de vous adresser à moi. C'est par là que vous auriez dû commencer, parce que sans me vanter, voyez-vous, dans tout le Saguenay, et même le diocèse, je suis, parmi tous les curés, le spécialiste de ces questions canoniques.

Fabienne ne comprenait rien à ce charabia, mais elle crut déceler un vague espoir dans les paroles du curé.

— Dans ce cas, intervint-elle vivement, vous avez sans doute quelque chose à me proposer.

— En effet ! reprit le prêtre. Nous allons écrire à l'évêque et lui demander l'annulation du mariage en raison de l'âge de la mariée. Nous allons insister sur les pressions qu'elle a subies pour se marier et sur le fait que tout ça ne s'est pas réalisé dans les formes requises. Vous savez, madame Grenon, ils ont commis une grave erreur en oubliant de faire publier les bans à Saint-Jérôme. Mais, avant tout, il me faut l'acte de baptême de votre fille et je vais en faire venir une copie de Baie-Saint-Paul. Mon confrère, le curé Bouliane, me la fournira. En attendant, nous allons écrire à monseigneur l'évêque et, si ce n'est pas assez, à notre saint-père le pape.

— À notre saint-père le pape ! reprit Fabienne d'une voix émue. À notre saint-père le pape !

À ses yeux, sa cause était gagnée.

— Bien sûr, madame Grenon, annuler un mariage n'est pas chose facile, mais ne craignez rien, nous obtiendrons l'annulation.

Quelques semaines plus tard, quand le postillon Georges-Aimé Dufour vint au Poste, il avait toute une nouvelle à annoncer. Fidèle à son habitude, il se mit à tourner longuement autour du pot avant de lâcher le morceau. D'une voix étudiée, il dit :

— Vous devinerez jamais, madame Boily, ce que j'ai appris aujourd'hui.

— Quoi donc, Georges-Aimé ? C'est ben manque important pour que tu joues au mystérieux de la sorte.

— Jamais, moi, Georges-Aimé Dufour, je me permettrais de faire languir quelqu'un ! dit-il d'un air indigné.

— Dans ce cas-là, aboutis ! fit Délina.

— Vous êtes bien pressée tout d'un coup, madame Boily, et impatiente par-dessus le marché ! Je suis mieux de garder ma nouvelle pour moi.

— Fais donc ça, tiens ! On s'en passera bien ou on l'apprendra par quelqu'un d'autre si c'est tellement important.

— Vous fâchez pas, j'ai pas dit que je vous l'dirais pas.

— Dis-le, dans ce cas-là, qu'on en finisse.

— Figurez-vous que le curé Tremblay a écrit une lettre importante à quelque part.

— Où donc ?

— À Québec ! À nul autre qu'à monseigneur l'évêque.

— Pas vrai ? Et pourquoi c'est faire ?

— Paraîtrait que ç'a rapport au mariage d'Élisabeth et de Charlabin.

— Comment le sais-tu ? Lirais-tu à travers le papier maintenant ?

— J'ai mes rapporteurs !

— Que Dieu les bénisse et toi avec, conclut Délina, je ne suis pas de celles qui mettent leur grand nez dans les affaires des autres.

— Ça m'apprendra à vouloir faire plaisir, se plaignit le postillon en bougonnant.

Sur ces paroles. il quitta les lieux de mauvaise humeur.

Le temps des fêtes apporta un peu de répit à la famille Grenon. Les quelques jours passés à Saint-Jérôme furent des plus profitables. Un seul moment de vive inquiétude vint troubler leur sérénité lorsque, le lendemain des Rois, parti tôt le matin pour aller tendre des collets, Léopold ne réapparut pas le soir en raison d'une forte tempête de neige. Tout avait commencé doucement, par quelques flocons tombant paresseusement, puis au milieu de l'après-midi, quelques heures avant la noirceur, le vent s'était mis de la partie, faisant voler la neige en larges rideaux bouchant la vue à deux pas devant soi. Au souper, voyant que Léopold n'était pas revenu, Manuel tenta vainement de sortir le chercher. Il n'y avait rien à faire, il risquait de se perdre lui-même dans cette poudrerie. Il ne dormit pas de la nuit, jetant des coups d'œil à tout moment par la fenêtre pour voir si la tempête diminuait. Il partit aussitôt qu'aux petites heures du matin se dessina une accalmie.

Léopold tendait toujours ses collets le long de la rivière, du côté de la chute. Ce fut donc dans cette direction que Manuel, chaussé de raquettes, battit son chemin dans la neige fraîche. Il n'eut pas à chercher longtemps, car Léopold apparut derrière une touffe de sapins, marchant lentement sans montrer le moindre signe de panique.

— Te voilà, mon snoraud! fit Manuel en l'apercevant.

C'était le cri d'un homme soulagé.

— Veux-tu ben me dire où t'as passé la nuit?

— Pas loin d'icite, dans le Trou de la Fée.

— Dans la grotte?

— J'ai été pris de court par la tempête. Pour pas me perdre, j'me suis cassé du bois après les sapinages et je suis entré dans la grotte, où je me suis fait un bon feu. J'ai pas gelé en toute, mais j'retrouverai jamais mes collets après c'te maudite tempête-là.

— T'as fait ce que t'avais à faire, le félicita Manuel. Maintenant, amène-toi avant que ta mère meure d'inquiétude.

Ils n'étaient pas encore parvenus au bord de la rivière qu'Omer les rejoignait, tout soulagé de voir son jeune frère sain et sauf.

Si l'aventure de Léopold causa plus de peur que de mal, le fait que tout le temps des fêtes se soit passé sans nouvelles de Charlabin sema l'inquiétude chez

Élisabeth, qui en perdit le sommeil. Manuel tenta de son mieux de la calmer.

— Voyons, ma fille, te décourage pas. S'il lui était arrivé quelque chose, on le saurait déjà : pas de nouvelles, bonnes nouvelles !

— Comment expliquez-vous que nous n'ayons rien reçu de lui ?

— C'est simple ! En pleine forêt, il trouve personne qui sache écrire et il peut donc pas envoyer de nouvelles.

— Vous avez peut-être bien raison !

Elle s'accrochait chaque jour au mince espoir de le revoir. Mais plus les jours passaient, plus elle se tourmentait.

Attentive à sa souffrance, Délina offrit de la prendre avec elle au Poste.

— Je ne la quitterai pas une minute, promit-elle à Manuel. Je vais en prendre soin comme de ma fille. Je vais tout faire pour lui changer les idées. Espérons qu'entre-temps Charlabin va donner signe de vie.

Chapitre 36

Désespérance et voyage

Chez les Grenon, malgré tous les efforts de Manuel, la vie ne s'améliorait guère. Quand ils ne bûchaient pas, Manuel et Omer chassaient et pêchaient en compagnie des Montagnais, qui se montraient d'excellents guides. Ils leur enseignaient généreusement les différents trucs employés par les Indiens depuis des générations pour se défendre contre le froid, surprendre les bêtes sauvages, étendre les lignes à pêche sous la glace et survivre sans difficulté au plus creux des forêts. Manuel appréciait leurs conseils et les mettait en pratique, mais son cœur et son esprit étaient ailleurs.

Fabienne, de son côté, se morfondait, ce qui n'était pas nouveau de sa part. Elle trouvait le temps de plus en plus long et passait ses journées à se plaindre.

Quoique réconfortée par Délina, qui tentait tant bien que mal de la distraire, Élisabeth ne vivait plus que dans l'attente de nouvelles de Charlabin. Elle allait constamment à la fenêtre. Avec son haleine, elle parvenait à éclaircir un coin de la vitre par lequel elle regardait vers le lac en répétant :

— Quand Charlabin va venir, je lui dirai de nous construire une maison loin de Métabetchouan.

Puis, elle s'en retournait s'occuper de son enfant, l'esprit ailleurs. Chaque fois que le postillon était annoncé, elle se tenait près de la fenêtre pour surveiller son arrivée. Pleine d'espoir, tôt le matin, elle se mettait en attente, mais invariablement se renouvelait la même vive déception qui la replongeait aussitôt dans sa peine. Elle interrogeait chaque visiteur venu au Poste : personne n'avait vu Charlabin, personne n'en avait entendu parler. Plus les jours filaient, plus elle se désespérait de le revoir. Les trappeurs venaient chaque jour porter les fourrures de leur chasse. Charlabin aurait dû être du nombre, mais il ne se montrait pas et personne ne l'avait croisé.

Omer, quant à lui, se languissait. Il avait toujours entretenu l'espoir de voir d'autres familles s'installer à Métabetchouan, mais personne ne semblait s'intéresser à ce coin de pays.

La jeune Geneviève souffrait d'asthme, comme sa mère, et Manuel avait décidé de l'envoyer en pension à Chicoutimi pour se faire soigner. Seul Léopold semblait s'acclimater plutôt bien à cette vie loin de tout et de tous.

Les rives de la Métabetchouan, en quelques mois à peine, étaient devenues pour eux un lieu de désolation.

❧

Pris de remords, Manuel se mit à penser à sa vie et à celle des siens depuis leur arrivée à Métabetchouan. Sa Terre promise tardait à porter les fruits qu'il en attendait. Le bilan négatif qu'il tira de sa réflexion l'incita même à remettre en question sa décision de s'installer sur cette terre inhospitalière. Il y songea longuement et, afin de se livrer à une comparaison, il partit pour Baie-Saint-Paul. La vue de son ancienne terre à l'abandon, le long de la Rivière-de-la-Marre, le persuada qu'il n'avait pas eu tort de s'installer au lac Saint-Jean. Sa tournée de la parenté lui remonta le moral. Il revint à Métabetchouan plein de projets en tête, et s'il ne parvint pas à convaincre Bellone de le rejoindre, il apprit toutefois que Charles Gariépy partait pour le Haut-Saguenay. Manuel espérait le persuader de venir choisir une terre près du Poste, mais Gariépy avait déjà opté pour un lot non loin de Roberval. Il lui fit promettre de s'arrêter à Métabetchouan quand il monterait dans son nouveau domaine.

❧

Le voyage de Manuel à Baie-Saint-Paul eut un effet bénéfique sur Omer. Ému de voir Élisabeth cantonnée dans sa peine, il se mit dans la tête d'aller retrouver Charlabin. Un doute, cependant, subsistait dans son esprit et agissait comme un frein. Est-ce que Charlabin avait abandonné Élisabeth, même si entre eux tout semblait aller si bien ? Il ne trouvait pas de réponse à cette question et s'en ouvrit à Délina.

— Elle ne sera heureuse, lui confia-t-il, que quand Charlabin sera de retour.

— S'il n'est pas mort, dit Délina.

— Il vit ! assura Omer. Quelque chose me le dit.

— Souhaitons-le, mais y a des hommes qui peuvent rien sacrifier à leur passion. Charlabin est de ceux-là, il vit pour la chasse, pis tout ce qui l'empêche de courir les bois, il l'a écarté. Élisabeth et son enfant lui volaient sa liberté, voilà pourquoi il est parti.

— T'as bien raison, mais c'est grand temps de le retrouver et de le ramener à la raison autant qu'à la maison. Il me semble que si Charlabin revenait, ça pourrait arranger bien des choses. Dire qu'autrefois Élisabeth était si enjouée...

Pour en avoir le cœur net, Omer s'informa de nouveau auprès de sa sœur sur l'endroit où pouvait se trouver Charlabin.

— Es-tu ben certaine qu'il est parti sur le Saint-Maurice et pas sur la Côte-Nord ?

— Il m'a dit qu'il s'en allait dans le Haut-Saint-Maurice, ça fait cent fois que je le répète.

— Il ne t'a pas dit à quel endroit, au juste ?

— Non, c'est tout ce que je sais.

Sans se laisser décontenancer par la morosité d'Élisabeth, il continua :

— Vois-tu, ma p'tite sœur, c'est très important que tu te rappelles s'il n'a pas parlé d'un endroit quelconque. Ça peut être un nom indien difficile à prononcer. Si jamais on veut le retrouver, ça aiderait beaucoup que tu t'en souviennes. Penses-y ben, peut-être que quelque chose va te revenir. Si jamais tu crois te souvenir, dis-le moi. Promis?

— Promis!

Deux jours plus tard, Élisabeth alla trouver Omer.

— J'ai pensé à quelque chose, dit-elle, qui nous avait fait rire. Une fois, il a parlé d'une place qui se termine par «chie». J'avais mal compris et je me suis mise à rire. Il a demandé: «Qu'est-ce qui te fait rire?» J'ai dit: «Ce que tu viens de dire. Ce mot qui se termine par "chie".» Il m'a traité de folle et a dit que c'était le nom d'une place, mais je ne m'en souviens plus.

— Weymontachie? questionna Omer.

— Ah, oui! Je pense que c'est ça!

— Très bien! s'exclama Omer. Là, au moins, on sait où il peut être allé.

Chapitre 37

Des visiteurs bienvenus
et malvenus

Moins de deux semaines après son retour, Manuel vit arriver avec tout son bataclan nul autre que Charles Gariépy. Comme il l'avait dit, il montait se bâtir un campe du côté de Roberval avant le printemps, afin de pouvoir y emménager dès la fin de la débâcle. Le bonhomme, haut en couleurs, raconta son passé avec verve, ce qui fascina Omer.

— Comme ça, te v'là marié ! fit Manuel.

— Tu peux l'dire, sacréfice, et bien marié à part ça ! Mets ça dans ta pipe.

— Ta femme vient d'où ?

— D'une p'tite paroisse de par en bas du fleuve, Mont-Carmel que ça s'appelle.

— Veux-tu bien m'dire comment ça se fait que t'es allé la dénicher si loin ?

— C'est ben simple ! Elle a d'la parenté à la Baie, rapport à sa mère. Ils sont venus au temps des fêtes, l'an passé. J'l'ai rencontrée dans une veillée. Elle avait bu un p'tit verre, pis moé itou, ç'a été plus facile : on voyait plus trop ben, tout l'monde se trouvait beau !

Pour appuyer ses dires, le bonhomme multipliait les clins d'œil tout en sautillant sur sa chaise. Il parlait, pipe au bec, d'un ton enjoué.

— Pis toé, mon Manuel, t'as pas fait pareil pour marier la tienne ? Me semble qu'elle venait pas de Baie-Saint-Paul ?

— Fabienne, elle vient de Dorchester.

— C'est pas à la porte ! Coudon, comment tu l'as rencontrée ?

— Elle est venue en visite chez un de ses oncles à Baie-Saint-Paul. Je l'ai trouvée de mon goût. Je lui ai fait ma cour et ç'a marché.

Manuel baissa le ton avant d'ajouter :

— Quand on est jeune, on est loin de penser à ce que ça sera vingt-cinq ans plus tard. Mais pour en revenir à ce que je disais : t'as fait ça vite !

— Quoi donc ?

— Pour te marier.

— Me marier ? Pas si vite que ça. J'ai ben sûr profité du jour de l'An pour l'embrasser devant tout l'monde et son père, puis, en cachette par après, devant personne que nous deux. On a trouvé ça ben bon, surtout en cachette ! Tu d'vrais essayer ça, mon garçon, conseilla-t-il à Omer qui venait de se joindre à eux. On l'dira pas à ton père.

— Quoi donc ?

— Embrasser les filles en cachette.

Omer rougit pendant que les deux autres se moquaient de lui.

— Songes-tu à te marier ? questionna le bonhomme.

— Bien sûr ! répondit Omer. Mais les filles sont rares par icite.

— Aurélie, c'est le nom d'ma femme, a des sœurs plus jeunes. Y en aurait ben manque une pour toé.

— À Baie-Saint-Paul ?

— Ben non ! À Mont-Carmel.

— C'est ben trop loin, protesta Omer.

— À qui l'dis-tu ! Mont-Carmel à partir d'icite, c'est l'autre bout du monde. Mais ça vaut la peine quand tu peux y trouver une créature comme la mienne.

Le bonhomme se tut un moment, le temps de secouer sa pipe. Il se moucha du revers de sa manche et poursuivit :

— Toujours qu'au printemps dernier, comme j'vous disais, me v'là en route pour Mont-Carmel. Quand Aurélie, qui m'attendait pas, m'a vu r'soudre comme ça de si loin, elle était prête dré là. On n'a pas fafiné longtemps. Ses parents ont vu que j'étais un beau parti pour leur fille, y ont accepté tout suite.

Le bonhomme retira sa pipe de sa bouche pour lancer un jet de salive brunâtre dans le crachoir. Il sortit sa blague à tabac et, d'un doigt expert, en retira juste le nécessaire pour bourrer son brûle-gueule. Avant de l'allumer, il poursuivit son récit avec la même verve.

— Créyez-moé, créyez-moé pas, on s'est marié le lendemain d'mon arrivée à Mont-Carmel. Les noces ont pas été ben longues, mais on a dansé tout notre saoul. J'vous dis qu'mon Aurélie a le diable au corps, ses jupes r'troussaient et ça y allait par là : un set carré attendait pas l'autre.

— Es-tu resté longtemps à Mont-Carmel ?

— Deux jours en toute et pour toute. Le lendemain des noces, en calèche s'il vous plaît, on r'venait à Montmagny pis en bateau à Baie-Saint-Paul.

— Vas-tu monter par icite avec elle betôt ?

— C'est ben c'que j'souhaite si j'ai l'temps de bâtir mon campe avant l'printemps !

Le bonhomme s'empara d'une éclisse, l'enflamma au feu du poêle et alluma sa pipe. Manuel en profita pour lui demander :

— T'aurais pas une créature à me suggérer pour mon Omer, à part les sœurs de ta femme ?

— Ben crère que oui ! Y en a ben manque à la Baie qui d'manderaient pas mieux.

À l'évocation de son prénom, Omer sortit du long rêve éveillé dans lequel la conversation l'avait plongé.

— Comment l'aimerais-tu, ta future, mon garçon ? demanda le bonhomme Gariépy avec un clin d'œil à Manuel.

Interloqué, Omer ne sut quoi répondre.

— J'en ai des brunes, des blondes, des rousses, des grosses, des maigres, des courtes, des grandes, de toutes les couleurs pis pas chères à part ça ! parodia le bonhomme, comme s'il avait été au marché.

Ses mimiques déridèrent toute la maisonnée. Même Fabienne qui, cessant ses bouderies, était venue les rejoindre, esquissa un sourire. Omer finit par déclarer :

— Je veux ma future ni trop grande ni trop petite, mais souriante, vaillante et gaie.

— T'en d'mandes pas mal pour un jeune de ton âge, rétorqua le bonhomme, mais j'en verrais seulement une de même. J'peux pas t'la présenter : c'est ma femme.

Les rires repartirent de plus belle. Il y avait longtemps qu'on n'avait pas ri comme ça chez les Grenon. On aurait dit qu'ils s'étaient retenus depuis des mois uniquement pour ce soir-là. Encouragé, le bonhomme continua un long moment ses histoires. Longtemps après son passage, on en parlait encore.

Quelques jours plus tard, un autre visiteur s'arrêta chez les Grenon : Benoche, le quêteux de Saint-Jérôme. Puisqu'il n'y avait pas meilleur conteur que lui dans toute la région, Manuel profita de son passage pour le faire parler. Pour distraire Élisabeth, il envoya Léopold la chercher au Poste.

— Maintenant que t'es là, lui dit Manuel à la blague, tu vas nous déballer tes meilleures menteries.

Encouragé, le bonhomme parla des premiers temps à la Grande-Baie, puis à Saint-Jérôme. Plusieurs noms d'anciens défilaient dans ses récits. Les Grenon, qui comptaient dans leurs aïeux l'Hercule du Nord, le plus célèbre homme fort de son époque, s'intéressèrent très vivement à ce que Benoche racontait de Protais Villeneuve, qu'on surnommait «Bouscot».

—Je l'ai bien connu, commença-t-il. Ma femme était parente avec lui par sa défunte mère. C'était un cousin de la fesse gauche, assura-t-il le plus sérieusement du monde. Il était fort comme un bœuf. Il prenait un quart de lard à bout de bras pis le montait d'un seul coup sur son épaule, il déplaçait des blocs de rocher qu'on aurait même pas cru pouvoir faire bouger. Une fois, à lui tout seul, il a sorti d'une goélette une trentaine de quarts de lard, qu'en temps ordinaire deux hommes parvenaient de peine et de misère à déplacer.

Léopold écoutait avec attention le récit de ces exploits qui lui rappelaient ceux de son arrière-grand-père paternel. Benoche continuait ses histoires extraordinaires, parfois à la limite du vraisemblable. On l'écoutait, un peu perplexe, mais avec cent fois plus d'attention que le curé dans ses sermons. Après avoir fait l'éloge de presque tous les hommes forts du Saguenay, il raconta un fait si extraordinaire que tous en restèrent bouleversés.

—C'était il y a une bonne vingtaine d'années, au moment où les chantiers commençaient dans tout le Saguenay. Les *foremen* engageaient du monde d'un peu partout. Arrive un groupe de la Mauricie, des hommes tous aussi capables les uns que les autres. L'un d'entre eux avait développé beaucoup d'habileté à grimper aux arbres. Bas sur pattes, mais assez costaud quand même, on aurait dit un chat. On l'utilisait surtout pour étêter les sapins et les épinettes. On l'avait surnommé le lynx. Il ne parlait pas beaucoup, fumait sa pipe dans son coin sans déranger personne.

Après avoir repris son souffle et s'être épongé le front du revers de la main, Benoche poursuivit.

— Toujours est-il que notre homme travailla ainsi une bonne dizaine d'années dans les chantiers du Bas et du Haut-Saguenay. Un beau jour, alors qu'il grimpait dans un arbre, une branche céda soudainement. Malgré tous ses efforts pour s'agripper, il tomba d'une bonne trentaine de pieds et se brisa la hanche. On le ramena sans connaissance au campe. On fit venir un docteur. En l'examinant, il découvrit que l'homme en question était en réalité une femme qui avait quitté son mari depuis nombre d'années sans jamais donner de ses nouvelles à personne. On l'avait recherché un peu partout au Saint-Maurice et ailleurs, sans résultat. Personne s'était douté de quoi que ce soit tant elle avait l'air d'un homme. Malgré son bon travail, elle perdit sa job, mais son aventure fit longtemps jaser ceux qui l'avaient connue...

Toutes sortes d'individus passaient au Poste en ce début de printemps. De nombreux Indiens, venus des hautes terres du Saint-Maurice comme de la Côte-Nord, y apportaient leurs fourrures. Il y avait déjà quelques semaines qu'Élisabeth vivait là, sous la protection de Délina.

Un après-midi, vers les trois heures, alors qu'elle allait chercher Benjamin qui s'était endormi peu de temps après le dîner, elle eut un choc en trouvant son ber vide. Affolée, elle courut prévenir Délina. Toutes deux firent en quelques minutes le tour des maisons du Poste. Puis, n'ayant toujours pas trouvé l'enfant, Élisabeth traversa chez ses parents pour prévenir son père, Omer et Léopold.

— Quoi ? Qu'est-ce que tu dis ? Benjamin a disparu ? C'est impossible !

— Il n'était plus dans son ber ! hurla Élisabeth. Faites quelque chose !

Les hommes traversèrent au Poste avec elle. Ils procédèrent à une fouille systématique qui les mena à la conclusion que l'enfant avait bel et bien disparu.

— Cet enfant s'est pas envolé tout seul. Il n'y a qu'une explication, dit Manuel. Il a été enlevé.

Il se rendit dans la chambre où le bébé avait dormi avant sa disparition. Il examina le plancher, fouilla dans tous les coins sans détecter quoi que ce soit d'anormal. Il alla dehors, tourna autour de la bâtisse, chercha des traces sur le sol, mais tellement de pistes s'y croisaient que ses recherches n'aboutirent à rien.

De son côté, se sentant coupable d'avoir attiré Élisabeth au Poste sous prétexte de la distraire, Délina se reprochait du nouveau malheur qui affligeait sa protégée. C'était la consternation chez les Grenon. Manuel ne savait que dire ni que faire. Toujours cantonnée dans ses idées étroites, Fabienne disait à qui voulait l'entendre que sa fille avait eu ce qu'elle méritait.

— Elle a fait un enfant dans le péché, Dieu l'a punie.

∽

Omer se morfondait de voir Élisabeth aussi malheureuse et il ne supportait pas de rester passivement à attendre que le bébé réapparaisse. Il décida de tenter quelque chose dès que le temps lui permettrait de voyager.

— Si Benjamin a été enlevé, déclara-t-il, je le retrouverai.

Il dit à son père :

— Je pars pour le Saint-Maurice.

— T'es vraiment décidé ? s'enquit Manuel.

— Je pars pour quelques mois. Je m'en vas retrouver Charlabin. Je suis sûr et certain qu'il a de quoi à voir avec la disparition de son fils. Des dizaines de Sauvages sont passés par le Poste le jour de l'enlèvement. L'un d'eux l'aura pris pour l'emmener à Charlabin. Inquiétez-vous pas, l'père, je saurai bien revenir avec des nouvelles de Benjamin et, qui sait, p't'être ben aussi avec ma future femme !

Quelques jours plus tard, il quittait Métabetchouan en canot, accompagné de deux Montagnais qui s'en allaient à Weymontachie. Le soleil illuminait le lac, y projetant l'ombre des sapins et des épinettes. À part les chants des oiseaux dont la forêt était pleine, seul le bruit des avirons trouant l'eau venait troubler la quiétude du moment. Longtemps, Manuel et les siens fixèrent le lac sur lequel rapetissait rapidement le canot qui emmenait les voyageurs.

— C'est l'année des voyages, fit remarquer Fabienne sur un ton de reproche.

— Pourquoi pas? dit Manuel, il faut bien aller voir la parenté de temps en temps.

— Et moi? répliqua-t-elle. Je n'en ai pas, de parenté?

Manuel ignora l'allusion et dit seulement:

— Avec ton asthme, tu ne te rendrais même pas à Saint-Jérôme.

— C't'idée, reprit-elle, de nous avoir amenés...

Manuel lui lança un regard tellement courroucé qu'elle n'osa pas terminer sa phrase.

TROISIÈME PARTIE

DÉLIVRANCE

Chapitre 38

Enfin, une bonne nouvelle

Un beau matin du mois de mai 1869, sur le lac dont l'eau bleue clapotait à peine, Georges-Aimé Dufour apparut, aussi excité que d'habitude. Il apportait des lettres au Poste.

— Y en a une intéressante pour les Grenon, prévint-il.

— T'as remarqué ça! se moqua Délina. Y a pas grand-chose qui t'échappe…

— Quand vous verrez d'où c'est qu'elle vient, c'te lettre-là, madame Boily, dit-il d'un ton solennel, vous trouverez ça moins drôle.

— Tu m'en diras tant!

— En tout cas, à votre place je m'en préoccuperais, continua-t-il.

— De qui? De quoi? fit innocemment Délina.

— De la lettre!

— Voyons donc! Je m'intéresse à celles qui me sont destinées, pas à celles des autres.

— Même quand elles viennent de Rome?

— Ah! Parce que c'est une lettre du pape?

Délina pouffa de rire et le postillon devint impatient.

— Vous me croyez pas? Eh ben! Voyez vous-même!

Il fouilla dans le paquet, en sortit une enveloppe qu'il mit sans ménagement sous le nez de la servante.

— Qui vous dit qu'elle vient de Rome ou d'ailleurs? questionna-t-elle.

— Le cachet! grogna-t-il avec mépris, en fronçant les sourcils.

— Le cachet?

Délina examina la lettre de plus près, en la retournant dans tous les sens.

— Le cachet peut bien être de l'évêché, concéda-t-elle.

— C'est une lettre importante en tous les cas, ajouta le postillon. Si j'étais vous, je m'en préoccuperais.

— De quelle façon?

— En la lisant, c't'affaire!

— La lire? Comment? Il faudrait commencer par l'ouvrir.

— Justement, je connais un moyen.

— Si quelqu'un en faisait sauter le sceau, fit-elle remarquer, ça paraîtrait, pis c'est pas très honnête d'agir ainsi. Dire que ces bouts de papier peuvent contenir parfois de grands bonheurs et d'autres fois de grands malheurs… Espérons que c'en sera une bonne pour Élisabeth. Pauvre petite, elle a bien besoin de recevoir des nouvelles agréables par les temps qui courent. Elle se traîne comme une âme en peine.

— J'pourrais refaire le sceau, assura le postillon.

— De quelle façon ? s'enquit Délina.

— En fabriquant un moule, après tout les Grenon ne connaissent pas ce sceau plus que nous. Avez-vous de la cire ou de la glaise ?

— De la cire, oui ! De la glaise, j'en doute !

— Du plâtre, alors ?

— Il doit ben y en avoir quelque part, j'vais chercher…

Délina ne mit guère de temps à trouver ce que le postillon lui demandait. Georges-Aimé fit fondre de la cire, l'appliqua sur le sceau de la lettre et la laissa durcir quelques secondes, puis, avec mille précautions, la détacha de l'enveloppe. À l'évidence, ce n'était pas la première fois qu'il se livrait à une telle opération. À l'aide de plâtre coulé dans cette empreinte de cire, il reconstitua à s'y méprendre le sceau original. Assuré de pouvoir sceller de nouveau l'enveloppe sans problème, il s'apprêtait à en faire sauter le cachet lorsque Délina, qui avait suivi l'opération avec beaucoup d'intérêt, s'empara de la missive et enguirlanda le postier :

— Je sais maintenant, Georges-Aimé Dufour, comment tu es informé de toutes les nouvelles avant tout le monde ! T'es rien qu'un maudit malhonnête à qui il faut pas faire confiance. Que j'apprenne jamais que t'as lu une seule lettre qui m'était destinée…

Sans demander son reste, le postier battit en retraite.

Délina glissa la lettre dans son tablier. Elle savait de toute façon que c'était elle que les Grenon appelleraient pour la leur lire. La seule chose qui l'inquiétait, c'était de savoir si les nouvelles seraient bonnes ou mauvaises pour Élisabeth. Elle traversa aussitôt chez les Grenon pour leur porter la lettre.

— D'après le sceau, Georges-Aimé prétend que ça vient de Rome, dit-elle.

Fabienne s'empara de l'enveloppe et en fit sauter le sceau, mais comme elle ne savait pas lire, elle la tendit à Délina.

— Lis-nous-la tout de suite ! insista-t-elle.

Délina regarda immédiatement la signature.

— Ça vient pas de Rome, c'est rien qu'une lettre du curé Tremblay, annonça-t-elle.

Elle en lut rapidement les premières lignes.

— Il donne cependant des nouvelles de Rome. Voyons voir ce qu'il écrit. Le mariage est bon ! C'est écrit ! lança-t-elle soudain en souriant de toutes ses dents.

Se ravisant, parce qu'elle craignait la réaction de Fabienne, elle lut la lettre à haute voix pour vérifier si elle ne faisait pas erreur.

— C'est bien écrit : « valide ».

Fabienne, atterrée, avait le visage long comme celui d'une morte, tandis qu'Élisabeth, à qui la nouvelle redonnait vie, insistait pour qu'on aille prévenir Charlabin.

— Quand il saura que le mariage est bon, il reviendra avec Benjamin.

— Si l'enfant est avec lui, fit remarquer Fabienne.

— Avec qui voulez-vous qu'il soit ? hurla Élisabeth.

— On les retrouvera jamais, rétorqua méchamment sa mère.

— C'est vous qui le dites, s'indigna Élisabeth. Tout ce que vous cherchez à faire, c'est de semer le trouble. Votre méchanceté finira par vous étouffer. J'en ai assez entendu.

Elle se tourna vers Délina :

— J'retourne avec vous au Poste.

Au moment où elles y entraient, le commis arrivait, plus saoul que jamais.

Délina lui reprocha :

— La boisson vous perdra, John Forrest !

— Ça te regarde ?

— Oui ! Parce que ça me fend le cœur de voir un homme capable comme vous devenir esclave d'une bouteille.

Délina regardait Forrest avachi sur un banc en bois, le regard vitreux, les cheveux ébouriffés. Elle ne supportait pas de le voir dans cet état.

— C'est-y Dieu possible de se mettre dans la misère de même ! Sans compter que c'est plus vivable au Poste depuis que vous vous conduisez comme une bête.

Forrest ne répondit pas, il avait l'air de se demander où il pouvait bien se trouver. Soudain, il tomba, roula sous son banc et ne bougea plus.

— Bon débarras ! se réjouit Délina.

— Il dort ? questionna Élisabeth.

— Il cuve sa boisson, chère, c'est pas pareil ! Peux-tu croire qu'un homme puisse changer de même rien qu'en buvant? Quand il est à jeun, y est correct, mais quand il est saoul, y vaut guère mieux qu'un cochon. Tu vois, y s'rait tombé dans la vase qu'il y s'rait resté. S'il continue de même, qu'allons-nous devenir?

— Il faudrait trouver sa cachette, proposa Élisabeth, pis faire disparaître sa boisson.

Délina s'affola:

— Pauvre enfant, que dis-tu là? Si jamais il t'entendait, nous serions pas mieux que mortes.

— C'est le Métis qui l'approvisionne, il faudrait l'arrêter.

— C'te grosse brute? Te vois-tu lui interdire d'apporter d'la boisson? Il en serait insulté pour la vie.

— J'aimerais pas tomber entre ses pattes, dit-elle d'un air dégoûté.

— T'as bien raison, chère!

Les deux femmes, considérant cette conversation close, reprirent leur besogne. La bonne nouvelle apprise quelques minutes plus tôt avait eu au moins l'effet d'un baume sur les plaies d'Élisabeth. Mais ce remède ne dura guère. La peine qui l'habitait depuis le départ de Charlabin, et depuis aggravée par la disparition de Benjamin, refit bien vite son chemin dans son cœur.

Chapitre 39

Nouvelles inquiétantes
et belle surprise

Les jours passaient sans nouvelles d'Omer. Pourtant, un soir, un jeune Montagnais porteur d'un paquet frappa chez les Grenon. Les coups secs au chambranle firent sursauter Manuel qui, pipe aux lèvres, s'était assoupi dans sa chaise berçante. L'Indien n'entra pas, il déposa seulement son paquet sur le seuil. Manuel n'eut que le temps de le voir disparaître dans le noir.

—J'aurais ben voulu lui donner de quoi pour sa peine…

—Laissez faire, lui dit Léopold, depuis le temps que vous travaillez pour eux autres.

— Quel travail?

—Les fosses, c't'affaire! Combien ça fait de fois qu'ils viennent sans prévenir déposer leurs morts devant la porte? Vous les enterrez sans vous faire payer, comme si ça leur était dû. Quand je pense qu'ils s'imaginent qu'enterrer un mort porte malheur! Si tout le monde agissait comme eux autres, y aurait des morts à traîne partout.

— T'as ben raison ! approuva Manuel.

Machinalement, il fit sauter le cachet de la lettre qui accompagnait le paquet, mais ne put en lire un traître mot.

— Nous irons demander à Délina demain, dit-il songeur.

Témoin de la scène, Élisabeth interrogea aussitôt :

— Qu'est-ce qu'il y a dans le paquet ?

Manuel l'ouvrit.

— Ce sont de vieilles hardes, dit-il. Pourquoi on nous les apporte ?

Fabienne vint s'informer :

— Qu'est-ce qui se passe ?

— Un Sauvage a apporté des effets, dit Manuel. Y a une lettre avec.

Fabienne soupira :

— Quand est-ce que quelqu'un de nous autres va apprendre à lire ?

Manuel dit :

— Léopold, va chercher Délina au Poste drette-là !

Sitôt traversée, la servante courut de la rive jusqu'au campe en se demandant si un malheur était arrivé. Manuel lui tendit la lettre :

— On veut savoir ce qui est écrit.

Délina lut à haute voix :

Bonjour toute la famille !

Je vous retourne par un Montagnais des effets qui ont appartenu à un homme qui s'est noyé à la fin de l'hiver dans la rivière Saint-Maurice. Il faudrait savoir si ces hardes appartenaient à Charlabin.

Les Montagnais ne connaissaient pas ce noyé. Ils ont retrouvé un corps et l'ont fait enterrer dans leur cimetière. Ils ont gardé ses nippes au cas où quelqu'un les réclamerait. Quand je leur ai décrit Charlabin, ils m'ont remis ce paquet. Je ne sais pas si c'était à lui.

Élisabeth poussa un long soupir de soulagement:
—Non! C'est pas à Charlabin.
Délina poursuivit sa lecture:

Je vais bien. Quand vous recevrez cette lettre, je serai déjà loin de Manouan, mais plus près de vous dans Charlevoix. Vous me manquez beaucoup. J'ai bien hâte de vous revoir.

Omer

P. S.: C'est Émile Nantais de Trois-Rivières qui a écrit cette lettre pour moi.

Délina plia le bout de papier et le glissa dans son tablier. Manuel dit à Élisabeth:
—T'es bien sûre que c'est pas les hardes de Charlabin?
—Sûre et certaine!
—Tu vois, si c'avait été les siennes, t'aurais été enfin délivrée de milliers de jours d'inquiétude. Il faut espérer maintenant que Charlabin donne de ses nouvelles parce qu'autrement tu vas te morfondre à l'attendre et tu referas jamais ta vie. J'veux pas te faire de peine, ma fille, mais il a tellement le bois dans le sang

que tu risques de l'attendre longtemps. Souhaitons qu'il ait assez de cœur pour revenir.

Élisabeth, des larmes plein les yeux dit:

— Il sait même pas que Benjamin a disparu...

— Il le saurait déjà s'il nous avait laissé un endroit où le rejoindre, mais y a pas jugé bon de le faire, ce qui est pas très bon signe. Tâche de l'oublier un peu, sinon tu n'as pas fini de te ronger les sangs.

— Comment voulez-vous que je l'oublie, p'pa? C'est mon mari, après tout!

— Il va falloir trouver quelque chose pour te changer les idées. Je crois savoir ce que ça pourrait être. Peut-être qu'un changement d'air pour un bout de temps te ferait du bien. Ça te permettrait d'oublier tes malheurs, pis t'aurais au moins d'autres choses à penser.

Omer revint deux semaines à peine après que sa lettre fut parvenue à Métabetchouan. Il n'était pas seul, Bellone l'accompagnait. Manuel reçut son ami à bras ouverts. Omer l'avait décidé à venir vivre à Métabetchouan. Il venait enfin construire sa maison sur son lot. Manuel et lui en avaient long à se dire, tout comme Omer, qui ne manqua pas de raconter son périple en long et en large. Après ces moment d'effusion, comme si la mémoire lui revenait soudainement, Omer dit:

— J'ai pas apporté de cadeau, mais j'ai quelque chose pour vous, p'pa.

Il tira une lettre de son havresac.

— Elle était au bureau de poste à Baie-Saint-Paul depuis une bonne secousse.

Manuel se dépêcha de demander qu'on aille chercher Délina pour la lire. Comme elle le faisait toujours avec plaisir, la servante traversa aussitôt. Dès qu'elle eut fait sauter le cachet, elle lut rapidement les premières lignes avant de dire :

— C'est une lettre d'il y a quatre mois passés. Elle vient de Drummond.

— Sans doute des mauvaises nouvelles, dit Manuel. Y m'semble pourtant que je leur ai fait savoir depuis longtemps qu'on est à Métabetchouan.

— Faut croire qu'ils l'ont oublié, laissa entendre Délina.

Elle avait jeté un coup d'œil au bas de la missive. Elle les informa :

— C'est signé Élise.

— Ma sœur aînée, dit Manuel, à l'intention de Bellone.

Délina commença sa lecture.

Drummond, 20 février 1869

Cher Emmanuel,

Cette lettre te causera sans doute de la peine mais aussi un grand soulagement. Le mois de février ne nous est guère favorable. Tu te souviendras que notre père et notre mère sont morts durant ce mois-là. Il faut maintenant ajouter à leurs noms celui de notre chère tante Marie-Josephte. Depuis quelques années, elle vivait chez sa fille Amanda.

Tu sais peut-être qu'il y a deux ans, elle a paralysé du côté droit. Amanda s'en est très bien occupée. Il y a quelques jours, notre tante est allée au plus mal. Le médecin n'a rien pu faire pour la garder parmi nous. Ils ont mis le corps au charnier. Elle va reposer au cimetière à côté de notre grand-mère et de notre tante Dorothée, morte il y a bien cinq ans maintenant. Elle avait quatre-vingt-deux ans.

Comme tu ne nous donnes pas de tes nouvelles et que tu n'as pas répondu à la lettre que je t'ai envoyée dans le temps pour annoncer le décès de notre tante Dorothée, nous avons pensé que tu avais fait une croix sur nous, tes frères et tes sœurs. Tu pourrais faire écrire de temps à autre ou encore venir faire un tour pour nous voir, parce que, et c'est là l'autre nouvelle importante que je voulais t'apprendre, tu n'as plus rien à craindre de venir à Drummond. Jimmy Sanders a péri noyé au début de l'hiver en tentant de traverser sur la rivière à peine gelée. La glace a cédé sous lui et la rivière l'a emporté. Personne ici ne s'est plaint de sa disparition.

Voilà les nouvelles que je te donne dès à présent. Si tu veux en savoir plus de nous, viens nous voir. Nous serons heureux de te recevoir avec ta femme et peut-être l'un ou l'autre de nos neveux et nièces.

Ta sœur Élise

P. S. : Fais-nous savoir ton adresse si celle-ci n'est pas la bonne.

Après cette lecture, Manuel resta songeur. Il finit par dire :

—J'ai été vraiment négligent. C'est comme si j'avais oublié que j'ai des frères et des sœurs. Il faudra bien que je trouve un jour le temps d'aller les visiter.

∽

L'arrivée de Bellone et le retour d'Omer avaient comblé Manuel, mais Fabienne, éternelle pessimiste, en profita pour faire des reproches à son mari.

— Bellone est pas mal plus intelligent que toi !

— Ah, oui ? Pourquoi dis-tu ça ?

— Lui, au moins, il sait par où commencer.

— Explique-toi.

— Il construit d'abord sa maison avant de faire venir sa famille.

Mis dans son tort, Manuel ne sut que répondre. Fabienne s'enhardit :

— Où est-elle, la maison que tu avais promis de nous bâtir ? Métabetchouan, ça devait être le paradis, moi j'appelle plutôt ça l'enfer ! Nous vivons depuis quatre ans dans un campe. Où elle est, ta Terre promise ?

Pourtant habitué depuis tant d'années aux lamentations de sa femme, cette fois Manuel se tut. Forte de ce silence, Fabienne se mit à parler d'un seul trait, les mots jaillissaient d'elle comme d'une fontaine. Il y avait dans ses propos, entrecoupés de longs soupirs, l'amour des enfants, la peine de l'éloignement, la souffrance de la solitude. Elle évoquait les jours passés, embellis des moindres détails, et son bonheur perdu. Elle avait tout retenu en elle depuis si longtemps et tout à coup, comme si une digue avait cédé, son trop-plein de misère se répandait, jaillissant de toutes parts en même temps que ses larmes. Il n'y avait pas de haine dans ses propos ; elle n'était plus qu'abnégation, soumission, acceptation. Toute sa vie se résumait en ces mots.

Manuel l'écoutait, complètement abasourdi. Il n'avait jamais soupçonné l'existence de tant de sentiments cachés chez Fabienne. Il demeurait là, pensif, incrédule, sans aucune idée des mots à dire en pareilles circonstances. Longtemps, il resta plongé dans ses pensées. Puis l'orage finit par passer, comme il passait toujours. Il profita de l'accalmie pour déguerpir. Il avait besoin d'alléger son cœur. Il marcha un moment au bord de la Métabetchouan, en songeant à tous les espoirs qu'avait suscités en lui, quatre années auparavant, leur déménagement. En réalité, c'était tout le contraire qui s'était produit. Qu'avait-il apporté à sa famille ? Anxieusement, Omer cherchait la compagne de sa vie. Élisabeth, enfermée dans sa peine, traînait dans le campe sans trouver de consolation nulle part. Geneviève, placée en apprentissage à Chicoutimi, ne revenait que deux semaines par année. Léopold, à l'image de Charlabin, ne trouvait d'intérêt que pour la chasse et la pêche tandis que Fabienne se mourait d'ennui.

Il décida, pour se changer les idées, de passer au Poste saluer Délina, qui en profita pour lui offrir le thé.

— Allez-vous construire bientôt une vraie maison, monsieur Grenon ? Il me semble que ça fait ben assez longtemps que vous êtes par icite pour mieux vous loger.

—Justement! L'arrivée de Bellone m'a convaincu, je m'apprête à bâtir ma maison.

—Elle sera grande et belle, j'espère!

—Pour ça, oui! Y a tellement longtemps que je la vois dans ma tête.

—Ça sera pas de trop. Il me semble que votre famille en mérite une.

—J'te promets qu'elle va en avoir une et j'te promets aussi que j'm'y mets pas plus tard que demain matin.

Quand il revint au campe, sa décision était prise.

—Tu la veux, ta maison? lança-t-il à Fabienne. Eh bien, tu vas l'avoir!

Manuel joignit ses efforts à ceux d'Omer et de Bellone, et les deux maisons furent érigées en même temps. Dès le mois de juin, elles se dressaient fièrement sur les bords de la Métabetchouan. Encouragé, Manuel se mit ensuite à des tâches qu'il avait toujours repoussées. Il creusa un caveau à légumes, transforma le campe en écurie, et aux animaux qu'il possédait déjà, il ajouta deux vaches, cinq moutons et trois cochons. Il finit par faire de Fabienne, en apparence du moins, la plus satisfaite des épouses.

Délina suivait de loin toutes ces grandes manœuvres avec le plus vif intérêt. Elle remarqua cependant qu'Élisabeth, tel un oiseau blessé, dépérissait à vue d'œil dans ce nouveau nid. Pour lui venir en aide, elle proposa aux Grenon de la prendre de nouveau avec elle quelques semaines au Poste.

Chapitre 40

Les choses se corsent

Les remontrances de Délina ne servaient à rien : John Forrest buvait plus que jamais. Le Métis continuait de l'approvisionner en alcool sans que la servante ne puisse découvrir où il se le procurait. Chaque fois qu'elle y faisait allusion, il haussait les épaules et lui lançait un regard niais.

De son côté, madame Forrest hurlait sans raison apparente au fin fond de ses appartements ou bien chantonnait durant tout le jour, indifférente à son entourage. Ces jours-là, elle vivait innocente et heureuse, perdue dans un rêve continu, à mille lieues de la réalité quotidienne. Le commis semblait l'avoir oubliée depuis longtemps, comme un objet qu'on a remisé quelque part sans se souvenir où on l'a placé.

L'arrivée du printemps, comme chaque année, avait marqué un regain d'activité au Poste. Les trappeurs s'y étaient succédé, rapportant des ballots de peaux de castor, de martre, de vison et de loutre. Forcé de travailler et de demeurer à jeun, Forrest s'était montré plutôt affable. Délina remarqua toutefois qu'il s'intéressait de trop près à Élisabeth. Il lui parlait souvent, lui laissant sous-entendre qu'il remplacerait fort bien Charlabin auprès d'elle. Tant qu'il s'en tint aux paroles, Élisabeth le laissa dire, mais un soir qu'il avait bu, il la suivit jusque dans sa chambre. Quand il voulut la caresser, elle se rebiffa :

— Ne me touchez pas ! Je suis mariée.

— T'es encore ben jeune. Pendant que ton mari couraille, tu devrais prendre du bon temps. Pis moé, j'peux t'en donner.

Il s'approcha d'elle et tenta de l'attirer contre lui.

— Je n'ai pas besoin de ça ! gronda Élisabeth en le repoussant.

Le commis changea de ton :

— *Goddam* ! Crois-tu que je vas te garder encore longtemps à rien faire ? Il faut que tu serves à quelque chose.

— J'aide madame Boily, pis j'aide votre femme !

— J'ai pas besoin de vous deux. Une devra partir.

— Nous nous en irons toutes les deux, menaça-t-elle.

— Pour aller où ? se moqua Forrest. Chez tes parents ? Tu resteras pas là toute ta vie.

— J'ai des oncles et des tantes à Baie-Saint-Paul.

— Prépare-toi à aller les retrouver. Si tu refuses de m'aimer, *scram* ! J'veux plus te voir.

— Vous aimer ? Est-ce que vous le méritez, seulement ?

— S'il y a quelqu'un qui le mérite, c'est ben moé !

— Charlabin vit toujours, reprit-elle vivement, la voix chargée d'émotion. Tant qu'on m'aura pas rapporté son corps, je me ferai pas à l'idée qu'il est mort ou qu'il m'a abandonnée.

Comme s'il n'avait pas écouté un mot de ce qu'Élisabeth venait de dire, le commis proposa :

— On pourrait se marier, nous deux.

— Se marier ? Mais vous l'êtes déjà et pis moi aussi !

Élisabeth rageait. Elle désirait se débarrasser de cet ivrogne au plus tôt.

— Pense à moi, susurra le commis. Si tu veux, on va se marier.

Élisabeth se tut. Elle se remémorait les propos de Délina : « C'est quand il se fait tout doux, celui-là, qu'il faut s'en méfier le plus. »

Elle réagit :

— Je vous aime pas et je vous aimerai jamais, allez-vous-en !

— Tu me donnes des ordres dans ma maison ?

Le commis la regardait avec des yeux chargés de concupiscence.

— J'te veux, *Goddam* ! Et j't'aurai !

Élisabeth prit son air le plus menaçant.

— Approchez pas !

— On va toujours ben voir, grogna le commis.

Il la saisit par un bras et l'attira violemment à lui en tentant de l'embrasser. Elle se débattit de toutes ses forces en hurlant. Il la serra tellement fort que son cri se transforma en plainte. Mais, comme un animal blessé, elle se défendit avec l'énergie du désespoir et elle réussit à mordre le commis à l'épaule. Fou de rage, d'un vigoureux geste du bras, il l'envoya rouler sur le plancher. Sans hésiter, il bondit sur elle et commença à lui arracher sa robe.

Au même moment, la porte de la chambre s'ouvrit brusquement.

— Lâchez cette enfant ou je tire! dit froidement Délina, un fusil pointé sur le commis.

— *Mind your own business*! clama-t-il comme un possédé qui ne sait plus ce qu'il fait.

— On va voir si ça me regarde pas, promit-elle d'un air résolu. Vous avez encore bu, vous n'êtes qu'un lâche. Allez-vous-en ou je vous abats sur place.

Le commis se releva en grommelant.

— Un jour, tu s'ras à moi, jura-t-il à Élisabeth. Quant à toi, tonna-t-il en désignant Délina, t'es dehors. J'veux pus t'voir icite. Débarrasse!

Quand il fut sorti, Délina se pencha sur Élisabeth qui sanglotait. Elle l'enlaça tendrement en lui disant:

— Pleure plus, chère! Nous allons bientôt sortir de cet enfer. Tu vas venir loger chez moi.

Chapitre 41

Août 1869

La cabane où Délina habitait se dressait à l'arrière de la maison principale du Poste. Elle y avait conduit sa protégée et l'y avait mise en sécurité. Depuis que le commis l'avait agressée, Élisabeth ne cessait de répéter qu'elle voulait retourner chez elle. Puis, dès qu'elle était de retour à la maison, elle demandait de revenir au Poste.

— Il faudrait te faire une idée, rouspétait Fabienne.

Deux semaines plus tard, alors qu'Élisabeth faisait un nouveau séjour au Poste, Délina entendit à l'aube des bruits de pas suivis de cris qui la firent se précipiter vers son fusil. Une fois armée, elle sortit. Le chahut provenait du jardin. Prudemment, elle s'approcha. Chancelant comme un ivrogne, le commis courait après sa femme qui s'esquivait dès qu'il tentait de l'attraper. À l'autre bout du jardin, le Métis lui bloquait le passage. La femme bondissait en hurlant, pendant que le commis la maudissait sans reprendre son souffle.

—Tu perds rien pour attendre, *Goddam*! Cette fois, t'auras ton compte, ma *crazy*!

Les yeux exorbités, madame Forrest fuyait dans toutes les directions comme un animal apeuré. De plus en plus enragé, le commis lui fonçait dessus sans répit, mais sans parvenir à l'attraper. Changeant de tactique, il tenta de l'amadouer:

—Viens! Je vas te donner quelque chose de bon…

Perdue dans son monde, la femme n'entendait rien. Les cheveux collés au visage, la robe à moitié déchirée, elle continuait sa course en respirant de façon saccadée. À un moment où elle passait près de lui, Forrest parvint à la saisir par les cheveux. D'une taloche, il l'envoya choir à quelques pas du Métis. En tombant, elle s'assomma contre une pierre et resta là sans bouger. Le commis s'approcha d'elle et, du bout du pied, la retourna face contre terre. Elle saignait abondamment d'une profonde blessure à la nuque. Il la prit dans ses bras et la transporta au Poste, suivi du Métis qui verrouilla la porte derrière eux. Délina eut beau frapper, ni Forrest ni le Métis ne réapparurent. La servante retourna vers son campe en se demandant si madame Forrest était gravement blessée.

Une heure plus tard, elle entendit des chuchotements du côté du jardin. Voyant qu'Élisabeth dormait profondément, elle sortit se rendre compte de ce qui se passait, et surprit le Métis et Forrest occupés à creuser une fosse.

—Qui est mort? questionna-t-elle.

— Une Montagnaise, répondit Forrest.

— Pourquoi l'enterrez-vous si tôt le matin, sans témoin et au beau milieu du jardin ?

Les deux hommes se regardèrent. Ils mirent du temps à répondre, puis Forrest déclara :

— Elle est morte du typhus, nous craignons la contagion, pis la terre du jardin est plus facile à creuser.

Délina laissa les deux hommes à leur tâche. Elle était maintenant certaine que la morte n'était autre que madame Forrest et que la fosse qu'ils creusaient lui était destinée. Elle résolut d'aller parler à Manuel de ce qui se passait au Poste. Forrest et le Métis, qui continuaient leur sinistre besogne, la virent se diriger vers la rive.

Le Métis se précipita. Il retint la chaloupe où elle s'apprêtait à grimper pour traverser chez les Grenon. La saisissant par un bras, il la traîna sans ménagement jusqu'à une petite cabane servant de remisage, non loin de la Poudrière, et il l'y enferma en bloquant la porte au moyen d'une bûche. Il retourna ensuite vers la fosse. En le voyant revenir, le commis ordonna au Métis :

— Va la chercher !

Le Métis obéit, en esquissant un sourire méchant. En l'attendant, Forrest s'assit sur le tas de terre fraîchement retournée. Il sortit une flasque de sa poche et fit cul sec. Le Métis ne tarda pas à revenir. Il ramenait Élisabeth en la poussant devant lui avec vigueur. En l'apercevant, Forrest lança d'une voix triomphante :

— On peut enfin se marier !

— Que voulez-vous dire ? murmura Élisabeth, inquiète.

— L'empêchement va dormir six pieds sous terre, s'esclaffa-t-il en désignant la fosse. Ça fera du bon engrais pour les carottes.

— Quelqu'un est mort ? questionna Élisabeth.

— *Yes* ! confirma le commis.

— Qui ? fit la jeune femme.

— *My crazy wife* !

— Qui ?

— Ma femme, dit-il en s'esclaffant.

— C'est impossible, elle est en bonne santé.

— Des fois, la santé s'étouffe, soutint le commis, sourire aux lèvres.

Il regardait le Métis d'un air entendu, comme pour chercher son approbation, et il ajouta bêtement en hoquetant :

— Sa santé est morte !

Les deux hommes se mirent à rire en se tapant sur les cuisses.

— Si je comprends bien, reprit Élisabeth qui tentait désespérément de garder son calme, madame Forrest est vraiment morte. Il faut prévenir madame Boily.

— Justement ! reprit le commis. Tu vas aller la rejoindre en attendant que...

Élisabeth pâlit. Elle regarda nerveusement autour d'elle. Le Métis l'attrapa par un bras. Elle se débattit tant qu'elle put, mais le Métis la retenait d'une poigne de fer. Il la traîna sans ménagement devant lui jusqu'au campe où il avait enfermé Délina et l'y poussa à son tour. Quelques instants plus tard, la porte s'entrebâilla et le commis passa la tête par l'ouverture.

— Essayez pas de sortir, prévint-il, on vous surveille. On s'occupera de vous autres plus tard..

Élisabeth, quoique sous le choc, semblait retrouver quelque peu ses moyens. Dès que le commis fut parti, elle tenta de pousser la porte pour l'ouvrir. Quelque chose l'entravait.

— Chut! fit Délina. Écoute!

— Qu'est-ce que c'est?

— Ils enterrent madame Forrest. Nous devons partir d'ici au plus vite, nous en savons trop, nous risquons le même sort.

Indiquant une petite fenêtre sous le toit de la cabane, elle ajouta:

— Ils n'y ont sans doute pas pensé.

Une bûche traînait dans un coin. Délina la fit rouler jusque sous l'ouverture et y grimpa. Après avoir examiné la fenêtre, elle s'empara d'un bout de planche et poussa de toutes ses forces. Rien ne bougeait. Quand elle appuya au milieu, les carreaux cédèrent et les éclats de verre tombèrent à ses pieds.

Elle dit à Élisabeth:

— Crois-tu que tu pourrais passer par là?

— Oui!

— Tu dégageras la porte et nous traverserons chez ton père.

Sans plus attendre, en se contorsionnant et en prenant garde de ne pas se couper, Élisabeth sortit par la fenêtre. Elle enleva la bûche et ouvrit.

— Vite, fuyons ! la pressa Délina. J'aime mieux pas savoir ce qui va arriver quand ton père va apprendre ce qui s'est passé…

Avant de partir, elle replaça le morceau de bois contre la porte.

— Comme ça, dit-elle, ils ne se douteront de rien.

Encore sous le choc de ce qu'elle venait de vivre, hébétée, Élisabeth restait sur place. Délina la pressa :

— Secoue-toi, chère ! Il faut partir !

— Où allons-nous ?

— Chez toi !

Délina la saisit par les épaules, la força à se lever et lui fit prendre la direction du gué. La jeune femme marchait d'un pas hésitant, geignant et répétant sans arrêt :

— Ils ont tué madame Forrest.

— Cesse de t'en faire, lui enjoignit Délina d'une voix ferme. Tu n'es pour rien dans ce qui vient d'arriver.

La servante avait beau dire, Élisabeth continuait à pleurnicher. Délina la poussait doucement mais fermement devant elle, en l'encourageant de son mieux.

— Pleure, chère, si ça te fait du bien, mais avance, ça presse.

Elles étaient parvenues au bord de la rivière, où la chaloupe se trouvait toujours. Elles y montèrent sans tarder. La servante se mit aux rames en surveillant sa protégée. Le soleil venait de se lever. Délina jetait des coups d'œil nerveux du côté du Poste. Pourtant, rien n'y bougeait. Rendue sur l'autre berge, Délina dut secouer de nouveau Élisabeth pour la ramener à la réalité.

— Viens vite, chère !

Élisabeth suivit. Elle pleurait toujours. Les deux femmes empruntèrent le sentier menant au campe des Grenon. Arrivées à portée de voix, elles s'arrêtèrent :

— Hou ! Hou ! fit Délina. Y a quelqu'un ?

Fabienne sortit, mais s'arrêta net en voyant pleurer Élisabeth.

— Je vous ramène votre fille, clama la servante, elle a bien besoin que vous en preniez soin.

Fabienne se retourna pour appeler Manuel. Il parut aussitôt, pipe au bec. Quand il vit sa fille, il sursauta :

— Qu'est-ce qui lui est arrivé ?

— Rien à elle, assura Délina, mais elle est sous le choc.

— De quoi c'est qui se passe, batêche ?

— Le commis et le Métis, murmura la servante. Ils ont tué madame Forrest.

Manuel se raidit :

— Restez pas là, dit-il, entrez.

— Viens, chère, dit Délina en poussant Élisabeth devant elle.

Au moment où elle pénétrait dans le campe en compagnie de sa protégée, elle dit à Fabienne :

— Elle a grand besoin de se reposer.

Élisabeth sanglotait. Délina la guida jusqu'à son lit.

— Couche-toi, chère ! Du repos te fera grand bien.

— Comment c'est arrivé ? interrogea Manuel.

La servante raconta toute l'histoire.

Manuel était blême de rage.

— Les cochons ! gronda-t-il en serrant les poings. Qu'ils ne me tombent jamais entre les mains !

Au même moment, sur l'autre rive, on entendit un coup de feu. Manuel sortit prudemment. Près du gué, Forrest hurlait :

— Ramène ta fille pis ma servante, Grenon, sinon j'vas les chercher !

Le commis était saoul. Il tenait son fusil à bout de bras. Manuel descendit dans la direction de la rivière pour être sûr de se faire bien entendre.

— Ferme-la ! lança-t-il. J'en ai assez de tes menaces, maudit ivrogne ! Traverse seulement icite et tu verras ce qui t'arrivera !

Le commis tira un coup de feu dans la direction de Manuel avant de se traîner péniblement jusqu'au Poste. L'après-midi s'écoula sans qu'il se remontre, mais en soirée, il réapparut sur l'autre rive plus saoul que jamais. Il hurla :

— J'veux les deux femelles, *Goddam* ! J'les aurai, pis c'est pas toé qui va m'empêcher.

— C'est ce qu'on va voir ! rétorqua Manuel.

Le commis poussa le canot à l'eau. Trop ivre pour s'y asseoir, il s'y jeta à plat ventre. L'embarcation chavira presque, puis le courant la poussa vers le lac. Forrest se redressa en brandissant un aviron et se mit à gueuler comme un déchaîné :

— Attends-moi, *Goddam !* J'arrive !

Manuel rebroussa chemin. Déjà, la brunante s'agrippait aux arbres le long des berges. En remontant vers la maison, il entendait le commis ahaner à chaque coup d'aviron. Manuel revint aussitôt avec un fanal allumé qu'il posa sur une pierre en haut de la dernière butte près de sa maison. Quand il fut assuré que le commis avait accosté, il cria d'une voix puissante :

— Forrest ! Si tu dépasses ce fanal, t'es pas mieux que mort !

Son appel resta sans réponse. Voyant cela, il alla prendre position, dos au mur de sa maison et attendit, fusil en main. La voix pâteuse de l'ivrogne ne mit guère de temps à se faire entendre.

— Où elles sont ?

— J't'ai averti : un pas de plus et je te descends comme le rat que tu es ! cracha Manuel.

— Où elles sont ?

Le commis s'arrêta un moment et tira en direction du fanal, sans réussir à l'atteindre.

— T'es saoul comme un cochon ! cria Manuel. Tu sais pas ce que tu fais. Va-t'en au Poste, c'est mieux pour ta santé !

— Saoul ! Moi, saoul ? J'vais t'montrer…

Rechargeant son arme assez rapidement malgré son état, il tira dans la direction de la maison. La balle fit éclater un carreau, à quelques pieds de Manuel. Il s'approcha en titubant et donna un coup de crosse sur le fanal qui se renversa sous l'impact. L'herbe séchée s'enflamma tout autour, jetant une vive lueur au milieu de laquelle il apparut, son arme pointée en direction de Manuel.

—Amène-les-moi, Grenon, sinon j'vais les chercher...

Le commis se dirigeait directement vers l'entrée du campe. Manuel tira un coup de semonce. La balle ricocha aux pieds de l'agresseur.

—Va-t'en ou je t'abats! gronda-t-il tout en rechargeant son arme. Après ce que t'as fait à ta femme, je serai sans pitié.

À peine sa phrase terminée, le commis visa et tira. Le projectile effleura le bras droit de Manuel qui, instinctivement, tira à son tour. Forrest s'arrêta net, fit un tour sur lui-même avant de s'abattre, tête première, à quelques pas de la maison. Manuel s'approcha, le retourna sur le dos. La balle l'avait atteint en plein cœur.

Chapitre 42

Moments d'inquiétude

—Vous aviez raison, monsieur Hatkins, le juge a bel et bien déclaré que Manuel Grenon était en état de légitime défense. La compagnie devra dédommager les Grenon.

—Ne l'espérez pas trop, madame Boily, ce n'est pas dans les habitudes de la compagnie de payer pour les bêtises de ses commis. Ça m'étonnerait ben gros que monsieur Grenon reçoive quelques sous. Pourtant, ce serait toute justice que ces pauvres gens aient une compensation.

Délina causait avec un grand et bel homme au regard doux mais vif, qui parlait d'une voix posée et dont les gestes démontraient beaucoup de calme et d'assurance. Il avait remplacé Forrest au Poste et, en quelques mois à peine, tout remis en ordre. Le Métis avait été arrêté comme complice du meurtre de madame Forrest. Le nouveau commis s'était adjoint un jeune Écossais qui lui donnait tout motif de satisfaction. Les Grenon, tout comme Délina, n'avaient eu jusque-là qu'à se réjouir de ces changements.

— La pauvre Élisabeth se remet difficilement du choc qu'elle a subi, ajouta Délina. Elle peut pas croire qu'ils ont tué madame Forrest. C'est à se demander comment, après tous les malheurs qui lui sont tombés dessus, le départ de son mari, la disparition de son fils, elle est pas devenue folle !

Le nouveau commis réfléchissait depuis un moment à ce que Délina lui avait dit à propos de Manuel.

— Je crois que, malgré tout, je vais signaler les événements à mes patrons, reprit le commis.

— Vous pourriez pas faire meilleure action, approuva Délina.

— Je vais leur écrire, se persuada le commis. On sait jamais, peut-être que ma lettre portera fruit.

— Faites donc ça, monsieur Hatkins, le ciel vous le rendra !

La servante, qui lavait des carreaux, se redressa et prit du recul pour juger de son travail.

— Ouf ! s'exclama-t-elle. J'suis pas fâchée d'en avoir vu l'boute.

Elle fit une pause puis ajouta :

— J'aimerais ça traverser chez les Grenon. La santé d'Élisabeth me préoccupe beaucoup ces temps-ci. C'est ma protégée, après tout, je lui dois bien une visite de temps en temps. J'ai promis de m'occuper d'elle jusqu'à ce qu'elle soit guérie.

— Faites donc, madame Boily, ma femme verra au dîner.

— Tout est prêt. Elle aura rien qu'à servir.

— Allez! Soyez sans inquiétude!

Délina ne se fit pas prier. Vivement, elle dénoua les cordons de son tablier et le déposa sur le dossier d'une chaise.

— J'serai pas longtemps! promit-elle.

Après la mort de Forrest, elle avait pensé quitter Métabetchouan, mais monsieur Hatkins, le nouveau commis, l'avait vite convaincue de demeurer au Poste. Depuis, elle avait dû accourir chez les Grenon à maintes reprises pour tâcher de remonter le moral d'Élisabeth. La jeune femme s'était murée dans le silence, n'ouvrant la bouche que pour manger un peu. Délina, qui s'en faisait beaucoup pour elle, en parlait fréquemment à Fabienne.

— Est-ce qu'elle a changé depuis ma dernière visite?

— C'est toujours pareil!

— Tu trouves pas ça inquiétant?

— Elle a toujours été comme ça depuis qu'elle est petite : jamais un mot de trop. Elle finira par parler quand elle aura fini de bouder.

— Penses-tu que c'est rien que ça? Je me demande parfois si elle est pas troublée après tout ce qui est arrivé... La perte de son enfant l'a beaucoup marquée et la mort de madame Forrest semble avoir achevé le reste.

Fabienne parut étonnée de cette question.

— Troublée? C'est un bien grand mot! Elle fait son ouvrage, mais sans parler. Pourquoi s'inquiéter? Je la connais, c'est rien qu'une passade.

— Une passade qui dure depuis des mois, c'est pas possible. Y a autre chose. As-tu tenté de la raisonner un peu?

— Ben des fois! Ça sert à rien.

— Penses-tu que si j'essayais, ça pourrait arranger les choses?

Fabienne ne répondit pas tout de suite, puis réfléchit un long moment.

— Elle a beaucoup de considération pour toi, Délina, mais j'crois pas que ça changerait grand-chose. Si monsieur l'curé a pas réussi, ça m'étonnerait que tu puisses y arriver. Ça doit faire son temps. Que veux-tu, il faut la laisser faire à sa tête. Comme dit monsieur l'curé: «Elle est bien punie pour ses péchés.»

Délina s'apprêtait à aller rejoindre Élisabeth, mais Fabienne la retint.

— C'est pas Élisabeth qui m'inquiète le plus, déclara-t-elle d'une voix chargée d'émotion.

— Qui donc? s'enquit Délina.

— Omer… bredouilla Fabienne. Et moi aussi! explosa-t-elle, en lançant le torchon qu'elle tenait à la main. J'en ai assez de Métabetchouan!

Elle tourna le dos pour que Délina ne la voie pas pleurer. C'était la première fois qu'elle se laissait aller ainsi en présence de la servante. Elle se reprit tout de suite et redressa les épaules comme pour faire face à l'adversité. Avant que Délina puisse intervenir, elle enchaîna:

— Je veux m'en aller d'icite! Manuel avait promis que Métabetchouan serait la Terre promise pis on vit comme des misérables. Les enfants vont pas à l'école, Omer veut partir, Léopold le suivra, je l'connais, on a dû envoyer Geneviève en pension à Chicoutimi à cause de son asthme, Élisabeth dépérit, Arsène est mort encore enfant... J'm'ennuie de la parenté, j'en ai assez! Assez! Maudite terre de Caïn!

À bout de souffle, elle baissa les bras, courba l'échine et versa toutes les larmes de son corps.

— Calme-toi! dit doucement Délina. Tu vois tout en noir. T'as un bon mari qui travaille fort pour vous. Vous manquez pas de nourriture, à ce que je sache. Y a peut être ben moyen d'instruire les enfants. Je sais lire et écrire, j'pourrais leur montrer. Les Hatkins seraient d'accord, j'en suis certaine.

Fabienne parut s'apaiser un peu. Les bonnes paroles de Délina atteignaient leur but.

— Faire instruire les enfants, Manuel ne voudra jamais, dit-elle, comme pour se persuader que rien ne pourrait changer.

— Que désires-tu le plus? questionna Délina.

— Vivre dans un vrai village!

— Avec de la patience, ça viendra. Bellone est venu se construire, d'autres vont suivre forcément. Parle de tes problèmes à ton homme, suggéra Délina, il a bon cœur et il fera sûrement tout ce qu'il peut pour te rendre la vie plus facile. Au fait, lui as-tu seulement dit ce qui te tracasse?

— J'ai essayé mille fois! s'exclama Fabienne. Mais il est plus têtu que Tout-Fou quand on veut lui enlever un os. Pour lui, tout est beau comme ça, tout est parfait! Y a rien que Métabetchouan qui compte.

Elle poussa un profond soupir.

— Si tu veux, chère, j'peux en parler à ton homme. Quand ça vient d'un étranger, des fois ça passe mieux.

— Fais jamais ça! répliqua vivement Fabienne. Y saura que ça vient de moi.

— Dans ce cas-là, va falloir que tu lui en parles toi-même. Attends juste qu'il soit de bonne humeur. Il faut pas garder aussi longtemps une crotte sur le cœur.

Sur les entrefaites, Élisabeth arriva, l'air renfrogné.

— Comment ça va, chère? Je peux pas rester long-temps! prévint Délina. J'ai promis à monsieur Hatkins d'être rapidement de retour, mais je reviendrai bientôt.

Elle s'approcha d'Élisabeth.

— Ça va bien? demanda-t-elle en la regardant droit dans les yeux.

La jeune femme esquissa un semblant de sourire. Délina la serra affectueusement contre elle. Tristement, Élisabeth baissa la tête. La servante lui releva le menton: deux grosses larmes roulaient doucement sur ses joues.

— Pauvre enfant! murmura-t-elle. Ça va pas fort!

Élisabeth demeurait là, hébétée. Délina l'observa un long moment, en hochant la tête. Plus les mois passaient, plus son attitude inquiétait la servante. En partant, Délina s'approcha de Fabienne et lui chuchota:

— Il est grand temps que tu parles de tout ça à ton homme!

∽

La visite de Délina eut des effets positifs. Les recommandations de la servante finirent par convaincre Fabienne de parler à Manuel. Consciente que ses plaintes ne trouveraient jamais oreille attentive, elle pensa solutionner les problèmes de tout le monde en abordant la question par le biais d'Omer. Elle profita de la bonne humeur de Manuel pour amorcer la conversation :

— Omer va nous quitter, j'en suis sûre.

— Omer ne sait rien faire d'autre que cultiver la terre, chasser, pêcher, manger et dormir. Pourquoi t'inquiètes-tu de le voir partir ? Y a-t-il un meilleur endroit qu'icite pour faire tout ça ? Tu pourrais donc pas une fois pour toutes cesser de te fatiguer les méninges avec tes maudites idées de fou ? Omer partira pas ! Son cœur est trop attaché à Métabetchouan. Pis pourquoi penses-tu qu'il est revenu de Baie-Saint-Paul avec Bellone ? Les filles de Bellone sont belles et dans les âges d'Omer, pis je suis certain qu'il a des idées sur l'une ou sur l'autre, de la manière qu'il les regarde. Tu verras, tu sauras me l'dire, il va en marier une et il prendra ma place icite.

— Tu répètes toujours les mêmes choses parce qu'elles font ton affaire. Moi, j'pense qu'il aime pas ça, vivre à Métabetchouan.

— Comme toi ? J'en crois rien. Tu verras que j'ai raison.

— C'est c'que t'espères. Y a même pas encore parlé aux filles de Bellone.

— Attends, ça va venir ! Ça tardera pas ! Omer, j'te l'dis, sera notre bâton de vieillesse.

Comme un oiseau, le vieil optimisme de Manuel reprenait son vol.

— Tu te comptes des peurs, Fabienne. Omer a pas changé depuis des années.

— Il a changé ! C'est toi qui refuses de l'admettre.

— Toujours tes idées noires habituelles ! Tu te ronges les sangs pour rien. Tu pourrais pas, de temps à autre, voir la vie plus prometteuse ?

Chapitre 43

Les amours d'Omer

L'hiver 1870 se montrait d'une clémence remarquable. L'arrivée de Bellone et des siens, quelques mois plus tôt, avait apporté beaucoup d'espoir chez les Grenon, qui en avaient tant besoin. Les semaines qui suivirent l'installation des nouveaux voisins furent particulièrement bénéfiques pour Omer. Manuel avait vu juste : les jeunes filles ne laissaient pas son fils indifférent. Tous les prétextes lui paraissaient bons pour aller chez les Gaudreault. Derrière les bosquets, le sentier bifurquait, conduisant directement chez eux. La belle Obéline rougissait sous les moqueries de sa sœur Céline quand elle voyait Omer se pointer. Longtemps confronté au problème de ne pas trouver une seule fille à marier à des lieues à la ronde, Omer, soudainement, devait faire le choix entre deux partis aussi valables l'un que l'autre !

Un jour, pour s'amuser à ses dépens, Bellone l'apostropha :

— Te v'là, mon garçon ! Entre donc ! Ma femme et moi avons quelque chose à te demander.

Omer tenait gauchement sa casquette entre ses doigts.

— Que voulez-vous savoir ? questionna-t-il, inquiet.

— Ton choix ! dit Bellone.

— Quel choix ?

— Allons ! Fais pas simple. Tu viens icite depuis des semaines, c'est certainement pas pour mes beaux yeux ou ceux de ma femme ! Mais pour venir voir des beaux yeux, tu viens pour voir des beaux yeux… Ça s'adonne qu'icite y en a, j'ai bien compté, deux paires qui peuvent t'intéresser. Mais y en a seulement qu'une paire qui fera ton bonheur. Laquelle ?

— Pour ça, vous avez ben raison, chuchota Omer, elles ont toutes les deux de beaux yeux…

Il fixait le plancher, sans oser regarder les deux jeunes femmes qui ne perdaient pas un mot de la conversation

— Il va falloir que t'en choisisses une, reprit Bellone, ou bedon c'est Obéline ou bedon c'est Céline. Tu peux pas faire soupirer à jamais deux cœurs à la fois, c'est déjà ben assez d'un. Lequel préfères-tu ?

Omer rougit, Obéline devint écarlate. Céline, pliée en quatre, riait à s'en étouffer. Pince-sans-rire, Bellone gardait son sérieux, cependant qu'Armande lui adressait des reproches à voix basse :

— Tu vois ben que tu le mets mal à l'aise, il va s'en aller et ne reviendra plus. À quoi ça va t'avoir avancé ?

Omer balbutia :

— J'suis pas encore décidé, monsieur Gaudreault, mais je vous donnerai ma réponse betôt !

— En attendant, ajouta Bellone, profites-en, embrasse-les donc toutes les deux!

Omer s'exécuta, sans grande conviction, avant de déguerpir.

L'arrivée de ces nouveaux voisins avait changé complètement la vie des Grenon. On s'offrait quelques visites et de bonnes soirées, tantôt chez les uns, tantôt chez les autres. Quoique l'hiver était maintenant bien installé sur la Métabetchouan, les jours semblaient beaucoup moins longs. Omer se rendait de plus en plus souvent chez les Gaudreault, mais il en revenait chaque fois plus songeur. Manuel finit par lui en faire la remarque.

— Les amours vont pas?

Omer feignit de n'avoir rien entendu. Manuel reprit sa question:

— Tu sais pas laquelle choisir?

— J'ai longtemps hésité, avoua Omer, mais maintenant, je sais laquelle je vas marier.

— Obéline ou Céline?

— Les deux sont ben fines. Obéline est meilleure cuisinière, mais je trouve Céline plus délurée, j'ai plus d'plaisir avec elle.

— C'qui veut dire, dit Manuel en se frottant les mains, que ma bru s'appellera Céline.

— Comme vous dites! confirma Omer.

— En as-tu parlé à son père?

— Pas encore, mais la prochaine fois sera la bonne.

Ce fut sans hésiter qu'il alla chez les Gaudreault annoncer son choix et faire la grande demande. Au comble du bonheur, Céline déclara :

— Nous irons dans Charlevoix pour nos noces !

— Pas si vite, ma fille ! Vous n'êtes pas encore mariés.

En s'adressant à Omer, Bellone poursuivit d'un air un peu préoccupé :

— Manuel est au courant, je suppose ?

— Je l'ai prévenu, confirma Omer.

— Il est sans doute d'accord, puisque ce n'est pas lui qui va payer la noce…

— Mon père n'a jamais rechigné quand il s'agit de partager.

— Je le sais, mais quand même, des noces, c'est des noces, le père de la mariée paye toujours plus cher que celui du marié. Quand même, comme c'est décidé, dis-lui qu'il faut nous entendre au plus vite pour le mariage, j'veux pas que ça traîne.

— Nous non plus ! dirent ensemble les futurs époux.

Son consentement donné, Bellone laissa les deux jeunes gens à leurs épanchements. Les deux familles se réjouissaient de cette union. On demanda au curé Tremblay de venir bénir le mariage à la chapelle du Poste, mais il exigea que la cérémonie ait lieu à Saint-Jérôme. Manuel, qui, depuis la noyade d'Arsène, craignait toujours de s'aventurer sur les glaces, persuada les Gaudreault de remettre le mariage au printemps.

Chapitre 44

Les noces

Les glaces venaient tout juste de caler. L'eau, encore haute, pouvait devenir un obstacle à certains endroits. On réserva tout de même deux voitures. Manuel emprunta le cheval et la voiture du Poste, Bellone se servit de la sienne. Tôt, un beau samedi d'avril, les deux équipages se mirent en route pour Saint-Jérôme, la future mariée dans l'une des voitures, le futur marié dans l'autre, chacun accompagné de tous les membres de sa famille.

On entreprit le voyage dans la joie et l'optimisme, mais les nombreux bois de grève accumulés durant l'hiver retardèrent continuellement la progression. Les voitures, deux « bacagnoles » qui en avaient pourtant vu bien d'autres, menaçaient de se disloquer à tout instant. Les chevaux, en plus, s'arrêtaient pour brouter la moindre touffe d'herbe, ce qui retardait encore davantage le cortège. En vue de Saint-Jérôme, on décida de laisser voitures et chevaux sur la grève et de faire le reste du trajet à pied.

Pris d'une idée de fou, tous les gens de la noce en bel habit du dimanche choisirent de raccourcir le trajet en passant par les coteaux secs qu'on appelait le brise-culotte. Les chicots de cèdre passés à l'abatis risquaient à chaque instant de déchirer ou de tacher la robe de la mariée et les vêtements de chacun, mais à voir le plaisir que tous éprouvaient à se faufiler ainsi entre les fardoches, on aurait bien cru que la noce battait déjà son plein.

Selon son habitude, le curé Tremblay reçut ses ouailles sans grand enthousiasme. Comme ils avaient tardé, il avait été obligé, en raison de la présence de ses paroissiens, de dire la messe sans les attendre. Il se contenta simplement, au terme d'une courte cérémonie, de bénir l'union d'Omer et de Céline, tout en leur recommandant de se montrer de dignes chrétiens.

Pour agrémenter le trajet du retour, les nouveaux mariés et leurs invités se mirent à chanter. Bellone avait sorti une bouteille et, après quelques gorgées, il se laissa aller à des petites chansons plus ou moins grivoises qui, bien entendu, scandalisèrent Fabienne, mais amusèrent tout le monde.

Quand il entonna «C'est la belle Françoise allons gué» et que les autres reprirent en chœur «C'est la belle Françoise qui veut s'y marier ma luron, lurette, qui veut s'y marier ma luron luré», le plaisir était pris et la noce bien commencée.

Tout alla bien jusqu'à ce que Bellone transforme les paroles de la chanson. Après le troisième couplet, il chanta: «C'est la belle Françoise allongée, c'est la belle Françoise», Fabienne poussa Manuel du coude.

— Fais-le taire, dit-elle, les enfants n'ont pas à entendre ça.

Manuel, qui s'amusait de bon cœur, lui dit:

— Fais-le taire toi-même!

Fabienne s'écria:

— Hé, Bellone, t'as pas mieux que ça à nous faire entendre?

Se méprenant sans doute sur le sens des propos de Fabienne, Bellone se lança dans une chanson à double sens qui acheva de la scandaliser.

Marie Calumet veut se marier
Marie Calumet veut se marier
Avec l'engagé de monsieur l'curé
Avec l'engagé de monsieur l'curé
Les noces se font au presbytère
Sans dessus dessous sans devant derrière
Nous y serons invités tous
Sans devant derrière sans dessus dessous

Vers les quatre heures de l'après-midi, tout le monde, malgré la fatigue du voyage, se réunit chez les Gaudreault. Bellone et ses deux garçons, Fabius et Sébastien, sortirent leurs violons. Après un repas de noce bien frugal, mais arrosé de whisky, on commença des danses à quatre, des gigues doubles, des casseries, des mistigris, des brennedés, des cotillons. On s'apprêtait à se lancer dans une bastringue lorsqu'une voix de stentor se fit entendre, venue du dehors.

— Misérables pécheurs, que faites-vous là ?

On ouvrit gaiement à l'arrivant, croyant à une farce. Quand, à la lueur des lampes, on le reconnut, les violons se turent en même temps que tous les noceurs, et un silence de mort s'abattit sur la demeure. Le curé, tel un messager de malheur, fit quelques pas dans la maison, regarda ses paroissiens interdits et décréta :

— Tu ne danseras pas avec les créatures !

Il ajouta d'une voix imperturbable :

— À cause de vous tous, un grand malheur pèse sur nous. Le feu de l'enfer vous guette, misérables pécheurs que vous êtes. Demain, je veux vous voir tous à confesse avant la messe au Poste.

Puis, tournant les talons, il sortit tête haute, comme l'ange du Jugement dernier.

Aussi curieuse qu'une belette, Armande, qui n'avait pas bien entendu, voulut savoir ce que le curé avait crié avant d'entrer. Personne ne pouvait le dire au juste. Seul Manuel finit par prétendre, et il le jura dur comme fer, qu'il l'avait entendu sacrer.

— Qu'est-ce qu'y disait ? demanda naïvement Armande.

Manuel ne répondit pas tout de suite, pour ménager son effet. Un long silence se fit parmi les noceurs.

— Vous m'êtes témoins, dit-il, sérieux comme un pape. Armande veut me faire sacrer.

— Qu'est-ce que tu dis là, mon maudit bon à rien ?

— Je dis la pure vérité. Tu veux me faire sacrer. Si je répète ce que le curé a dit, je vais me trouver à sacrer à mon tour et c'est pas parce que j'en aurais pas envie.

Tout le monde partit d'un grand éclat de rire. On la trouvait bien bonne, même Armande! Toutefois, le cœur n'était plus vraiment à la fête. Les rires peu à peu s'éteignirent, laissant place à des murmures qui se noyèrent dans un lourd silence. Malgré les louables efforts de Manuel, la soirée ne se prolongea pas. Le curé avait tué la noce.

Manuel n'avait pas prisé l'irruption du prêtre. Il en parlait encore à leur retour à la maison, bougonnant dans son coin, révolté contre l'Église qui interdisait par la voix de son ministre de belles réjouissances. Fabienne avait beau tenter de le calmer, il fulminait:

— De quoi y se mêle, celui-là? Quel mal faisions-nous? On s'amusait! Il veut nous empêcher de rire, d'être heureux, il veut nous interdire de vivre.

— C'est pas ça! répliqua Fabienne. C'est parce que c'est défendu.

— Défendu par qui? grogna Manuel. Défendu par les curés parce qu'ils peuvent pas danser eux-mêmes? C'est rien qu'une bande de jaloux.

Les paroles du curé résonnaient encore dans son esprit: «À cause de vous, un malheur pèse sur nous.»

Il maugréa:

— Comme si on était responsable de tous les maux du monde, batêche!

Chapitre 45

Le grand malheur

Mai arriva et renouvela ses miracles : les chauds rayons du soleil printanier firent éclater les bourgeons et pointer les premières fleurs hors de la terre à peine dégelée. Déjà, les lilas commençaient à embaumer l'air et les arbres fruitiers formaient des bouquets roses au bord de l'eau. Les jeunes veaux gambadaient dans les champs. Tel un miroir, le lac étendait paresseusement sa nappe bleue que sillonnaient les huards, les canards et les sarcelles nouvellement revenus au pays. En ce printemps hors de l'ordinaire, tout respirait la joie de vivre. On pouvait espérer que les fruits surpasseraient la promesse des fleurs. La terre avait déjà reçu les premières semences. Manuel savait qu'il arrivait à un tournant important de son existence.

— Le meilleur est devant nous, se plaisait-il à répéter.

Il savourait à l'avance le moment où il toucherait enfin la récompense de tant de labeur. Il regardait ses champs avec fierté. Ils s'étendaient maintenant jusqu'au bord de la rivière, tandis que sa maison et ses autres bâtiments se dressaient tout en haut des coteaux. Manuel était enfin heureux.

On venait tout juste de franchir la mi-mai quand, une nuit, un violent orage éclata qui laissa dans les champs des traces de soufre. Ni Bellone ni Manuel n'avaient encore eu connaissance d'un pareil phénomène. À la suite de cet orage, les bêtes devinrent nerveuses. Vers les onze heures du matin, on entendit un vrombissement qui faisait penser aux tremblements de terre de Charlevoix. Pourtant le sol ne vibrait pas.

Omer revenait des champs. Tout-Fou, qui l'accompagnait, s'était bizarrement comporté. Il avait couru jusqu'à la lisière du bois et s'était mis à hurler comme un loup. Omer avait eu toutes les misères du monde à le ramener. Il grognait et tournait autour de son maître en tendant le museau, puis il flairait le sol et reprenait ses hurlements.

Omer comprit la raison de tout ce manège quand il aperçut de la fumée du côté de la forêt. Sans perdre une seconde, il se précipita, talons aux fesses vers la maison et se mit à crier à fendre l'âme :

— Vite ! Vite ! Le feu !

Le long du lac, aussi loin qu'on pouvait voir, toute la forêt brûlait. Poussé par de violentes bourrasques, le feu se déplaçait aussi vite qu'un cheval au galop, sautait d'une tête d'épinette à l'autre, allumant d'immenses torches d'où s'échappaient des colonnes de fumée qui montaient droit dans les airs avant d'être happées par le vent et rabattues vers le sol.

Quand Manuel se rendit compte de la situation, il courut à la maison et hurla :

— Tout le monde dehors en vitesse !

Il fit sortir Céline, Élisabeth et Léopold, attrapa quelques sacs de blé, les mit à l'abri dans le caveau à légumes. Il ouvrit les portes de l'écurie et fit sortir les animaux. Instinctivement, les bêtes se dirigèrent vers la rivière. Manuel cria à Omer et Léopold :

— Vite, à la rivière tout le monde ! Je vous rejoins tout de suite, le temps d'aller chercher l'horloge.

C'est alors seulement qu'il se rendit compte que Fabienne était encore dans la maison. Il y avait tant de fumée qu'il dut mettre son mouchoir sur sa bouche pour ne pas s'étouffer. Déjà, la chaleur intense du brasier avait incendié l'écurie qui brûlait comme une boîte d'allumettes. Manuel voulut faire sortir Fabienne. Très calme, mais le regard fiévreux, tenant un crucifix d'une main et son chapelet de l'autre, elle déclara qu'elle ne quitterait pas sa maison.

— Avec ça, dit-elle en toussant, montrant son chapelet et la croix, rien ne peut m'arriver, la maison ne peut pas brûler.

Hors de lui, Manuel hurla :

— Es-tu folle ? L'écurie et la grange sont déjà en flammes !

Il la tira par le bras. Elle résista en se cramponnant au banc de quêteux fixé contre le mur. Manuel tenta de la raisonner :

— Allons, viens ! Tu vas crever dans la maison !

Elle répondit calmement :

— Vous viendrez me rejoindre tantôt, quand le gros du feu sera passé, j'ai trop attendu après cette maison, je ne la quitterai pas.

Cette fois, Manuel se fâcha pour de bon. La fumée lui piquait les yeux et la gorge.

— Tu vois bien que tout va flamber! parvint-il à articuler en cherchant son souffle. Amène-toi ou je te sors de force!

Il la tira de nouveau. Elle résista un peu puis se ravisant, elle dit:

— Va! Je te suis.

Une fumée épaisse s'infiltrait par les interstices de chaque planche. On ne voyait plus rien. La chaleur devenait insupportable. Manuel se précipita dehors. Il eut à peine le temps de dévaler le coteau jusqu'à la rivière que la maison flambait déjà comme un bûcher de la Saint-Jean. Il se jeta à l'eau pour éteindre le feu qui avait pris à ses vêtements. Ses enfants, accroupis dans la rivière, de l'eau jusqu'au cou, vinrent l'aider à reprendre pied. En se retournant, il vit s'enflammer la maison de Bellone. Là, au beau milieu de la rivière, entouré de ses enfants et de ses voisins, il assista, impuissant, à l'effondrement de ses rêves.

Le feu continua ses ravages tout le long du lac, détruisant tous les villages rencontrés sur son passage. Quand, enfin, la fumée et la chaleur diminuèrent, Manuel, Omer et Céline, Élisabeth et Léopold sortirent lentement de l'eau comme d'un cauchemar. Les flammes n'avaient rien épargné. Quelques souches brûlaient encore, la fumée blanche qui s'en dégageait tourbillonnait au gré du vent.

Tel un homme ivre, Manuel grimpa le coteau jusqu'à l'endroit où, quelques minutes auparavant, s'élevait encore sa maison. Il pénétra dans les ruines qui flambaient toujours. Près du seuil, il vit les restes calcinés de Fabienne, au milieu desquels se dessinait une croix de cendre dont le Christ en plomb, maintenant fondu, ressemblait à une larme.

Blanc comme un mort, Manuel sortit, tel un automate, récupéra une chaudière de tôle et une pelle qui traînaient à l'extérieur, y déposa les restes de celle dont il avait partagé la vie pendant les vingt-cinq dernières années. Suivi de tous les siens, dans ce décor macabre, il traversa au Poste, dont les bâtiments, construits dans une clairière au bord du lac, avaient par miracle échappé aux flammes.

Il se dirigea droit vers le cimetière du Poste. En quelques minutes, tout près de la tombe où dormait son Arsène, il creusa un trou et y déposa la chaudière qu'il enterra. Il grommela, la rage au cœur :

— Si le curé veut venir dire des prières, y aura qu'à le faire, s'il a pas péri dans le feu lui aussi.

Il alla ensuite demander l'hospitalité à Hatkins pour lui et les siens.

— Le temps, promit-il, que nous puissions nous bâtir une nouvelle maison.

C'est alors seulement qu'il aperçut autour de lui ses enfants en pleurs. Il les regarda l'un après l'autre, en se reprochant de leur avoir donné la vie. Il les avait

menés dans ce coin de pays en pensant faire leur bonheur. Et voilà qu'ils étaient maintenant orphelins.

Élisabeth, qui n'avait pas parlé depuis des mois,
prononça très clairement :

— Le feu de l'enfer vous guette tous, misérables
pécheurs que vous êtes.

Il revit le prêtre interrompre la noce pour proférer
ses menaces. « Quand on pense, songea-t-il, qu'il y en
aura pour soutenir que le curé l'avait prédit ! » Sans
plus réfléchir, il descendit vers la rivière, s'assit sur une
pierre ronde et se mit à sangloter. Il pleurait de peine,
mais aussi de rage.

Chapitre 46

Résurrection

Les jours qui suivirent l'incendie, Manuel vécut son enfer sur terre. Il avait beau dire et beau faire, la malédiction du curé, telle une prophétie, s'était bel et bien réalisée. En attendant d'avoir un nouveau toit, les Grenon étaient hébergés au Poste, comme ils l'avaient été des années auparavant. Il fallait tout recommencer à zéro, mais cette fois, sans rien pour démarrer : ni matériaux ni meubles... C'était du moins ce que croyait Manuel jusqu'au matin où un vapeur parut sur le lac, traînant deux barges en remorque. Elles étaient chargées de planches et de madriers sur lesquels se tenaient une dizaine d'hommes. Le vapeur jeta l'ancre à l'embouchure de la rivière. À force de bras, les hommes firent échouer les barges. L'un d'eux vint trouver Manuel.

— Je m'appelle Elzéard Girard, et voici les ouvriers qui m'accompagnent. Avec les dons des vieilles paroisses de partout, on achète le bois nécessaire à la reconstruction des maisons qui ont brûlé. Ta maison est passée au feu, si tu veux demeurer sur ta terre, nous allons t'en construire une autre, gratis.

Manuel n'en croyait pas ses oreilles.

— Vous allez m'en construire une gratis ?

— C'est ben ce que j'ai dit !

— Dans ce cas-là, envoyez fort !

Il n'en fallut pas plus pour que les hommes déchargent leur matériel et se mettent aussitôt à l'ouvrage. Quelques jours plus tard, les Grenon avaient une nouvelle maison sur l'emplacement de l'ancienne. Plus que la perte de sa femme, ce qui désolait le plus Manuel, c'était que Bellone soit déjà reparti à Baie-Saint-Paul avec les siens, laissant seulement Céline derrière eux.

Quand les hommes furent partis, après avoir fait don de poutres, de planches et de divers matériaux, Manuel trouva suffisamment de courage pour s'attaquer, avec l'aide d'Omer, à la construction d'une nouvelle écurie et d'une grange plus spacieuse. Pendant ce temps, Léopold s'affaira à construire un nouveau poulailler. Avec toutes ces réalisations, Manuel avait retrouvé un bel optimisme. Il travaillait avec acharnement et bientôt la vie reprit à Métabetchouan, en apparence, comme avant.

Sensibles à leur malheur, les Hatkins avaient fait tout ce qui leur était possible pour rendre service aux sinistrés. Omer, Céline, Élisabeth et Léopold avaient vécu au Poste pendant toute la durée de la construction de la nouvelle maison. Tant bien que mal, ils se relogèrent dans leur nouvelle habitation, Céline y remplaçant, par la force des choses, Fabienne.

Élisabeth continuait de se conduire de façon bizarre. Elle errait durant de longues heures sur le bord de la rivière. Il fallait la surveiller et voir à la faire entrer pour la nuit.

Quand d'autres secours et des vivres leur parvinrent des vieilles paroisses, Manuel acheva de reprendre courage. La nature, de son côté, comme si elle voulait se faire pardonner, se montrait doublement généreuse. On n'avait jamais vu autant d'éperlans que cette année-là. Par dizaine de milliers, ils remontaient les affluents du lac pour aller frayer. C'était à la chaudière qu'on pouvait les attraper ! Manuel et Omer en prirent des centaines que Céline fuma et saumura. Cette manne fut pendant longtemps leur pain quotidien.

Puis apparurent les voiliers de tourtres. Chaque année, on les chassait au fusil. C'est à qui en descendrait le plus d'un seul coup de feu. Cet été-là, Omer décida d'en tuer davantage. Il fabriqua des rets de neuf pieds carrés montés sur un cadre en bois. Il les tendit en les appuyant par un bout sur un poteau, les appâta avec du grain en dessous et mit Léopold à contribution.

— Quand tu vas en voir entrer un bon nombre pour manger le grain, tu tireras d'un coup sec sur la corde.

Ils capturèrent ainsi beaucoup de tourtres sans difficulté.

Aidés d'Élisabeth qui travaillait sans mot dire, ils plumaient les oiseaux, puis Omer en apprêtait la viande

dont il assurait la conservation en la mettant à sau-
murer dans un grand fût de chêne.

Une fois semé, le blé que Manuel avait sauvé en le
déposant dans le caveau à légumes produisit du cent
pour un. Quand parut l'automne, il y avait amplement
de nourriture pour passer l'hiver. Et puis on pourrait
également compter sur le gibier et le poisson. Sans
compter que les dons généreux des habitants des
vieilles paroisses continuaient d'affluer.

Apparemment, la vie avait repris ses droits et chacun
se remit à vivre dans cette nouvelle maison au rythme
d'autrefois, sauf Omer, qui devint de plus en plus irri-
table, et Élisabeth, de plus en plus déprimée. Céline,
dont la famille était repartie à Baie-Saint-Paul et sur
qui tout le travail de la maison retombait, n'avait
jamais cru vivre une pareille existence. Elle finit par
s'en ouvrir à Omer :

— Il me faudrait de l'aide !

— Tu as tout à fait raison ! Mais moi aussi, je songe
à autre chose. Métabetchouan n'a pas été bon pour
nous. Va falloir changer d'air.

— On va partir d'ici ? interrogea Céline.

— J'y songe sérieusement.

— Quand ?

— J'vais choisir le bon moment. D'ici là, faudra que
tu fasses de ton mieux, mais ça devrait pas trop tarder.
Prends ton mal en patience…

Chapitre 47

Élisabeth

L'automne avançait à grands pas lorsque se produisit un événement qui vint bouleverser Omer encore davantage. Soucieux de l'état de santé de sa sœur Élisabeth et de ses bizarreries, il veillait à l'aider de son mieux. La surveillance constante que son épouse et lui devaient exercer sur elle requérait cependant beaucoup de leur temps. Lorsque Céline lui annonça qu'elle était enceinte, il comprit que Métabetchouan n'était plus vivable et qu'il valait mieux aller ailleurs. Il en parla ouvertement à son père.

— Que diriez-vous si on vendait la maison et qu'on s'en retournait dans les vieilles paroisses?

— Vendre la maison? Dis-moi pas que tu veux nous quitter à ton tour? T'aurais pas pu y penser avant? Après tout le trouble qu'on vient de se donner pour rebâtir, c'est ben l'temps d'en parler! Trouves-tu ça raisonnable?

— C'est vrai! Mais pas de maison, on n'aurait rien eu à vendre. Il aurait fallu laisser aller la terre pour une bouchée de pain.

— Où irions-nous en partant d'icite ?

— À Baie-Saint-Paul !

— Mais où, à Baie-Saint-Paul ? Sur une terre de roches ?

— Nous pourrions acheter une bonne terre par là.

— Si tu veux partir, t'as beau ! Je te retiens pas. Moi, j'aime trop Métabetchouan pour le quitter. Ta mère et ton frère sont enterrés ici. On creusera ma fosse à côté de la leur. C'est icite que j'vas mourir.

Le ton montait. Élisabeth, soudain, se mit à sangloter. Manuel et Omer se calmèrent.

— Il faut la faire voir par un docteur, dit tristement Manuel.

— Demain, promit Omer, j'irai chercher le docteur à Saint-Jérôme.

Comme s'il n'en pouvait plus de ces pleurs et de ces jérémiades, Manuel sortit.

Céline demanda :

— Pourquoi es-tu si inquiet ?

— Regarde-la agir, elle ne sait plus ce qu'elle fait. Il faut que nous la sortions de ce trou perdu avant qu'elle devienne folle.

— T'as sans doute raison, mais espères-tu ça avant l'hiver ?

— Le plus tôt sera le mieux !

— Que comptes-tu faire ?

— Je le sais pas trop encore. Mais une chose est certaine : il faudra nous trouver une maison dans Charlevoix pour le printemps.

— Aurais-tu dans l'idée d'emmener ta sœur avec nous autres ?

Omer, que cette question sembla prendre de court, réfléchit un moment avant de dire d'une voix hésitante :

— Je le sais pas encore, mais elle doit pas plus rester icite que nous autres.

— Et ton père ! Qu'est-ce qu'il va devenir ?

— Il viendra avec nous ou il crèvera tout seul icite.

— Tu le laisserais seul icite à Métabetchouan ?

— S'il le faut, oui ! Il peut se débrouiller aussi ben qu'un Sauvage.

Omer parlait d'une voix remplie d'émotion. Il se leva et s'empara d'une paillasse qu'il plaça en travers de la porte.

— Que fais-tu là ? s'inquiéta Céline.

— Je dormirai icite, cette nuit.

— Ma foi du bon Dieu, pourquoi ?

— Pour empêcher Élisabeth de sortir.

Céline hocha la tête, incrédule.

— T'exagères pas un p'tit brin ?

— Pantoute ! Élisabeth est trop perdue pour qu'on prenne une chance de la laisser sortir. S'il lui vient à l'idée d'aller quelque part, elle devra me passer sur le corps. J'ai pas envie de la trouver morte gelée dans les bois ou noyée. On a eu ben manque assez de malheurs icite jusqu'à présent.

Les précautions prises par Omer s'avérèrent inutiles. Plus consciente qu'Omer l'avait supposé,

Élisabeth se leva au cours de la nuit et, sans bruit, sortit par une fenêtre. Le lendemain matin, quand on constata sa disparition, on la chercha aux alentours. Ce fut Omer qui, apercevant une tache blanche au milieu des sillons, la trouva étendue en robe de chambre à plusieurs arpents de la maison. Il la ramena douce-ment dans ses bras et la déposa sur son lit.

— Si elle meurt, dit-il à son père, jamais j'vous le pardonnerai.

— Je suis pour rien dans sa maladie, se défendit Manuel.

— Si on était restés à Baie-Saint-Paul, elle aurait jamais vécu autant de malheurs.

— J'ai fait ce que me disait mon cœur.

— Vous auriez été mieux d'écouter votre femme !

Omer, sans plus tarder, partit quérir le médecin. Pendant plusieurs jours, la fièvre terrassa la jeune femme. Dans son délire, elle se remit à parler. Le médecin avait dit :

— Si elle passe les prochains jours, elle a de bonnes chances de s'en sortir.

— Croyez-vous que si elle en revient, ça peut la guérir de toutes ses autres maladies ? demanda Manuel.

— C'est bien possible, répondit le médecin, mais il ne faudrait pas trop s'y fier. Le corps et l'esprit don-nent des maladies bien différentes.

Après une semaine de lutte constante contre la mort, Élisabeth revint à elle, donnant l'impression d'émerger d'un très long cauchemar. Elle semblait avoir oublié ses malheurs des dernières années, comme une amnésique qui recouvre soudainement la mémoire. Graduellement, elle se remit à parler comme autrefois. Sa maladie avait été le choc nécessaire pour lui redonner la force de vivre.

Chapitre 48

Manuel cause une bonne frousse

La journée froide et ensoleillée se prêtait bien au transport du bois. Depuis trois semaines, Manuel bûchait dans le haut de sa terre les quelques arbres que le feu avait daigné épargner. Léopold et Omer l'avaient d'abord aidé, puis Hatkins les avait requis pour du travail au Poste. Manuel avait consenti à les laisser aller parce qu'il aimait travailler seul.

Depuis l'incendie, grâce à l'aide reçue des vieilles paroisses, il avait remplacé le vieux Tobie par un jeune cheval fringant, débordant d'énergie. Attelé à un traîneau plat muni de poteaux aux quatre coins, le cheval filait bon train jusqu'en haut de la terre sans se faire prier. Manuel chargeait les billots qu'il rapportait allègrement jusqu'à la maison. Il se sentait libre comme l'air, heureux sous le soleil qui lui chauffait la couenne.

Au troisième voyage de la journée, il fut contraint de recourir à toute sa force de Grenon pour venir à bout d'un énorme billot tordu qui se manipulait très mal. «Un autre que moi n'aurait jamais réussi», se dit-il en gonflant orgueilleusement la poitrine. Le billot roula sur le traîneau. Il le chaîna en sifflotant. Comme un conquérant, assis à califourchon dessus, les deux pieds posés contre les poteaux du traîneau, il commanda au cheval d'avancer. À la suite du contre-coup donné par le départ, mal assujettie, la chaîne céda. Le billot fit un demi-tour et projeta Manuel au sol. Pour son malheur, son pied resta coincé entre le billot et un des poteaux, ce qui le retint au traîneau. Le jeune cheval se mit à tirer sa charge sans attendre.

Face contre le sol, incapable de se déprendre, Manuel fit tout le chemin de retour dans cette fâcheuse position. Plus il criait, plus le cheval s'énervait et accé-lérait la descente. Manuel se contenta de se protéger la figure du mieux qu'il put jusqu'à ce que le cheval s'arrête devant la maison. Céline se rendit compte de la situation quand, prévenue par les cris répétés de Manuel, elle sortit et le trouva la figure ensanglantée, les mains et un pied passablement amochés.

La jeune femme ne perdit pourtant pas son sang-froid. Elle se munit d'un rondin dont elle se servit comme levier et réussit à repousser suffisamment le billot pour déprendre le pied de Manuel. Au même moment, Léopold et Omer revenaient du Poste. À deux, ils transportèrent leur père jusque dans la maison.

— Va chercher de l'aide au Poste ! commanda Céline à Léopold.

— J'y cours ! lança-t-il, joignant le geste à la parole.

Hatkins arriva quelques minutes plus tard en com-pagnie de Délina. Constatant la gravité des blessures, le commis partit tout de suite avec Omer pour Saint-Jerôme.

Manuel souffrait beaucoup. Quelques minutes auparavant, il se croyait le roi du monde. Prince déchu, il gémissait maintenant sans que sa bru ni la servante ne puissent faire grand-chose pour soulager ses douleurs.

— Si on n'était pas si loin de tout, se désolait Céline en prenant à témoin Délina.

— T'as ben raison, chère! Mais que veux-tu, personne vient s'installer dans les parages. Y a bien eu ton père, mais on peut pas l'blâmer d'être retourné dans les vieilles paroisses après le feu.

Manuel gémissait sans arrêt.

— Le docteur met bien du temps à venir! dit Céline, énervée.

— Sois patiente! Hatkins et Omer ne peuvent pas aller plus vite. Encore une chance qu'on soit en hiver et qu'on puisse y aller avec la *sleigh*...

— Pourvu que le docteur soit chez lui! souhaita vivement Céline.

— En attendant, ton beau-père devra endurer son mal.

— Si c'était que de moi, je resterais pas si loin. Quand le printemps va revenir, Omer dit que nous irons vivre à Baie-Saint-Paul ou ailleurs dans Charlevoix, là où c'qu'y a du monde pis un docteur tout proche. Vous rendez-vous compte, madame Boily, qu'on pourrait tous mourir icite sans docteur et sans prêtre?

—Je le sais, chère, mais c'est comme ça, pis on n'y peut rien.

Manuel avait cessé de geindre. Délina s'approcha de lui.

—Ma foi du bon Dieu! cria-t-elle. Y a perdu connaissance!

Elle lui donna quelques gifles, qui le firent se plaindre et sortir de son assoupissement.

—Il dormait! constata Céline.

—Je vois bien! Mais je le croyais sans connaissance, s'excusa Délina, toute confuse. Y a beau être grand et fort, y aurait ben pu tomber dans les pommes, ajouta-t-elle pour se faire pardonner.

Au même moment, Tout-Fou aboya. Hatkins et Omer arrivaient, accompagnés du curé et du ramancheur.

—Vous avez fait vite, monsieur Hatkins, le félicita Délina.

—Le plus vite que j'ai pu! Malheureusement, le docteur était parti à Chicoutimi. J'ai amené le ramancheur. Et monsieur le curé.

—Vous avez bien fait! On sait jamais… En tous les cas, on est bien contentes de vous voir.

Manuel se plaignait surtout de sa jambe qui le faisait terriblement souffrir. Pour le soulager, Délina et Céline avaient fait de leur mieux avec les moyens du bord, mais Manuel gémissait tellement que les deux femmes s'attendaient au pire. Pourtant, après avoir examiné son patient, le ramancheur le trouva moins amoché qu'il l'avait d'abord cru. Il pansa les plaies et diagnostiqua une fracture à la cheville gauche.

— Vous savez y faire, j'espère ? demanda Délina, pas très rassurée.

— C't'affaire ! Depuis le temps que j'en ramanche, on vient me voir de partout. J'arrête aussi le sang et le feu si vous voulez, et de loin à part ça, rien qu'en étant avisé.

— Le feu ! s'écria Léopold. Vous auriez dû être là quand est arrivé le grand feu.

— Ben non, cher ! corrigea Délina. Quand il parle du feu, il veut dire les brûlures.

Le ramancheur passait en expert ses doigts sur la cheville brisée. À l'hypocrite, avant même que son patient puisse s'en rendre compte, d'un coup sec et vif, il remit les os en place. Manuel lâcha un cri épouvantable, mais tout était déjà terminé. Deux grosses larmes roulèrent jusque dans sa barbe grise. Il s'était même mordu la lèvre inférieure, d'où un filet de sang s'échappait. Le ramancheur se moqua :

— Plus ils sont gros, plus ils sont plaignards.

Manuel se renfrogna.

— J'dis pas ça pour vous, monsieur Grenon, mentit-il en faisant un clin d'œil aux deux femmes qui, maintenant détendues, riaient en cachette. Vous l'avez échappé belle ! Un peu plus et on vous ramassait à la petite cuillère, mais faites-vous-en pas, vous vous en souviendrez plus le jour de vos noces !

Cette fois, les femmes ne purent retenir leurs rires. Le ramancheur fit mine de les gronder.

—Voyez-vous ça, monsieur Grenon ? Y a rien à comprendre aux créatures. Elles braillent quand c'est l'temps d'rire pis elles « risent » quand c'est l'temps d'brailler. Amenez-vous ! leur commanda-t-il d'un ton décidé. Rendez-vous utiles pour une fois !

Il gesticulait tellement que Céline et Délina n'arrivaient pas à retrouver leur sérieux. Il fit semblant d'être offusqué :

—Allons, mesdames ! L'heure est grave, c'est pas l'temps d'faire simple. Regardez ben ce que je vas faire !

Au moyen d'éclisses, il immobilisa le pied de Manuel.

—C'est bon à connaître, conseilla-t-il, j'serai pas toujours là pour vous tenir la main, même si j'haïrais pas ça en toute !

Les deux femmes riaient toujours, heureuses de la tournure des événements.

—Je gage que vous avez faim ! s'exclama Céline.

—Un bon bouillon ferait mon bonheur, répondit le curé, qu'on avait presque oublié dans tout ce branle-bas.

Inutile dans les circonstances et mal à l'aise dans cette maison, il avait eu la sagesse de se tenir à l'écart.

—J'vous avais quasiment oublié, monsieur le curé, s'excusa Céline. Vous êtes ben bon d'être venu. Espérez encore un p'tit bout et vous serez satisfait.

Elle s'occupa aussitôt de sortir ses casseroles. En attendant, le ramancheur furetait dans la maison, touchant à tout ce qui lui tombait sous la main. Délina l'invita à table :

— Vous mangerez ben un peu vous aussi avant de partir ?

— C'est pas d'refus, dit-il en prenant place près du curé.

— Assoyez-vous, monsieur Hatkins, l'invita Céline, c'est ben la première fois qu'on a l'honneur de vous recevoir à manger.

Les trois hommes engloutirent leur part de bouillon dans le temps de le dire. Le ramancheur parlait sans arrêt, racontant avec mille détails les mémorables aventures qui émaillaient sa vie. Les femmes le trouvaient drôle et ne manquaient pas de s'amuser à chacune de ses réparties. Hatkins souriait poliment et le curé gardait son air réservé.

Une fois rassasiés, les hommes se levèrent de table en poussant des soupirs de satisfaction.

— C'était tellement bon, s'exclama le ramancheur, que j'reviendrais ben le mois prochain pour un poignet ou un bras cassé !

— Attendez pas après un malheur, protesta Céline, v'nez nous voir quand vous passerez par Métabetchouan, y aura encore du bouillon ou p't'être ben une tourtière.

— Je manquerai pas d'le faire, promit-il en enfonçant son bonnet de castor sur ses oreilles.

Céline lui remit une douzaine d'œufs et une miche de pain.

— Pour votre déplacement, dit-elle en le remerciant chaleureusement.

— Y a pas d'quoi. Vous inquiétez pas pour lui, les rassura-t-il en désignant Manuel, y est pas si pire qu'y

379

en a l'air. À mon idée, c'est surtout son orgueil qui a souffert. Il nous enterrera tous, vous verrez. Monsieur l'curé saura vous l'dire, s'il est pas mort avant!

Le curé fit mine de n'avoir rien entendu. Hatkins avait salué tout le monde et était déjà dehors. Le curé le suivit de près. Mais le ramancheur s'attardait.

—Allez, grand placoteux! dit Délina. Ne les faites pas attendre, sinon vous allez manquer votre voiture.

—À la prochaine cassure! lança-t-il en passant la porte.

Les grelots de la *sleigh* se mirent à tinter, puis à mesure que l'équipage disparaissait, se turent avec l'éloignement. La maison retomba dans un silence lourd. Délina offrit de passer la nuit auprès du malade et tout le monde alla vite se coucher en quête d'un repos bien mérité.

Le lendemain, quand Délina constata que Céline ne pouvait suffire à la tâche, elle alla trouver Hatkins pour lui demander la permission de passer quelque temps au chevet du blessé. Généreusement, il lui accorda quelques jours de congé.

Grâce aux bons soins de Délina, le malade se remit rapidement. Il souffrait cependant beaucoup de ne pouvoir se déplacer à sa guise. Habitué à s'occuper et à travailler dur, il se languissait dans sa berçante et se rongeait les sangs à ne rien faire. Délina profitait de tous ses moments libres pour venir prendre de ses nouvelles et causer avec lui. Pour la première fois de sa vie, Manuel Grenon put observer à sa guise l'évolution de la nature entre l'hiver et le printemps.

Cloué à sa chaise, il passa ainsi de longs jours à jongler, le nez à la fenêtre. Assis face au soleil, il observait attentivement le défilé des nuages dans le ciel. Comme des voiliers, ils flottaient en convois, traînant dans leurs flancs leur cargaison de giboulées. Il les suivit dans leur course vertigineuse, poussés par les grands vents d'ouest. Tout à coup, il revit son traîneau d'autrefois chargé jusqu'au bord de tous les trésors qu'ils apportaient dans ce pays. Des plis, comme des sillons, barrèrent soudain son front. Il voyait maintenant un poêle, échoué pattes en l'air au milieu de la rivière, et derrière se profilait la silhouette d'un enfant. Il vit, aussi nettement qu'en plein jour, deux tombes creusées au cimetière du Poste, une petite et une grande.

« Comme on est peu de choses... » murmura-t-il, pendant que sa pensée voguait déjà vers d'autres souvenirs.

Chapitre 49

La lune de miel avant la noce

Du seuil de sa maison, Manuel assista à la grande fête du printemps, de la fonte des neiges à la débâcle de la rivière. Cela vint tout doucement, c'était bien fait, comme par un artisan qui connaît son métier. Il le découvrit à de petits signes : les corneilles arrivèrent d'abord en croassant, on ne pouvait pas les manquer, leurs cris sonnaient comme une délivrance ; chaque jour dans les champs naquirent de nouvelles rigoles ; des morceaux de terre apparurent comme des yeux s'ouvrant vers la lumière. Il y eut ensuite de l'eau, en cernes bleus aux paupières du lac. Puis, un matin, il put ouvrir enfin sa fenêtre. Il entendit alors tous les bruits du printemps, de la gouttelette qui tombe de la branche au chant du pinson. Dans cette symphonie, il y eut soudain un craquement : la rivière se mit à bouger.

— Venez voir ! cria-t-il.

Élisabeth et Léopold se précipitèrent. Céline les suivit avec Omer. Manuel avait la main gauche en l'air et l'index droit sur la bouche, leur commandant de se taire.

— Chut! Écoutez! Ça craque comme de l'écorce qui brûle.

— C'est vrai! dit Léopold.

— C'est la respiration de la rivière, assura-t-il gravement. Nous entendons le chant de la vie! Vous allez voir, ça va bientôt être la fête.

Ils se dévisagèrent, étonnés, mais restèrent à l'écoute avec lui. Quelques merles apparurent et là, comme une femme enceinte, la Métabetchouan, à travers les glaces, creva ses eaux.

La renaissance de la nature souleva Manuel comme un appel. Il tenta quelques pas sur son pied blessé en refusant toute aide. Le lendemain, les hirondelles surgirent en même temps que le soleil. Au bras de Délina venue aux nouvelles, il décida de faire tranquillement une marche jusqu'à la rivière. Il s'aventura ensuite plus loin sur son domaine et fit lui-même ses semences en compagnie d'Omer. En même temps qu'il accomplissait ce rituel séculaire du semeur, il sentit en lui, ancrée comme une vigne, l'assurance qu'il ne trouverait jamais bonheur plus grand que sur les rives de la Métabetchouan. Le lendemain, il demanda Délina en mariage.

Le printemps, si doux pour Manuel et Délina, agit de façon toute différente sur Céline et Omer. Sans nouvelles des siens, avec la lourde tâche de tenir la maison presque à elle seule, Céline, grosse de plusieurs mois, perdait sa joie de vivre. Manuel la sentait fuyante, distante… Il souhaitait de plus en plus vivement l'arrivée de l'été qui, croyait-il, permettrait de stabiliser les humeurs… à moins qu'Omer n'ait décidé… Il ne terminait jamais sa pensée, n'osant imaginer toute la peine que lui causerait le départ de son fils aîné.

Pourtant, l'annonce du mariage prochain de Manuel et Délina redonna à chacun le goût de vivre. L'été tout proche promettait des jours meilleurs. Comme renouvelée dans ses espérances, Céline retrouva son sourire. Avec elle, toute la maisonnée se remit à vivre, même Élisabeth à qui Manuel avait promis pour bientôt une grande et belle surprise.

Au début de juin, Manuel se permit une chose insensée : un voyage de noces à Chicoutimi avant son mariage, prolongé par une visite à Drummond ! Il partit donc en compagnie de Délina. Cette lune de miel avant le temps avait une saveur de nouveauté. À part une virée à Baie-Saint-Paul, Manuel n'avait pas quitté Métabetchouan depuis son arrivée. Délina, pour sa part, n'avait pas vu la ville depuis bien des années.

La capitale du Saguenay les émerveilla comme des enfants. Dès leur arrivée, ils remontèrent en amoureux la rue principale, curieux, avides de tout voir. Ils entrèrent à l'église Saint-François-Xavier, visitèrent le nouveau couvent, le palais de justice, allèrent à la scierie des Price, à la rivière du Moulin, y admirèrent la chute, restèrent de longues heures à surveiller le travail des débardeurs sur les quais et à observer le va-et-vient des goélettes et des vapeurs sur le majestueux Saguenay.

Trois jours durant, ils flânèrent ainsi, incognito, au gré de leur fantaisie. Jamais, en trente ans, Manuel n'avait connu pareil bonheur. Il s'extasiait devant les vitrines du magasin général, s'étonnait des trottoirs en bois, trouvait tout extraordinairement beau. L'amour et le bonheur rendent, il est vrai, les choses plus belles. Ils profitèrent de cette équipée pour acheter quelques effets en vue des noces prochaines.

Ce séjour à Chicoutimi se termina par une étonnante rencontre, celle d'une vague cousine qu'il n'avait pas vue depuis plus de vingt ans. Ce fut elle qui reconnut Emmanuel. Il lui présenta Délina comme sa nouvelle épouse.

Ils prolongèrent leur périple jusqu'à Drummond où il fut fort heureux de renouer avec ses frères et sœurs, qu'il avait peine à reconnaître. Ils logèrent à l'*Auberge Grenon*, maintenant tenue par Éphigénie, qui en avait hérité de sa tante Dorothée. Aidés de leurs épouses, Éphrem et Édouard dirigeaient le magasin général, qu'ils avaient passablement agrandi. Ernest avait beaucoup défriché, le long de la rivière, la terre où son père avait construit sa maison d'été. Éloi, lui, était devenu un important citoyen de Sorel. Tous admiraient son courage et celui de son épouse, eux qui étaient père et mère d'une quinzaine d'enfants. Quant à Élise, quoique restée célibataire, elle avait tous les ans autour d'elle une grande famille d'une trentaine d'enfants auxquels elle apprenait les rudiments du français par la lecture et l'écriture.

Si Drummond avait quelque peu grandi, Manuel ne s'y trouva pas trop dépaysé. À part la rue Heriot et le chemin Saint-Georges, il y avait bien quelques rues nouvelles comme Loring, Brock, Cockburn, Lindsay et Wood, mais la population n'avait pas beaucoup augmenté. Les activités se déroulaient, toujours comme autrefois, autour de la rue Heriot où on comptait une trentaine de résidences. Manuel fut heureux de constater que, sur diverses façades et enseignes, figuraient maintenant des noms français. Il s'arrêta devant la boutique du sellier Maxime Cardin. Il vit qu'il y avait maintenant un voiturier du nom de Bélisle, un tailleur Dubé, deux cordonniers, Picotin et Blanchette. Il voulut goûter au pain des boulangers Caya et Paul-Hus. Sa sœur avait maintenant de la concurrence, car Drummond comptait désormais cinq hôtels. Il s'arrêta boire un verre à l'unique taverne, tenue par Pierre Blais, et il ne manqua pas de demander aux bateliers Antoine Proulx et à son frère François de les conduire de l'autre côté de la rivière. Il tenait à ce que Délina puisse admirer Drummond depuis l'autre rive de la Saint-François.

Ils revinrent tout heureux à Métabetchouan, sans s'arrêter voir le curé Tremblay à Saint-Jérôme, ayant décidé de convoler ailleurs.

Dès qu'ils furent en vue sur l'autre rive, après être descendus du vapeur au quai du Poste, Omer lui-même traversa les chercher à la rivière.

—J'espère que vous avez fait un beau voyage!

—Beau? C'est pas le mot! s'exclama Manuel.

—Venez! Céline, Élisabeth et Léopold ont ben hâte de vous voir.

Sur la rive, ils attendaient avec impatience en agitant la main. Au moment où la chaloupe s'échoua, ils entourèrent Manuel et Délina comme s'ils revenaient d'un tour du monde.

—Vous avez fait un beau voyage? demanda Céline.

Manuel remarqua aussitôt qu'elle semblait avoir retrouvé sa bonne humeur, tout comme Élisabeth sa joie de vivre, puisqu'elle dit:

—Un jour, moi aussi j'irai à Chicoutimi et Drummond.

Manuel avait le cœur rempli d'espoir.

Pendant ce temps, Délina se dirigeait vers la maison qui serait bientôt la sienne. Manuel regarda la scène d'un œil attendri. Il soupirait d'aise de voir enfin tous les siens heureux.

Il distribua en hâte ses cadeaux: du fil à collet pour Léopold, une blague à tabac pour Omer, un peigne pour Céline, un miroir pour Élisabeth. Elle le reçut avec le sourire que Manuel lui connaissait avant l'arrivée de Charlabin dans sa vie. Manuel soupira d'aise.

—C'est pas grand-chose, dit-il, mais c'est de bon cœur.

Ce retour à la maison ne pouvait pas se passer sous de meilleurs auspices. Il passa la soirée à raconter toutes les merveilles qu'ils avaient vues à Chicoutimi et à Drummond. En parlant, il surveillait Omer du coin de l'œil, se demandant si son fils déciderait de rester à Métabetchouan.

Pendant qu'il regardait son aîné à la dérobée, Omer se frotta les yeux. La fatigue le gagnait. Il bâilla et dit :

—Je pense ben que je suis mûr pour mon lit.

Manuel n'osa pas l'interroger sur ses intentions : il craignait trop sa réponse. Il préféra aller dormir sur ses interrogations. Il eut idée d'en souffler mot à Céline, mais il ne le fit pas pour ne pas la mettre mal à l'aise. Il préféra, ce soir-là, ne prendre aucun risque, de peur de gâcher le grand bonheur qui l'avait gagné. Il se contenta, avant d'aller dormir, de jeter un dernier coup d'œil vers la rivière en se disant :

—Y a-t-il plus bel endroit sur terre que son propre chez-soi ?

Chapitre 50

Proposition et leçons de Délina

Depuis toutes ces années, Délina était sollicitée pour lire le courrier des Grenon. Elle s'était montrée étonnée de constater que ni Manuel ni Fabienne, pas plus qu'un seul de leurs enfants, ne sachent lire et écrire. Omer n'avait jamais eu la chance de fréquenter vraiment l'école à Baie-Saint-Paul ; il avait commencé sa première année, mais Manuel avait trop besoin d'aide sur la terre et avait décidé de l'en retirer. Il s'était dit :

« Je ne sais ni lire ni écrire, mais ça m'a pas empêché de bien gagner ma vie. On n'a pas besoin de ça sur une terre. Je montrerai mon métier à Omer, il fera un bon cultivateur. »

Quant à Élisabeth, après deux années où elle avait montré de très belles aptitudes et commencé à se débrouiller passablement en lecture et en écriture, sa mère, en raison de son asthme, avait convaincu Manuel de la retirer de l'école pour lui venir en aide à la maison.

On n'avait pas jugé bon de faire fréquenter l'école à Geneviève, trop malade et de trop faible constitution. Quant à Léopold, en raison de son jeune âge au moment où ils avaient quitté Baie-Saint-Paul, il n'en avait pas été question.

Fabienne, aînée d'une famille nombreuse, n'avait eu d'autre choix que de faire une croix sur des études. Quant à Manuel, entre lui et les mots, la bataille avait été constante.

Soucieuse de sortir Élisabeth de sa torpeur, Délina avait proposé à Manuel de prendre charge de sa fille.

—Je vais lui montrer à lire et à écrire. Elle va mieux : ça lui changera les idées. Et qui sait, p't'être qu'elle finira par y prendre goût. Et tant qu'à y être, je pourrais aussi montrer à Léopold.

La proposition de Délina tombait à point. Le printemps était proche. Ce serait facile pour Élisabeth et Léopold de se rendre au Poste à peu près tous les jours. Manuel acquiesça donc à cette proposition généreuse.

Dès les premières leçons, Élisabeth se montra enthousiaste et réceptive à ce que lui enseignait Délina. Elle ne mit guère de temps à se remémorer ce qu'elle avait appris durant son bref passage à l'école. Elle posait de nombreuses questions, s'intéressait à tout, voulait tout savoir. Léopold, de son côté, ne semblait pas aussi doué. Toutefois, Délina ne se laissa pas rebuter et elle redoubla d'ardeur pour donner le goût des études à son jeune protégé. Elle s'inquiétait néanmoins de voir qu'Élisabeth demeurait soucieuse.

Un jour, elle alla droit au but :

— Ça te plaît d'étudier ?

— Oui, beaucoup.

— Pourtant, je sens que quelque chose te préoccupe encore.

Élisabeth laissa d'abord entendre que tout allait bien, mais devant l'insistance de Délina, elle finit par avouer :

— Je pense à eux autres tous les jours, dit-elle. J'peux pas les oublier...

— Il me semble que si Charlabin avait eu l'intention de revenir, il serait déjà là depuis longtemps. Tu penses pas ?

— Y a pas pu revenir, mais quand il va m'en faire la surprise, il va arriver avec notre fils et un tas d'argent.

— Tu te souviens, dit-elle patiemment, quand tu étais plus jeune, des histoires que je racontais ?

Élisabeth releva la tête. Ses yeux brillaient.

— Ah oui ! Je les ai jamais oubliées.

— Dans ce cas-là, écoute bien l'histoire suivante... Il était une fois un jeune homme qui, un jour, croisa sur sa route une jeune femme qu'il remarqua tout de suite. Fasciné par sa beauté, il mit tout en œuvre pour s'en faire aimer, afin, disait-il, de connaître le bonheur d'être avec elle tous les jours. Quand il eut réussi à en faire sa femme, il lui promit de ne plus jamais la quitter. Mais ce qu'ignorait la jeune fille, c'est que ce jeune homme avait connu ailleurs une maîtresse qui l'attirait sans qu'il puisse résister à ses charmes. À certaines périodes de l'année, l'attirance de sa maîtresse devenait plus forte que tout. Il quittait alors la jeune fille en promettant qu'il serait bientôt de retour. Chaque fois, elle se morfondait à l'attendre.

« Pourtant, elle se fiait à l'amour qu'elle ressentait pour lui, persuadée que lui ressentait le même pour elle. Il revenait, mais il repartait tout le temps. Un jour, pour ne pas la décevoir, le jeune homme lui promit qu'il reviendrait sans faute, mais il fit là une promesse qu'il ne pouvait vraiment pas tenir, parce que sa maîtresse avait trop d'emprise sur lui.

« Les mois et les années passèrent. La jeune fille attendait toujours, mais le jeune homme ne revenait pas. Malgré sa peine de ne pas le revoir, un jour elle se dit : "Je suis pas pour gâcher ma vie à attendre son retour. J'ai aussi ma vie à faire. S'il doit revenir, il saura bien me trouver." Ce n'est qu'à compter de ce jour qu'elle recommença vraiment à vivre. »

Élisabeth leva la tête et, regardant Délina droit dans les yeux, déclara :

— C'est notre histoire, à Charlabin et à moi, que vous venez de raconter ! Le jeune homme, c'est lui ; la jeune fille, c'est moi. Mais il y a quelque chose de différent entre les deux histoires.

— Quoi donc ?

— Je suis certaine que Charlabin n'a pas de maîtresse.

— Charlabin a peut-être pas d'autre femme que toi dans sa vie, mais il a une maîtresse qui l'attire tellement qu'il peut pas s'en passer.

— Qui est-ce ?

— La forêt. Ton père m'en a parlé. Depuis qu'il est jeune, Charlabin ne peut pas se priver de chasser et de pêcher. Il ne rêve que d'être au bord d'un lac en pleine forêt ou en canot sur une rivière sauvage. Il n'a qu'une idée en tête : vivre dans les bois, le seul endroit où il se sent bien. Il s'est vite rendu compte que tu n'avais pas les mêmes goûts et les mêmes désirs que lui. Voilà pourquoi il est parti. Pour pas te faire de peine, il t'a dit qu'il reviendrait, mais il le croyait pas vraiment. Voilà pourquoi il n'est pas revenu et, à mon idée, il ne reviendra pas.

Élisabeth resta un très long moment silencieuse, comme si elle luttait contre l'idée de ne pas revoir Charlabin. Se levant subitement, elle dit à Délina :

— Vous avez peut-être raison. Je devrais plus l'attendre.

Et elle éclata en sanglots.

Le lendemain, Élisabeth se mit sérieusement à ses études.

— Un jour, dit-elle, je vais enseigner à des enfants à lire et à écrire.

— Tu veux devenir maîtresse d'école, la félicita Délina, mais pour ça, tu devras apprendre beaucoup de choses.

— Je veux d'abord que vous m'appreniez tout ce que vous savez.

—Je vais faire de mon mieux, chère, mais ce sera pas comme avec de vraies institutrices.

—Ça fait rien, vous savez des choses qu'elles savent pas.

—Comme quoi?

Élisabeth fronça les sourcils à la manière de quelqu'un qui réfléchit profondément.

—Vous faites bien à manger!

—Tu as raison et je t'apprendrai mes meilleures recettes.

—Vous connaissez les meilleures herbes pour soigner les maladies. Ça, j'aimerais le savoir aussi.

—Tu aimerais vraiment ça?

—Oh oui!

—Eh bien! C'est justement en plein la bonne saison pour cueillir les plantes qui guérissent. Chère, si tu veux, on va aller en ramasser ensemble aujourd'hui même, c'est la meilleure façon d'apprendre.

La journée se prêtait bien à ce genre d'activité. Le lac écumait à peine sous une faible brise. Le soleil avait nettoyé le ciel et seuls quelques nuages animaient le firmament. Le temps clair permettait au regard de saisir, très loin, les moindres détails de la rive. La nature se remettait tranquillement des effets du grand feu. Des chicots d'arbres noircis pointaient un peu partout, mais le sol redonnait sa touche verte au paysage. Les deux femmes partirent, munies de paniers, et gagnèrent la berge du lac.

—J'ai mes coins secrets pour les plantes, dit Délina. Je vais te les apprendre en même temps que le nom de celles qu'on y trouve et surtout à quoi elles peuvent servir. Si je te demandais quel remède nous utilisons pour guérir les boutons, le saurais-tu?

De la tête, Élisabeth fit signe que non.

—Eh bien! Arrête-toi. Tu vois la plante avec de nombreuses fleurs blanches devant nous, sur le rivage?

Élisabeth se précipita vers le bord de l'eau et revint avec un bouquet de ces fleurs.

—Cette plante-là? dit-elle.

—Oui, celle-là. Sais-tu comment elle s'appelle? C'est un vieux-garçon. C'est certainement pas son vrai nom de plante, mais c'est de même qu'on la nomme. Sens un peu son parfum.

Élisabeth porta les fleurs à son nez.

—Hum… dit-elle, ça sent bon un vieux-garçon!

Délina poursuivit en riant:

—Ils sentent pas tous aussi bon, je te le garantis! Tu sais, pour jouir toujours d'une bonne senteur, on en met parfois en sachet dans les tiroirs. C'est comme ça que nos tiroirs sentent le vieux-garçon.

Elles rirent de bon cœur à la réflexion de Délina qui reprit:

—Tu as dû remarquer, au printemps, dans les bois, une fleur rouge avec trois pétales qu'on appelle un trille. Eh bien! Nous prenons des racines du trille que nous mettons dans un gobelet rempli d'eau. Nous y ajoutons des fleurs de vieux-garçon et nous les laissons dans l'eau toute une nuit. On appelle ça une infusion. Ensuite, quand quelqu'un a des boutons, nous mettons de cette infusion dessus et, la plupart du temps, les boutons disparaissent. On dirait que ça les fait fondre.

Élisabeth regardait avec admiration les fleurs qu'elle tenait dans ses mains.

— C'est plaisant, dit-elle, de savoir des choses de même. Il faut que j'en apprenne beaucoup, c'est très utile.

— Si t'as vraiment le goût, promit Délina, je te montrerai tout ce que je sais sur les plantes guérisseuses. J'vas t'apprendre des choses dès aujourd'hui, et un peu comme ça tous les jours.

Elles ramassèrent plusieurs tiges de vieux-garçon, qu'elles déposèrent dans leur panier. Elles poursuivirent leur excursion le long de la berge. Élisabeth se pencha et, après avoir cueilli un plant de fleurs ventrues, elle s'écria :

— Des pétards !

Elle se mit à faire éclater les fleurs sur le dos de sa main.

— C'est pas juste fait pour péter, fit remarquer Délina, c'est aussi une plante guérisseuse. Si jamais t'as des démangeaisons, tu peux te frotter avec cette fleur-là : ça va passer tout de suite.

Tout en parlant, elles se rapprochaient du Poste. Elles s'arrêtèrent dans une clairière avant la descente qui menait aux maisons. Délina y cueillit encore deux autres plantes.

— Celle-ci, dit-elle, c'est du plantain. Ça pousse partout. Paraît qu'y a fort longtemps, une jeune fille attendait depuis des heures son amant qui venait pas.

À force de rester assise au bord du chemin, la jeune fille finit par se transformer en plantain. C'est pourquoi on en trouve tellement sur le bord des chemins.

— Ça veut dire, insinua Élisabeth, que si je m'assois sur le bord du chemin pour attendre Charlabin, je risque de tourner en plaintain. J'suis mieux de rester debout pour attendre.

— Ce que tu dis là a beaucoup de bon sens, chère, il vaut mieux rester debout et agir que d'attendre en vain sur son derrière. Reste que le plantain est une ben bonne plante très utile, parce qu'on en fait plusieurs choses, entre autres, de la teinture verte pour la laine. Mais surtout, c'est une bonne plante contre les écorchures, les hémorroïdes, les piqûres de guêpe… et c'est même bon à prendre quand on est constipé!

Élisabeth écoutait Délina avec attention. Elle emmagasinait tout ce qu'elle entendait en se disant : « Un jour, ça me sera utile. » Avant de regagner le Poste, Délina lui fit connaître encore une autre plante des plus précieuses.

— Tiens, des toques! dit Élisabeth.

— Voilà une plante intéressante, s'écria Délina. On l'appelle aussi le tabac du diable. Tu sais qu'en la faisant sécher, on peut en faire du bon engrais pour le jardin. Mais moi, je l'utilise contre les fièvres. J'en fais une espèce de bière qui purifie les sangs.

— Il faut que j'apprenne comment en faire, supplia Élisabeth.

— Je te montrerai, promit Délina.

— Tout de suite, insista Élisabeth.

Devant tant d'enthousiasme, Délina décida de lui livrer son secret. Elles commencèrent par cueillir plusieurs plants en ayant soin d'en prélever les racines.

— C'est avec les racines qu'on fait de la bière. Il nous en faut beaucoup.

Elles en remplirent leurs paniers.

De retour au Poste, Délina mit Élisabeth à contribution en lui faisant broyer les racines. Une fois ce travail terminé, elle les fit infuser dans une grande casserole en fer blanc.

— Demain, dit-elle, notre bière sera prête.

— Ouf! fit Élisabeth. C'est la première fois que j'apprends autant de choses en si peu de temps.

— Tu perds rien pour attendre! Cet automne, je t'apprendrai à cueillir les bons champignons.

Le ravissement dans les beaux yeux verts d'Élisabeth ne trompait pas: Délina avait trouvé le moyen, du moins momentanément, de lui faire oublier ses chagrins.

Chapitre 51

Le mariage

L'été avançait et le projet de mariage semblait sur la glace. Omer posa à son père la question qui lui brûlait les lèvres depuis longtemps :

— On peut-y savoir quand est-ce que vous allez vous marier ?

— Bientôt ! répondit Manuel, s'efforçant de taire la question qu'il désirait lui-même poser à son fils.

La réponse laconique de son père laissa Omer perplexe. Il tenta de sonder le terrain auprès de Délina.

— Ce sera votre deuxième mariage, madame Boily ?

— Tu te trompes, cher ! Mon premier.

— Allez-vous vous marier à Saint-Jérôme ?

Elle allait répondre lorsque Manuel lui coupa la parole :

— Jamais d'la sainte vie !

— Pourquoi pas ?

— Tu me vois, faire bénir notre mariage par le curé Tremblay ? C'est assez pour qu'il soit manqué.

— T'exagères! intervint Délina d'un ton désapprobateur. Le curé Tremblay a son caractère, tu as aussi le tien.

— Bien différent du sien, soutint Manuel.

— C'est toi qui le dis!

— Vous allez vous marier à la Pointe-Bleue, alors? interrogea Omer.

— Probablement! répondit Manuel qui ne voulait pas en dire davantage. Le père Lavoie est moins détestable que le curé Tremblay.

— Dis pas ça! protesta de nouveau Délina. Le curé Tremblay est différent, voilà tout!

— À qui l'dis-tu! grogna Manuel.

La conversation tournait en rond. Omer sentait bien que Manuel ne voulait pas en dire plus. Mais il ne comprenait pas pourquoi. Son air mystérieux et ses silences l'intriguaient. Mais il ne chercha pas à satisfaire plus avant sa curiosité.

Contrairement à ses habitudes, ce midi-là, Manuel se rendit au Poste. Il entretenait des relations de bon voisinage avec les Hatkins, mais il leur rendait rarement visite. Omer s'étonna de le voir traverser ainsi. « Qu'est-ce qu'il manigance encore? » pensa-t-il. Dès qu'il en eut l'occasion, il tenta de s'en informer auprès de Délina. Elle ne paraissait pas en savoir plus long que lui.

— Qu'est-ce que papa est allé faire au Poste?

— Ton père avait sans doute quelque chose à voir avec les Hatkins! J'étais pas là quand il est venu.

Voyant qu'il perdait son temps, Omer en resta là. Trois semaines filèrent sans que la question du mariage ne revienne sur le tapis. Céline donna naissance à un garçon dans la maison même des Grenon, et Délina agit comme sage-femme.

Après s'être assuré que Céline avait suffisamment repris de forces, Manuel annonça son mariage pour le samedi suivant. Le mois d'août avançait rapidement. La récolte des bleuets était déjà chose du passé. Essoufflé de soleil, l'été tirait de l'aile. L'érable au coin du jardin s'embrasait déjà d'une bonne moitié de ses feuilles. Céline s'inquiétait : pourrait-elle assister au mariage ?

—J'aurai jamais la force de me rendre à Pointe-Bleue, dit-elle d'une voix désolée.

— T'auras pas besoin, fit Manuel, le mariage va avoir lieu à la chapelle du Poste.

—Vous avez changé d'idée ! lança-t-elle, toute heureuse.

Ses yeux s'étaient allumés. Il suffisait de parler de mariage pour que des tisons luisent dans ses prunelles comme quand on souffle sur la braise.

Manuel avait tout vu. Il redressa les épaules, fier de constater le bonheur que cette nouvelle apportait à sa bru. Il s'empressa aussitôt de l'annoncer officiellement à toute la maisonnée. La joie pétilla comme une flambée d'aulnes secs.

— Quelle bonne décision ! approuva Omer. Céline va pouvoir venir aux noces.

Le samedi suivant, toute la famille se rendit au mariage. La traversée au Poste s'effectua dans l'exubérance. Le cortège monta directement à la maison du Poste, mais le prêtre n'y était pas encore. Céline désirait lui demander de procéder aussi au baptême de son fils. On se rendit donc allègrement à la chapelle pour attendre le curé. Ce fut Omer qui y parvint le premier. À son grand étonnement, en ouvrant la porte, il y trouva réunies une quinzaine de personnes.

Sa surprise ne fit que s'accroître quand il reconnut sa sœur Geneviève au beau milieu de tous ces gens. Il finit par comprendre quelques instants plus tard ce qui se passait.

— C'est la surprise que nous réservait papa, chuchota-t-il d'une voix émue à Céline.

— Quelle surprise ?

— Ma sœur Geneviève se marie en même temps qu'eux !

Manuel et Délina s'approchèrent de l'autel en même temps que Geneviève et un jeune homme qui, apprirent-ils quand le curé s'adressa à lui, se nommait Rosaire Després. De nouveau, le bonheur illumina les traits de Céline : double mariage, double joie !

Les noces se déroulèrent dans la plus grande simplicité. L'abbé Bouliane, venu pour la circonstance de Chicoutimi avec tous les invités, n'était pas un partisan des grandes cérémonies. Après avoir reçu le consentement des nouveaux mariés et conclu la messe, il procéda, à la demande de Céline, au baptême de l'enfant.

—Après le plat principal, le dessert ! Comment voulez-vous l'appeler ? s'informa-t-il.

—Manuel ! répondit spontanément Omer.

—Ce n'est pas un prénom, reprit le prêtre. Ce sera Emmanuel et vous l'appellerez par la suite Manuel, si ça vous chante.

—C'est ça ! assura Céline.

—Va pour Emmanuel ! acquiesça-t-il.

Et il le baptisa sans plus de façon.

La noce dura tout l'après-midi et une bonne partie de la soirée. Les Després comptaient dans leurs rangs des musiciens dépareillés. Les violons jouèrent à un rythme d'enfer tout au long de la veillée. Danseurs et danseuses s'en donnèrent à cœur joie, s'envoyant cotillon sur cotillon, entremêlés de danses à quatre et de bastringues. Après avoir partagé le repas de ses hôtes, le curé Bouliane avait eu la bonne idée de s'en retourner à Chicoutimi avec un couple d'invités qui ne pouvaient rester plus longtemps.

—Ce qu'on ne sait pas ne fait pas mal ! avait-il dit en partant.

Il n'y avait plus d'obstacle aux réjouissances, et on en profita largement.

Vraiment, on pouvait croire que le bonheur était revenu à Métabetchouan.

Chapitre 52

Un autre départ

Le lendemain des noces, Omer dit à son père :

— Y a quelque chose que je veux vous dire depuis longtemps.

Manuel fut tout de suite sur ses gardes.

— Céline et moi, on a décidé de retourner à Baie-Saint-Paul.

Le toit de la maison lui serait tombé sur la tête que l'effet aurait été le même. Manuel réagit très mal. Il s'adressa à son fils sur un ton de reproche.

— C'est ça ! Maintenant que la fête est finie pis que l'hiver est à nos portes, tu t'en vas !

— Vous deviez bien vous y attendre un peu ?

— Pourquoi pars-tu ?

— Céline s'ennuie de Baie-Saint-Paul...

Conscient de peiner son père, Omer s'empressa d'ajouter, pour tenter de se racheter :

— C'est pas à cause de vous ou de Délina, non plus qu'à cause de la place. C'est très ben icite ! Mais c'est pas comme dans un village. On pense qu'on serait plus heureux là-bas. Faut dire aussi que Céline a plus de parenté dans le voisinage. On serait resté si son père était pas parti…

— Comme ça, au moment où je vieillis, poursuivit obstinément Manuel, tu m'abandonnes !

— Vous êtes pas tout fin seul, vous avez Délina pis Élisabeth. Et puis, Léopold peut facilement prendre ma place.

Manuel préféra ne rien répondre. Il ne voulait pas davantage laisser paraître la peine et la déception que lui causait cette nouvelle. Lui qui, depuis la veille, baignait dans le bonheur le plus total, se figurait mal ne plus pouvoir désormais compter sur les bras solides d'Omer et la joie de vivre de Céline.

— Nous viendrons vous voir de temps à autre, assura Omer en guise de consolation.

Manuel haussa les épaules.

— On sait c'que ça veut dire… Je verrai même pas grandir mes petits-enfants.

Quelques jours plus tard, par une belle journée ensoleillée, Omer et Céline quittaient Métabetchouan. Le lac, d'un bleu profond, brillait de ses teintes les plus nuancées et, paresseusement, la rivière venait y mêler ses eaux brunes et calmes. L'œil humide, Manuel admirait son royaume, ne pouvant rien imaginer de plus beau au monde.

— Regarde ça ! dit-il à Délina en désignant d'un large geste la rivière et le lac. Comment peux-tu expliquer leur départ ?

— Y a rien à expliquer. Ils se plaisaient pas assez par icite, voilà tout !

— J'aurais compris, y a quelques années, quand on n'avait rien, sauf de la misère, mais maintenant...

— Ils sont jeunes ! Ils ont leurs ambitions. On n'y peut rien.

Le cœur gros, Manuel les regarda disparaître au détour du sentier, en direction du Poste. Il revit de nouveau les départs de ceux qu'il avait aimés : Arsène, Fabienne, Geneviève, Charlabin et maintenant Omer, Céline et le petit Emmanuel. Bien malgré lui, la maison se vidait progressivement.

— La vie, soupira-t-il, c'est rien qu'un long départ.

Il se revoyait, des années plus tôt, au moment de quitter Baie-Saint-Paul. Déjà, il pouvait compter sur son fils aîné. Ensemble, ils avaient défriché, labouré, récolté, construit la maison et les dépendances. Alors qu'il pensait pouvoir lui céder sa place, le voilà qui partait à son tour. « Le reverrai-je un jour ? » se demanda-t-il avec anxiété.

Longtemps, il demeura les yeux fixés sur la rivière, le cœur balançant entre le désir de demeurer à Méta-betchouan et celui de suivre son fils à Baie-Saint-Paul.

Délina le tira de sa rêverie :

— Viens ! dit-elle. La vie continue !

Comme il le faisait après une grande épreuve et chaque fois que la vie lui pesait, après le souper, Manuel se munit d'un fanal et se prépara à monter jusqu'à l'endroit où, d'un seul coup d'œil, il pouvait admirer à la fois la rivière et le lac, de même que sa maison, le Poste et tous les environs. Cette fois, il n'était pas seul. Il avait demandé à Élisabeth de l'accompagner :

— Viens, suis-moi. Délina me raconte que tu aimes beaucoup apprendre, j'ai quelque chose à te montrer.

— Où ça ?

— Suis-moi, tu verras bien.

Il la mena d'abord à la source.

— Tu vois, dit-il, la première fois que je suis venu ici avec Bellone, nous avons bu à cette source. Depuis, on a capturé son eau pour l'amener jusqu'à la maison. Tous les jours, elle nous donne la vie, mais on est tellement habitués à elle que maintenant on l'entend plus. Penche-toi, ajouta-t-il, et écoute-la murmurer.

Élisabeth mit un genou à terre et tendit l'oreille. L'eau surgissait du sol en bouillonnant, puis coulait sur la mousse avant de remplir une cuvette servant de réservoir. Le surplus disparaissait dans le tuyau en bois avec un curieux bruit de succion.

— Tu l'entends comme moi, dit Manuel. La source parle, comme à peu près tout ce qu'il y a dans la nature. Les arbres, les rivières, les lacs, les oiseaux ont leur langage, mais on sait pas les écouter. Tous les jours, la nature a quelque chose à nous enseigner, mais on s'en soucie pas. Maintenant, prends le temps de bien goûter à son eau.

Élisabeth joignit ses mains en coupe et elle puisa dans la cuvette avant de porter l'eau à ses lèvres.

— Qu'est-ce qu'elle goûte ? demanda Manuel.

—Je sais pas trop, répondit-elle.

—Goûtes-y encore en prenant bien ton temps, insista son père.

Élisabeth but de nouveau, cette fois en aspirant l'eau directement de la source.

—Brrr ! fit-elle en frissonnant. Elle est glacée, mais je dirais qu'elle a un goût de noisette.

Manuel fut tout sourire.

—C'est en plein ça que m'a dit Bellone la première fois qu'il a bu à la source ! Tu vois, dit-il, fallait que t'avales directement son eau pour en trouver le goût.

Ils poursuivirent leur chemin jusqu'à la falaise derrière la maison, tout en haut de sa terre. Il y monta, suivi d'Élisabeth tout heureuse de voir son père lui consacrer un peu de son temps. Quand ils furent rendus au sommet de la colline, il s'assit sur un tapis de mousse, au pied d'un érable, et il invita Élisabeth à en faire autant.

—Est-ce que c'est la première fois que tu te rends jusqu'icite ?

—Oui, Charlabin m'y avait jamais menée…

—On a tous notre coin secret ; ça, c'est le mien. J'y viens chaque fois que j'ai besoin de réfléchir et la nature ne me trompe jamais : elle a toujours une réponse à me donner. D'habitude, j'y viens tout seul, mais aujourd'hui, je tenais à ce que tu sois avec moi. T'es-tu arrêtée ces derniers temps pour admirer le coucher du soleil ?

—Le coucher du soleil ? Je le regarde comme ça, certains soirs quand ça adonne, mais pas bien longtemps.

— Ce soir, ma fille, nous allons le regarder ensemble. Sais-tu comment je m'y prends pour pouvoir l'admirer à plein ? La meilleure façon d'en profiter, c'est de s'étendre sur le dos dans la mousse.

Joignant le geste à la parole, il se coucha.

— Fais-en autant, conseilla-t-il.

Élisabeth l'imita.

— Touche, l'invita-t-il. Cette mousse-là est aussi douce qu'un édredon. Sens-tu la bonne odeur de terre ? Respire à fond... Ça sent bon, hein ? On dirait qu'elle renferme tous les parfums.

Pendant qu'il parlait, le soleil avait décliné, de l'autre côté des montagnes. Au-dessus d'eux, des nuages défilaient, se teintant peu à peu de rose, de rouge feu, d'or et de violet. Le ciel au loin prenait des nuances vertes, changeantes d'une seconde à l'autre. Manuel ne parlait plus. Élisabeth, en silence, s'emplissait les yeux de ce spectacle grandiose. Tout le firmament se colorait, le lac réflétait les couleurs du ciel comme une immense toile. Seuls se faisaient entendre au loin les cris d'un couple de huards accompagnés, sous le vent léger, par le bruissement des feuilles. Un grondement à peine audible parvenait de la chute et de la rivière.

Ils restèrent sans bouger jusqu'à ce que la brunante repousse le jour. Manuel demanda :

— As-tu aimé ce que tu as vu ?

Élisabeth répondit d'une voix émue :

— J'avais jamais admiré un coucher de soleil comme ça avant. J'pense qu'y a rien de plus beau au monde.

— Et c'est pas fini, dit son père. Maintenant que la noirceur tombe, regarde bien surgir les étoiles.

Dans le ciel s'allumèrent çà et là des lumières scintillantes. Le ciel s'en couvrit graduellement.

— Ce sont les grains de beauté du ciel, dit Manuel. J'connais pas les noms des étoiles. J'connais juste la Grande Ourse, la Petite Ourse et l'étoile polaire.

Il les désigna à sa fille. Soudain à l'horizon, la lune parut, immense sphère orangée. Ils restèrent un long moment à la regarder se transformer en argent et dessiner un sentier lumineux sur le lac.

— Quand j'étais jeune, dit Manuel, les vieux nous parlaient du bonhomme dans la lune. Ils disaient qu'il sciait son bois pour l'hiver. J'ai eu beau chercher, j'l'ai jamais trouvé ! Mais rien n'empêche que la lune transforme la nuit aussi bien que le soleil le fait pour le jour. Les vieux nous assuraient que c'est l'bonhomme qui faisait le bran de scie des étoiles.

Ils restèrent encore un long moment à se remplir les yeux du mystérieux spectacle de la nature. Le lac ressemblait à une immense marmite argentée. À leurs pieds se détachait dans l'ombre la silhouette de la maison et des bâtiments.

Manuel dit :

— Comprends-tu pourquoi j'ai tenu à ce que tu vois tout ça ?

— Parce que c'est beau, assura Élisabeth.

— Ma grande, dit-il, je pense que juste pour ça, quand on sait prendre le temps de regarder, ça vaut la peine de vivre.

Chapitre 53

Des décisions importantes

Au terme d'une journée qui avait été particulièrement éprouvante, alors que l'automne laissait déjà présager un dur hiver, comme pour se délivrer du lourd poids de ses pensées, Manuel s'approcha de la fenêtre et jeta un coup d'œil confiant dans la direction du lac. Quelques outardes jacassaient au loin. La nature se remplissait des bruissements familiers du soir.

Il ouvrit toute grande la fenêtre. Une bouffée d'air frais le gifla au visage. Avec elle, tous les bruits de la forêt envahirent d'un coup la chambre. Il y avait les gémissements des bouleaux le long de la rivière, les appels des corneilles du côté du Poste, les frémissements des branches au flanc des falaises, les grondements sourds du Trou de la Fée, le clapotis de l'eau sur les pierres du rivage, le chant des ruisseaux au creux des coulées, les courses éperdues des bêtes chasseuses et chassées.

Ce combat pour la vie hanta ses pensées avec insistance. Manuel redressa les épaules, respira un bon coup, puis referma la fenêtre. Il repartirait à neuf et, cette fois, il vivrait des jours dorés. Il saurait profiter à fond des matins, quand les oiseaux se font la cour, des soirs qui coulent doux comme des baisers, et des nuits toutes chaudes du parfum de la femme aimée.

La maison s'était peu à peu repliée dans le silence de la nuit. Délina dormait profondément. Manuel resta encore un long moment songeur devant la fenêtre, puis, conscient que le sommeil n'arrivait pas à le gagner, il sortit prendre l'air. Sur la galerie, il reconnut la silhouette de Léopold et alla le rejoindre.

— T'es pas encore couché ? demanda-t-il, étonné.

— Non ! Je dormais pas... J'ai quelque chose à vous dire.

— Quoi donc ? T'as toujours ben pas l'intention de nous abandonner à ton tour ?

— Au contraire, je voulais vous dire que je resterai à Métabetchouan.

Manuel, pourtant peu porté sur les grandes effusions, serra son fils dans ses bras.

Quelques jours plus tard, un beau jeudi d'octobre, le postillon Georges-Aimé Dufour, qui n'avait pas l'habitude de se rendre chez les Grenon – il confiait leur courrier à Hatkins, qui se chargeait volontiers de le leur remettre –, traversa jusque chez eux pour porter une lettre importante.

Délina en fit nerveusement sauter le sceau. Dès qu'elle eut parcouru les premières lignes, elle confia à Manuel :

— C'est ma sœur Maria, de Saint-Jérôme, qui me fait dire que Mathilde se meurt. Il faut que j'y aille au plus vite !

— Tu pourrais t'y rendre avec Georges-Aimé. J'irai te rejoindre dans une couple de jours, proposa Manuel.

— C'est une bonne idée, approuva Délina.

Elle rassembla rapidement quelques effets avant de partir avec le postillon, qui l'avait attendue.

— Dimanche, promit-elle, je te ferai donner des nouvelles par le curé Tremblay.

Manuel l'accompagna jusqu'à la rivière. Quand la barque s'éloigna du rivage, il la regarda s'en aller sans pouvoir trop bien s'expliquer ce qui lui pesait tant sur le cœur.

— Ainsi va la vie, murmura-t-il. Hier la joie, aujourd'hui la peine, demain...

Élisabeth sortit et vint au-devant de lui :

— Papa ! J'ai quelque chose à vous demander.

— Quoi donc, ma fille ?

— J'aimerais beaucoup apprendre à mieux lire et à mieux compter. En tout cas, assez pour pouvoir le montrer aux autres.

— Ma fille, je t'avais promis une belle surprise. Délina m'a dit que t'avais tout ce qu'il faut pour bien apprendre. Je lui ai demandé d'écrire à Québec pour que tu puisses y aller en pension, le temps de te débrouiller dans les chiffres et les écritures. Ça fait longtemps que je voulais t'offrir ça. S'il y en a une qui le mérite, c'est ben toi.

Élisabeth lui sauta au cou.

— Merci, papa! Merci!

— Ça va te changer de Métabetchouan! On attend une réponse de mademoiselle Pesant, là où tu pensionnerais. Si elle dit qu'elle peut te garder, tu iras rester là et tu pourras étudier au couvent des ursulines.

Élisabeth était au comble du bonheur.

Le dimanche suivant, le curé Tremblay confirma le décès de Mathilde Boily. Il fit prévenir Manuel que Délina l'attendait pour revenir à Métabetchouan. Manuel confia la garde de la maison à Élisabeth, et celle des animaux et de la ferme à Léopold. Le lendemain, il partit au-devant de Délina.

— Nous serons de retour ce soir, promit-il pour rassurer son fils.

Léopold donna la réponse qu'il attendait:

— Prenez votre temps, p'pa, je m'occuperai bien de tout.

Fidèle à sa parole, le soir même, Manuel regagnait Métabetchouan avec Délina. Tout était en ordre dans sa vie, tout y était en paix. La seule vue de la rivière et du lac l'ancra dans sa conviction qu'enfin, vraiment, des beaux jours se levaient sur Métabetchouan.

Chapitre 54

Un avenir meilleur

Tôt en novembre, la neige tomba en abondance. Comme si elle n'était pas encore prête à l'épreuve de la glace, la rivière mit beaucoup de temps à geler. Les jours passaient, monotones, refermant graduellement les cicatrices ouvertes par le départ d'Omer et de Céline.

Délina avait pris les rênes de la maisonnée, secondée avec enthousiasme par une Élisabeth qui s'était enfin remise à vivre. Elle attendait l'arrivée de l'été suivant avec beaucoup d'espoir.

Manuel aussi avait retrouvé sa bonne humeur.

— Métabetchouan n'a pas été bon pour ma famille, dit-il un jour à Délina. Ici, tout n'a été qu'une suite de départs. Quand j'y pense, je trouve que la liste est bien longue. Je t'avoue que j'ai bien failli partir à mon tour et que, parfois, j'me demande encore si je resterai.

— Qu'est-ce qui t'a retenu icite jusqu'à présent?

— La place… et surtout toi! Si tu n'avais pas été là, je serais déjà parti depuis longtemps.

—Moi !

—Oui, toi ! Si j'n'étais pas venu m'établir icite, j't'aurais jamais connue. On serait pas là à partager les épreuves et les joies. T'as toujours été là depuis le début… un peu comme notre ange gardien.

Pour toute réponse, Délina l'embrassa doucement.

—Il ne sera jamais plus question de partir, lui dit-elle.

—T'as raison, j'crois ben, murmura-t-il.

Le temps des fêtes ne fut qu'une suite de réjouissances, chez les Grenon et au Poste. Il y eut même la visite surprise de Geneviève et de son mari, venus annoncer à Manuel qu'il serait de nouveau grand-père au printemps.

Puis Georges-Aimé Dufour arriva, porteur d'une nouvelle sensationnelle. Il refusa de parler tant que Manuel ne serait pas présent. Léopold se dépêcha d'aller le chercher à l'écurie. Alors seulement, le postillon déclara :

—Vous allez être content, monsieur Grenon.

—Ça doit être toute une nouvelle, en effet, pour que tu prennes le temps de traverser pour nous en informer.

—Imaginez-vous que j'ai appris par le commissaire aux terres, lui-même en personne, qu'il y au moins trois familles qui auraient acheté des lots pour venir s'établir icite à Métabetchouan.

—Prochainement ?

— Ça, j' le sais pas. Il me l'a pas dit.

— C'est quand même une batêche de bonne nouvelle ! s'exclama Manuel. Ça vaut la peine de célébrer ! Délina, sors le p'tit vin et les verres, on va trinquer à l'avenir et aux futurs voisins !

Fier de son effet, Georges-Aimé ne se fit pas prier pour boire son petit remontant et il quitta les Grenon de fort bonne humeur.

— Pour une fois, dit Manuel, Georges-Aimé nous a apporté une bonne nouvelle.

— Touchons du bois, dit Délina, c'est pas encore fait…

La neige resserra peu à peu son emprise sur la région. Tout était figé dans la glace comme si la nature était morte. Manuel répondit à l'appel de la forêt. Comme chaque hiver, il se mit en chasse. L'espoir qu'enfin Métabetchouan fût appelé à se développer lui redonnait peu à peu son entrain d'antan. Ses excursions en compagnie de Léopold les menèrent parfois loin de sa rivière. Ils se servirent d'un vieux campe comme abri pour pouvoir agrandir leur territoire de chasse. Grâce à Léopold, sur qui il pouvait désormais compter, l'hiver lui parut court et l'absence d'Omer ne lui pesa pas trop.

Le temps vint rapidement de renouveler les provisions de bois de chauffage. Ils se mirent donc à bûcher, puis ils cherchèrent, parmi les quelques arbres que le feu avait épargnés, celui qui fournirait des planches assez larges pour fabriquer une armoire. Ils arrêtèrent leur choix sur un vieux pin auquel ils s'attaquèrent avec une belle ardeur, le débitant aux longueurs voulues. Quand Délina désira savoir ce qu'ils préparaient, ils jouèrent les innocents. Dès lors, elle sut avec certitude qu'elle terminerait ses jours à Métabetchouan.

Chapitre 55

Départ d'Élisabeth

L'été, sur la Métabetchouan, arrivait avec des chaleurs bienheureuses et longuement espérées dont Manuel et Délina ne manquaient pas de profiter en tirant les chaises berçantes dehors, sur la galerie. Ils adoraient goûter les couleurs du lac et de la rivière, et la féerie du soleil couchant qui illuminait le ciel et les nuages de toutes ses couleurs.

Élisabeth attendait avec impatience la lettre de Québec qui devait sceller son sort. Elle se permettait de rêver tout haut :

— Quand je serai à Québec, je vais aller voir des pièces de théâtre et tout plein de belles choses dans la ville.

Délina, qui souriait en l'écoutant, lui dit :

— J'y suis jamais allée, chère. Nous avons passé pas loin en face quand nous sommes allés à Drummond. Il paraît, pour en avoir entendu parler, que c'est une vraie belle ville. Tu seras ben chanceuse d'y être et il faudra que tu nous écrives souvent. Après tout, c'est surtout pour ça que tu vas y aller ! Je t'ai montré à lire et à écrire, mais tu pourras apprendre à le faire encore mieux. Et y a encore ben d'autres choses que tu vas pouvoir connaître, que ni moi ni ton père on saura jamais.

— Comme quoi ?

— La géographie, par exemple, et l'histoire, les mathématiques. Les sœurs vont t'enseigner aussi le catéchisme, les bonnes manières et la tenue de maison. Je suis persuadée que tu vas te plaire à ta pension. C'est un bel avenir qui t'attend.

Élisabeth, malgré tout, paraissait soucieuse.

— Je te sens inquiète, fit remarquer Délina. Est-ce qu'y a quelque chose qui te tracasse, chère ?

— Tout à coup que les sœurs me refusent à cause de mon âge…

— Tu n'as rien à craindre, chère, les bonnes sœurs vont te mettre dans la classe qui te convient selon tes capacités et tes connaissances. Elles refusent personne, surtout si elles pensent pouvoir les faire entrer dans leur communauté.

— J'ai pas envie de faire une sœur.

— Y a rien qui t'y oblige. T'étudieras comme il faut, et puis dans deux ou trois ans tu pourras revenir par icite montrer à lire et à écrire aux enfants. Ou p't'être ben même à Chicoutimi, à Saint-Jérôme ou à Roberval, qui sait ?

— Roberval, c'est pas loin d'icite, pis j'y suis même jamais allée. Pourtant je vas me rendre beaucoup plus loin, à Québec…

Manuel, qui écoutait la conversation dans son coin, dit soudainement :

—J'y pense, ça fait des années qu'on vit par icite et on n'a jamais fait le tour du lac. Si jamais la lettre arrive de Québec pis que la réponse est celle que nous espérons, avant qu'Élisabeth parte, on va se payer un voyage.

Léopold demanda aussitôt :

— Où ça, p'pa ?

— On va monter tous les quatre sur un vapeur et on va faire le tour du lac.

Les sourires flamboyèrent sur les visages d'Élisabeth et de Léopold. Même Délina était tout heureuse d'entendre Manuel formuler une telle promessse.

Quand, à la mi-juillet, Georges-Aimé prit le temps de traverser la rivière pour porter une lettre chez les Grenon, Délina comprit tout de suite qu'il s'agissait de quelque chose d'important. Comme Manuel et Léopold étaient aux champs et qu'Élisabeth lisait au bord du lac, elle décida d'attendre que tous soient réunis pour décacheter l'enveloppe.

Après le souper, au moment où tous, réunis sur la galerie, pouvaient enfin se détendre au bout d'une journée bien remplie, Délina annonça :

— Y a quelque chose d'important qui est arrivé aujourd'hui.

Elle tira une enveloppe de son corsage.

— Une lettre de Québec !

À ces mots, Élisabeth bondit de sa chaise.

—Tu sais lire, lui dit Délina. À toi l'honneur de nous apprendre si elle contient une bonne ou une mauvaise nouvelle.

Maintenant qu'elle avait la lettre tant attendue entre les mains, Élisabeth n'osait pas l'ouvrir.

Délina l'encouragea d'une voix douce :

—Allez chère ! Tu l'as espérée tellement longtemps, fais-toi – et fais-nous – le plaisir de lire ce qu'elle contient.

—Tout à coup que c'est non, murmura Élisabeth.

Manuel s'en mêla :

—Moi, ma fille, je pense que c'est oui. Si c'était une réponse négative, à mon avis, on ne l'aurait pas reçue si tôt. Une réponse positive doit arriver assez vite pour donner le temps de préparer un trousseau.

Délina enchaîna :

—Je crois que ton père à raison. Moi aussi, mon petit doigt me dit que c'est une réponse favorable.

Non sans hésiter malgré tout, Élisabeth décacheta l'enveloppe, puis elle lut à haute voix :

Québec, 6 juin 1872

Madame Délina Grenon
Métabetchouan

Madame,

En réponse à la demande que vous m'avez adressée concernant une place en pension pour votre fille, je suis heureuse de vous informer que je recevrai Élisabeth avec plaisir à la fin d'août pour lui permettre d'entreprendre ses études chez les ursulines.

Comme vous me le demandiez, j'ai rencontré, en votre nom, les religieuses avec les lettres de recommandation que vous m'avez fournies, de la part de monsieur Hatkins, de Métabetchouan, et du révérend père Lavoie, de Pointe-Bleue. Les religieuses recevront Élisabeth parmi leurs élèves. Elles lui feront passer un examen préliminaire qui leur permettra de déterminer la classe dans laquelle elle poursuivra ses études dans leur institution.

Vous trouverez ci-joint la liste des vêtements et de tout ce dont elle a besoin pour fréquenter le couvent. Quant au reste, il lui sera fourni à la pension que je dirige.

J'ai bien hâte de connaître ma future pensionnaire et je la recevrai avec plaisir chez moi, entre le 25 et le 28 août prochain, au 15 de la Côte-de-la-Montagne.

Avec l'assurance de toute mon attention à l'égard d'Élisabeth, je demeure votre toute dévouée,

Bertha Pesant

À la mi-août, comme Manuel l'avait promis, ils firent le tour du lac Saint-Jean à bord du vapeur *Chicoutimi*. Il y avait parmi les passagers un monsieur à longue barbe qui ne semblait pas en être à son premier voyage. Désireuse d'en apprendre le plus possible sur les petites agglomérations qui bordaient çà et là le tour du lac, Élisabeth s'adressa à lui.

— Pardonnez mon audace, dit-elle, mais c'est la première fois que j'ai le bonheur de voyager ainsi sur le lac et j'aimerais bien connaître les endroits où nous nous arrêtons et ceux que nous apercevons le long de la berge.

— Je vous renseignerai avec plaisir, mademoiselle. Vous devez savoir cependant que depuis le grand feu d'il y a deux ans, le visage du lac a beaucoup changé. Si beaucoup de maisons ont été reconstruites, il faudra des années avant que les arbres repoussent comme avant. La seule bonne conséquence de ce feu, c'est l'abondance de bleuets!

Le *Chicoutimi* parcourut son trajet tout autour du lac, faisant escale à chaque village. Manuel, Délina et les enfants furent enchantés de découvrir ce beau paysage et la verdure forestière sur le versant du lac épargné par les flammes. C'est avec toutes ces belles images encore en tête que, quelques jours plus tard, Élisabeth quittait Métabetchouan, le cœur à la fois triste de laisser les siens et heureux de sa future vie québécoise.

Chapitre 56

La vraie naissance

Trois années s'étaient écoulées depuis le départ d'Omer. À chaque nouveau printemps, Manuel recommençait à vivre pleinement. En ce mois d'avril 1874, son optimisme prit une fois de plus le dessus. Il lui semblait maintenant que seules de bonnes choses pouvaient lui arriver. Une première fonte hâtive des neiges vint le lui confirmer, puis suivit la première crue des eaux. Comme il l'avait fait l'année où il s'était blessé, il observa la naissance des feuilles et des fleurs, et le retour des oiseaux. Puis il s'assura tout au long du mois de mai que tout était en place pour espérer des récoltes exceptionnelles à la fin de l'été.

Manuel était heureux de ce qu'il voyait croître jour après jour sur sa terre, et il tirait une grande satisfaction de son travail et de celui de son fils Léopold, qui le secondait avec de plus en plus d'assurance. Un soir de juin, tout juste avant la brunante, il décida de faire, comme un prince, le tour de son royaume. Il attrapa sa hache, sa pipe et son fusil, et partit d'un pas tranquille.

— Où vas-tu, mon homme ? lui demanda Délina.

— Faire le tour de mes terres.

— Tu veux arpenter ton royaume ?

— C'est en plein ça !

Délina le regarda, heureuse de le voir enfin serein après tout ce temps passé à tergiverser. Elle poussa un soupir de contentement.

Manuel parcourait ses champs sans penser à rien. Il voulait marcher, mettre de la distance entre sa terre et lui pour faire le vide total. Sur la pente abrupte, il atteignit les premiers sapins juste au moment où le soleil entreprenait sa chute vers l'ouest. Sans se soucier des branches qui lui fouettaient le visage, il grimpa sur le dernier rocher dominant son domaine. Il voulait avoir tout le pays à ses pieds pour refaire le plein de ce qu'il aimait le plus au monde.

Essoufflé, il se laissa choir sous un pin. En bas, les épinettes en rangs serrés pointaient leurs épines noires comme un dos de porc-épic, dévalant la montagne jusqu'au damier des champs. La rivière, telle une écharpe de soie, tranchait sur les robes claires des rives chargées de peupliers. Accroupie au bord du lac, la maison regardait fièrement le Poste. Vers l'est, des nuages ocres sortis du dévidoir des Laurentides posaient leur ombre, évasive comme une caresse, à la surface des terres brûlées. Le soleil en profitait pour jouer à l'artiste entre les nuées, allumant le paysage de touches brillantes et lumineuses.

En parfaite harmonie avec la nature, Manuel retrouva la paix. Assis sur une souche, il observa longuement la Métabetchouan. Inlassablement, depuis la nuit des temps, elle déversait ses eaux fougueuses dans le Pekuagamy. Les grandes étendues bleues du lac, bordées des subtils violets des montagnes, lui rappelaient le rythme régulier des saisons. Il mesurait tout le chemin parcouru depuis les temps lointains de son enfance. À chaque épreuve vécue, la nature lui avait toujours été bonne conseillère. Longtemps, il resta là à rêver, goûtant chaque minute comme on savoure une gorgée d'un bon vin.

Quand il se releva, il savait au fond de lui-même qu'il avait autant besoin de sa terre, de sa forêt, de sa maison, de sa rivière et de son lac que de l'air qu'il respirait. Pour être heureux, il ne pouvait se passer de Métabetchouan. Apaisé et rempli d'espérance, il revint chez lui assuré enfin qu'il vieillirait sur les bords de sa rivière et qu'un jour, il dormirait de son dernier repos près des siens, au cimetière du Poste.

Le mois de juin faisait maintenant cadeau de ses fleurs et de ses parfums. Les oiseaux égayaient l'air de leurs chants. Manuel revenait un midi des champs lorsqu'il fut interpellé par Léopold qui, du bord de la rivière, criait à s'époumoner :

— P'pa, venez vite, venez vite !

Manuel descendit en courant vers le gué. Il sauta dans la barque où son fils l'attendait. Dès qu'il y fut, Léopold s'affaira à traverser.

— Qu'est-ce qu'y a ?

Comme s'il n'avait rien entendu, Léopold ne répondit pas. Tenace, Manuel insista :

— Qu'est-ce qui se passe ?

— Attendez, vous allez voir.

Léopold échoua habilement la barque.

— Venez ! dit-il à son père.

Ils prirent le chemin du Poste. Manuel s'inquiétait :

— Qu'est-ce que tu me caches ?

Son fils ne se retourna pas, se contentant de lui répondre :

— Soyez patient ! Vous verrez ben !

Plus ils approchaient du Poste, plus Manuel se faisait pressant :

— Y est-y arrivé un malheur ?

— Ben non ! Ben non !

— Quoi alors ? Vas-tu parler ?

Au moment où ils dépassaient la Poudrière, des rires se firent entendre, puis des murmures confus. Léopold se retourna vers son père en souriant :

— Voyez qui est arrivé !

Caché derrière la Poudrière, des enfants qu'il ne connaissait pas apparurent, puis des adultes suivirent : Céline, tenant son fils Emmanuel par la main, s'avançait en compagnie d'Omer, avec dans ses bras leur dernier-né. Obéline souriait en poussant son mari devant elle.

Manuel n'en croyait pas ses yeux. Sans qu'il s'en rende compte, Délina avec Élisabeth, tout juste revenue pour ses vacances, l'avaient rejoint pendant que Tout-Fou, excité par la présence de tant de monde, tournait autour du groupe en jappant.

— Nous étions partis, dit Omer d'un ton solennel, et nous voilà tous revenus pour de bon.

Bellone et sa femme profitèrent de ce moment pour se montrer à leur tour.

Manuel, incrédule, les considérait tous avec stupéfaction.

— Pour être un beau coin, dit Bellone, c'est un beau coin !

Tout le monde éclata de rire. Manuel serra Délina contre lui puis, promenant son regard sur toute l'assemblée, il déclara :

— À partir de tout d'suite, Métabetchouan est vraiment né !

FIN DU TROISIÈME TOME

Table des matières

Prologue 11

PREMIÈRE PARTIE
Vers l'inconnu

Chapitre 1 – Baie-Saint-Paul, décembre 1844. . .15
Chapitre 2 – Métabetchouan, été 1865 19
Chapitre 3 – Au Poste de la Métabetchouan 27
Chapitre 4 – Chez les Grenon 35
Chapitre 5 – Le retour à la maison 47
Chapitre 6 – De la visite. 57
Chapitre 7 – Les adieux de Manuel 63
Chapitre 8 – Préparatifs du départ. 71
Chapitre 9 – Le déménagement,
              première journée 79
Chapitre 10 – Le déménagement,
              deuxième journée. 85
Chapitre 11 – Le déménagement,
              troisième journée. 95
Chapitre 12 – Le déménagement,
              quatrième journée 101
Chapitre 13 – Le déménagement,
              cinquième journée. 107

Chapitre 14 – Le déménagement,
              sixième journée 115
Chapitre 15 – Le déménagement,
              septième journée 119
Chapitre 16 – Métabetchouan 131
Chapitre 17 – Le campe 137
Chapitre 18 – Un départ, deux arrivées 143
Chapitre 19 – Le retour d'Omer 151
Chapitre 20 – La tante Wilhelmine 159
Chapitre 21 – Amélioration, déception, espoir . .165

DEUXIÈME PARTIE
La Terre promise

Chapitre 22 – Une nouvelle désagréable
              et un amour naissant 175
Chapitre 23 – Les Anglais s'installent 187
Chapitre 24 – La visite du curé 195
Chapitre 25 – Les Anglais passent à l'attaque . . .205
Chapitre 26 – Élisabeth et Charlabin. 217
Chapitre 27 – Le lancement du vapeur 223
Chapitre 28 – Les joies hivernales 229
Chapitre 29 – La surprise d'Élisabeth 239
Chapitre 30 – Une drôle de chasse
              et un mariage. 245
Chapitre 31 – Les confidences de Fabienne 255
Chapitre 32 – Les mensonges de Fabienne 263
Chapitre 33 – Un baptême mouvementé
              et un visiteur indésirable 269
Chapitre 34 – Les récriminations de Fabienne
              et les malheurs d'Élisabeth 275

Chapitre 35 – Manigances, peurs
et inquiétudes 283
Chapitre 36 – Désespérance et voyage. 291
Chapitre 37 – Des visiteurs bienvenus
et malvenus 297

TROISIÈME PARTIE
Délivrance

Chapitre 38 – Enfin, une bonne nouvelle 309
Chapitre 39 – Nouvelles inquiétantes
et belle surprise 315
Chapitre 40 – Les choses se corsent. 325
Chapitre 41 – Août 1869 329
Chapitre 42 – Moments d'inquiétude 339
Chapitre 43 – Les amours d'Omer. 347
Chapitre 44 – Les noces 352
Chapitre 45 – Le grand malheur 357
Chapitre 46 – Résurrection 363
Chapitre 47 – Élisabeth 367
Chapitre 48 – Manuel cause une bonne frousse . .373
Chapitre 49 – La lune de miel avant la noce 383
Chapitre 50 – Proposition et leçons de Délina . .391
Chapitre 51 – Le mariage. 401
Chapitre 52 – Un autre départ. 407
Chapitre 53 – Des décisions importantes 415
Chapitre 54 – Un avenir meilleur 419
Chapitre 55 – Départ d'Élisabeth. 423
Chapitre 56 – La vraie naissance 429

Suivez-nous

Achevé d'imprimer en août 2017
sur les presses de l'imprimerie Marquis-Gagné
Louiseville, Québec